國學經典故事
晉國　韓國卷

萬安培　主編

# 《國學經典故事》
## 編輯委員會

專家顧問：李學勤　清華大學出土文獻研究中心主任，夏商周斷代工
　　　　　　　　　程和中華文明探源工程首席專家
　　　　　　張希清　北京大學中國文化研究所所長，著名文史專家
　　　　　　王震中　中國社會科學院學部委員、歷史研究所副所長，
　　　　　　　　　　著名先秦史專家
　　　　　　劉玉堂　湖北省社會科學院副院長、華中師範大學特聘教
　　　　　　　　　　授，著名楚文化專家
　　　　　　韓養民　西北大學歷史學院教授，著名秦文化專家
　　　　　　江林昌　煙臺大學副校長、山東師範大學齊魯文化研究院
　　　　　　　　　　院長，著名齊魯文化專家
主　　編：萬安培
編輯委員會（按姓氏筆畫排序）：
　　　　　　王　凡　王廣西　付武林　刑　磊　吳正章　宋　海
　　　　　　李勇衛　李會明　周　林　周　峻　周傳琴　林明學
　　　　　　胡宏兵　夏緒虎　陳以志　游　峰　童其志　黃守岩
　　　　　　萬安培　葛　文　賈志杰　鄒進文　劉寶瑞　鄧天洲
　　　　　　鄧　紅　鞠加亮　韓曉生
編寫組成員（按姓氏筆畫排序）：
　　　　　　汪子鈞　邱小明　胡　博　孫　樂　國應福　張軍翠
　　　　　　萬俊峰　萬憬浩　劉海燕　潘陳靜　譚曉藝
責任編輯：陳曉東　鄒少雄　靳　強　沈　紅
　　　　　　余兆偉　黃　沙　劉天聞　劉　佳

# 序言

## 中華優秀傳統文化傳承需要國學傳播方式的現代表達

今天我們所說的「國學經典」，包括經、史、子、集等，範圍是非常廣泛的。廣義的「國學經典」，包括一些著名的蒙學讀物、詩詞曲賦、志怪小說、世情小說、歷史演義等。這些著作，不少是經過時間淘瀝和歷史沉澱的文化精品，是傳統文化的精華。由優秀傳統文化結晶形成的文化寶庫，不僅是中華民族屹立於世界民族之林的獨特標識，也是今天實現偉大復興強國夢取之不盡、用之不竭的智慧之源。

中華優秀傳統文化或者說國學經典的傳承，不應該只是文史領域少數專家學者的孤芳自賞，至少應包括兩個主要的內容。一是各級領導幹部要帶頭學國學，以學益智、以學修身、學以致用、身體力行；二是要培養全民族特別是青少年研習國學經典的興趣，藉助於誦讀經典，提高全民族的國學素養，激發青少年熱愛中華文化的拳拳之心和殷殷之情。

近年來，由於黨和國家的高度重視，一股學國學、講國學，注重吸取優秀傳統文化滋養的良好風尚正在形成。不過，就整體而言，國學經典的普及與推廣還面臨不少障礙：一是一些人墨守過去大批判的

思路，對中國傳統文化採取一概排斥、一棍子打死的態度；二是大眾古文和傳統文化基礎知識薄弱；三是網路時代速食文化盛行，大量擠佔公眾閱讀的空間與時間。

對待歷史虛無主義，最好的辦法是讓人們通過閱讀國學經典，從中汲取和提煉修身處世、治國理政的智慧，養浩然之氣，塑高尚人格，不斷提高人文素養和精神境界。面對國學基礎薄弱和速食文化盛行的挑戰，則必須考慮在經典傳播表達方式上大膽突破創新。

研讀國學經典是一種高含金量的文化閱讀，除需要一定的古文功底，還需涉獵大量的歷史典故知識。要營造全民學國學、講國學的文化氛圍，就必須在國學經典的大眾化、通俗化和趣味性方面做文章。這方面，先秦諸子百家早已為我們樹立了榜樣。他們在表達自己的政治觀點和學術主張時，從來不是長篇大論和空洞說教，而是巧借通俗生動的寓言故事，來闡發修身齊家治國平天下的大智慧。面對網路時代閱讀形態、閱讀人群和閱讀終端的新變化，國學經典的傳播不能沿襲傳統的表達和傳播方式，必須在創新上狠下功夫。習近平總書記提出要「推動中華優秀傳統文化創造性轉化、創新性發展」。我以為，傳統文化創造性轉化和創新性發展的一個重要方面，就是國學傳播方式的現代表達。中央電視臺《中國詩詞大會》節目大獲成功就是一個重要例證。

以往的國學經典傳播，大多是「原文＋註解＋翻譯＋點評」的模式。一些研究性著述引經據典，章節繁複，不厭其詳，未能考慮網路時代「90後」「00後」讀者的感受。與傳統的國學經典表達和傳播方式相比，萬安培先生主編的這套《國學經典故事》，至少具有以下三個特點：

第一是短小精悍，通俗易懂。從國學經典中選取情節精彩的篇章，以短小精悍的故事形式呈現，既保留了國學精華，又便於閱讀記憶，還可進一步培養讀者閱讀經典原著的興趣。

第二是系統全面。這套叢書上起先秦，下迄清末，含括了中國上下數千年主要國學經典著作，計劃收錄故事兩萬個以上。從目前已完成的春秋戰國卷約二千八百個故事來看，這應該是一個較大的系統工程。《國學經典故事》的出版問世，將是國學經典普及的大事和幸事。

第三是生動活潑，寓教於樂。《國學經典故事》致力於發掘國學經典中膾炙人口、發人深省的內容，以講故事的形式傳播國學，實施倫理道德教化，受眾面更寬，能充分發揮優秀傳統文化滋養社會主義核心價值觀的功能。以往一說起國學經典，人們很自然聯想到枯燥的「之乎者也」，現在改為輕鬆快樂講故事，各個年齡層次和文化結構的人應該都會喜聞樂見。

二〇一七年一月二十五日，中共中央辦公廳和國務院辦公廳聯合印發了《關於實施中華優秀傳統文化傳承發展工程的意見》，其中特別提到要深入闡發中華優秀文化精髓，創新表達方式，編纂出版系列文化經典，綜合運用大眾傳播、群體傳播、人際傳播等方式，構建全方位、多層次、寬領域的中華文化傳播格局，推動中外文化交流，助推中華優秀傳統文化的國際傳播。萬安培先生策劃推出的《國學經典故事》系列，與該意見精神高度吻合。目前他們正策劃將國學經典故事精華譯成外文出版，爭取將其作為中外文化交流的禮品書，期待國學經典像《格林童話》《安徒生童話》《伊索寓言》一樣傳遍世界，造福全人類。相信廣大讀者對這類助推中華優秀傳統文化國際傳播的

嘗試和努力，一定會給予充分肯定和大力支持。

　　萬安培先生是經濟學專業博士，長期在金融部門工作，但他醉心文史，嘗試國學經典傳播方式的現代表達。二〇一六年四月他推出「楚楚動人網」微信公眾號，每天發表以國學經典故事為背景的短論，很受讀者歡迎。作為企業界人士，能在繁忙的工作之餘堅持國學研究，專注於經典傳播，其精神令人感動，而他這種創新的國學經典傳播方式也值得稱許，這也是我很樂意為叢書作序的原因所在。衷心希望這套叢書能得到社會各界人士的喜愛，達到編纂者所希望的效果。

　　是為序。

郭齊勇

二〇一八年二月二十三日

# 目錄

◈ **序言**

◈ **晉國卷** ————————————————————— 001

## ❖附　曹國卷 ───────────── 361

# 晉國卷

　　晉國是周朝分封的姬姓諸侯國，侯爵，受封者為周成王的弟弟叔虞，
國號初為「唐」，唐叔虞的兒子燮即位後改為晉。晉國是春秋時期稱霸時
間最長的國家。晉國自中後期開始，卿大夫權勢日益膨脹。西元前四五三
年，卿大夫趙氏聯合韓氏、魏氏擊敗智氏，史稱「三家分智」。西元前四三
四年，晉哀公死，幽公即位，韓、趙、魏瓜分晉國剩餘的土地，僅將絳與
曲沃兩地留給晉幽公。西元前四〇三年，周天子封趙籍、魏斯、韓虔三家
為諸侯，史稱「三家分晉」，晉國名存實亡。

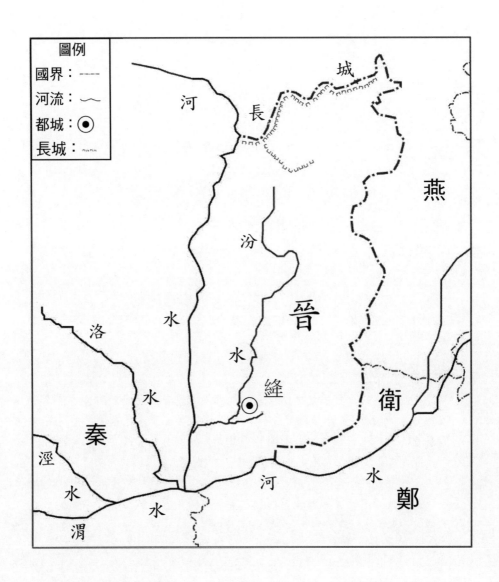

# 天子無戲言

　　晉國的唐叔虞是周武王的兒子、周成王的弟弟。當初，叔虞的母親邑姜與周武王同房時，夢見上天對周武王說：「我讓你生個兒子，取名叫虞，我把唐這個地方賜給他。」嬰兒出生時，手掌心果然有個「虞」字，於是取名為虞。周武王逝世後，成王繼位，唐地發生內亂，周公姬旦率兵平息了叛亂。一天，成王和叔虞做遊戲，成王把一片桐樹葉削成珪狀送給叔虞說：「來，我以這個封你去做唐侯吧。」玉珪是天子、諸侯佩戴的珍貴玉製品。一旁的史佚趕緊把成王的話記錄下來，請求成王選擇吉日封叔虞為唐侯。周成王說：「我和他開玩笑呢！」史佚說：「天子無戲言。我已如實記錄下來了，應該馬上舉行典禮冊封他，演奏音樂歌頌他啊。」周成王於是兌現承諾，把唐地封給了叔虞。唐地在黃河、汾河以東，方圓一百里，因而稱叔虞為唐叔虞。唐叔虞姓姬，字子于。

## 【出處】

　　晉唐叔虞者，周武王子而成王弟。初，武王與叔虞母會時，夢天謂武王曰：「余命女生子，名虞，余與之唐。」及生子，文在其手曰「虞」，故遂因命之曰「虞」。武王崩，成王立，唐有亂，周公誅滅唐。成王與叔虞戲，削桐葉為珪以與叔虞，曰：「以此封若。」史佚因請擇日立叔虞。成王曰：「吾與之戲耳。」史佚曰：「天子無戲言。言則史書之，禮成之，樂歌之。」於是遂封叔虞於唐。唐在河、汾之東，方百里，故曰唐叔虞。姓姬氏，字子于。（《史記》〈晉世家〉）

# 受禾東土

唐叔虞得到異莖同穗的「嘉禾」，使人進獻朝廷，得到褒獎，周公姬旦曾作〈嘉禾〉一詩稱讚他治國有方。姬虞去世後，兒子燮父繼位，與齊、衛、魯君等同為周康王的股肱。燮父看見晉水日夜長流，對發展農業與漁業十分重要，於是借先君叔虞進獻「嘉禾」甚得成王和周公褒獎的機會，果斷地將都城遷唐於晉，並將國號由「唐」改為「晉」。康王批准了燮父的創意，但認為他把新都宮廷建造得過於華美，有違周禮，也給予了中肯的批評。

## 【出處】

晉唐叔得嘉穀，獻之成王，成王以歸周公於兵所。周公受禾東土，魯天子之命。初，管、蔡畔周，周公討之，三年而畢定，故初作大誥，次作微子之命，次歸禾，次嘉禾，次康誥、酒誥、梓材，其事在周公之篇。（《史記》〈周本紀〉）

# 名以制義

晉穆侯的夫人姜氏在條地戰役時生下太子。因為戰事不順，穆侯給太子取名叫「仇」。仇的弟弟是在千畝戰役時出生的，因為戰事順利，因此取名「成師」。師服覺得兄弟倆的名字很彆扭，說：「奇怪，國君竟然為自己的兒子這樣取名字！取名表示一定的意義，意義產生禮儀，禮儀是政事的骨幹，政事端正百姓。所以政事沒有失誤百姓就

服從，相反就會發生動亂。相愛的夫妻叫妃，相怨的夫妻叫仇，這是古人命名的方法。現在國君給太子取名叫仇，他的兄弟叫成師，晉國恐怕要出現禍亂，做哥哥的恐怕要被廢黜吧。」

## 【出處】

初，晉穆侯之夫人姜氏以條之役生太子，命之曰仇。其弟以千畝之戰生，命之曰成師。師服曰：「異哉，君之名子也！夫名以制義，義以出禮，禮以體政，政以正民。是以政成而民聽，易則生亂。嘉耦曰妃，怨耦曰仇，古之命也。今君命大子曰仇，弟曰成師，始兆亂矣，兄其替乎？」（《左傳》〈桓公二年〉）

## 末大於本

穆侯去世後，弟弟殤叔擁兵自立，太子仇被迫逃亡。四年之後，太子仇率領黨徒襲擊殤叔奪回君位。太子仇（文侯）在位三十五年後去世，其子昭侯伯即位。愚昧的昭侯上任伊始即將文侯的弟弟、自己的叔叔成師分封到曲沃。五十八歲的成師自稱曲沃桓叔，以靖侯的庶孫欒賓為輔佐，在曲沃推行德政，民心都歸附於他。曲沃城的規模逐漸超過了晉君的都城翼城。師服警告說：「晉國的動亂就在曲沃了。末大於本且深得民心，豈有不亂之理！」從曲沃桓叔到他的兒子莊伯，再到孫子曲沃武公，曲沃小宗與翼城大宗展開了長達六十七年的王位爭奪拉鋸戰。後來，曲沃小宗剷滅翼城大宗晉侯緡，以晉國的寶器賄賂周釐王，承認了曲沃武公晉國國君的合法地位。武公由此成為

晉國由「侯」改稱為「公」的第一人。[1]

## 【出處】

　　二十七年，穆侯卒，弟殤叔自立，太子仇出奔。殤叔三年，周宣王崩。四年，穆侯太子仇率其徒襲殤叔而立，是為文侯。……昭侯元年，封文侯弟成師於曲沃。曲沃邑大於翼。翼，晉君都邑也。成師封曲沃，號為桓叔。靖侯庶孫欒賓相桓叔。桓叔是時年五十八矣，好德，晉國之眾皆附焉。君子曰：「晉之亂其在曲沃矣。末大於本而得民心，不亂何待！」七年，晉大臣潘父弒其君昭侯而迎曲沃桓叔。桓叔欲入晉，晉人發兵攻桓叔。桓叔敗，還歸曲沃。晉人共立昭侯子平為君，是為孝侯。誅潘父。……晉侯二十八年，齊桓公始霸。曲沃武公伐晉侯緡，滅之，盡以其寶器賂獻於周釐王。釐王命曲沃武公為晉君，列為諸侯，於是盡並晉地而有之。曲沃武公已即位三十七年矣，更號曰晉武公。晉武公始都晉國，前即位曲沃，通年三十八年。武公稱者，先晉穆侯曾孫也，曲沃桓叔孫也。桓叔者，始封曲沃。武公，莊伯子也。自桓叔初封曲沃以至武公滅晉也，凡六十七歲，而卒代晉為諸侯。（《史記》〈晉世家〉）

---

1. 曲沃代翼，手足相殘。自桓叔（即成師）封曲沃到佔領首都翼城，曲沃（小宗）與晉（大宗）對峙達六十七年，歷經曲沃桓叔、曲沃莊伯和曲沃武公三代，共殺五個晉君（昭侯、孝侯、哀侯、小子侯、晉侯緡）、驅逐一個晉君（鄂侯），鬥爭涉及到了周邊八個諸侯國以及周王朝，曲沃最終取代翼。

# 國家之立

晉昭侯姬伯繼位之初，封叔父成師於曲沃，稱曲沃桓叔，又讓靖侯的庶孫欒賓做桓叔的宰輔。桓叔好德，一時人心歸附，曲沃城的規模竟然超過昭侯所在的國都。師服認為這種現象不符合國家運行的正常規律，曲沃的崛起將給晉國帶來禍亂，於是警告說：「我認為國家的建立，根本大而枝節小才能穩固。所以天子分封諸侯，諸侯建立卿大夫的采邑，卿大夫設置同宗兄弟為側室官，大夫又有宗室子弟為貳宗官，士有僕隸子弟，庶人、工、商各有親疏，都有大小不同的等級。這樣百姓才肯侍奉尊長，身居下位的人也沒有非分之想。晉國本來是王畿內的甸服侯國，卻又在國內另建侯國。國家的根本既已削弱，還能長久嗎？」

## 【出處】

惠之二十四年，晉始亂，故封桓叔於曲沃，靖侯之孫欒賓傅之。師服曰：「吾聞國家之立也，本大而末小，是以能固。故天子建國，諸侯立家，卿置側室，大夫有貳宗，士有隸子弟，庶人、工、商，各有分親，皆有等衰。是以民服事其上，而下無覬覦。今晉，甸侯也；而建國，本既弱矣，其能久乎？」（《左傳》〈桓公二年〉）

# 報賜以力

晉武公討伐翼城，殺死晉哀侯，對侍奉哀侯的大夫欒共子（欒共

報賜以力

叔、欒成）說：「假如你不為哀侯效忠，我就帶你去拜見天子，請他任命你做上卿，掌管晉國的政務。」欒共子搖頭拒絕說：「人活在世上，對待父親、師長和國君，要始終如一地侍奉他們。父親給我生命，師長給我教誨，國君給我食祿。只要是他們的事，就應該竭盡全力，這是做人的準則。我豈敢為一己之私放棄做人的道理，那樣的話你又怎麼教我盡忠呢？況且，如果我不為哀侯效忠而死，卻跟隨你到曲沃，那就是懷有二心，國君怎麼會起用我呢？」於是他戰鬥而死。

## 【出處】

武公伐翼，殺哀侯，止欒共子曰：「苟無死，吾以子見天子，令子為上卿，制晉國之政。」辭曰：「成聞之：『民生於三，事之如一。』父生之，師教之，君食之。非父不生，非食不長，非教不知，生之族也，故一事之。唯其所在，則致死焉。報生以死，報賜以力，人之道也。臣敢以私利廢人之道，君何以訓矣？且君知成之從也，未知其待於曲沃也。從君而貳，君焉用之？」遂鬥而死。（《國語》〈晉語一〉）

# 勝而不吉

晉獻公向史蘇詢問討伐驪戎的占卜結果，史蘇說：「能取勝但不吉利。」獻公問：「此話怎講？」史蘇回答說：「徵兆如此。兆象最怕遇到口，口意味著百姓離棄，國家將有動亂。」獻公說：「口有什麼可怕的。口由我控制，我不接受，誰敢妄言？」史蘇說：「假如連百姓都可以離棄，那麼入耳的甜言蜜語就會欣然接受。如此任性而不

自知，又怎麼能防止禍患呢？」獻公不聽，於是討伐驪戎，戰而勝之，得到驪姬帶回晉國。驪姬得寵，被立為夫人。獻公設酒宴款待大夫，命司正官斟酒遞給史蘇說：「當初討伐驪戎，你說『勝而不吉』，所以今天只賞你喝酒，罰你不許吃菜。打敗敵國得到愛妃，還有什麼比這更吉利！」史蘇飲完酒，低頭拜謝說：「隱蔽兆象的內容，做臣子的就是失職，那還怎麼侍奉國君？大罰降臨，也就不是沒菜下酒的懲罰了。誰不喜歡吉兆，凶兆沒有出現而予以防備，又有什麼害處？我占卜不靈，是國家的福氣，我豈敢懼怕受罰。」

## 【出處】

獻公卜伐驪戎，史蘇占之，曰：「勝而不吉。」公曰：「何謂也？」對曰：「遇兆，挾以銜骨，齒牙為猾，戎、夏交捽。交捽，是交勝也，臣故云。且懼有口，攜民，國移心焉。」公曰：「何口之有！口在寡人，寡人弗受，誰敢興之？」對曰：「苟可以攜，其入也必甘受，逞而不知，胡可瘳也？」公弗聽，遂伐驪戎，克之。獲驪姬以歸，有寵，立以為夫人。公飲大夫酒，令司正實爵與史蘇，曰：「飲而無肴。夫驪戎之役，女曰『勝而不吉』，故賞女以爵，罰女以無肴。克國得妃，其有吉孰大焉！」史蘇卒爵，再拜稽首曰：「兆有之，臣不敢蔽。蔽兆之紀，失臣之官，有二罪焉，何以事君？大罰將及，不唯無肴。抑君亦樂其吉而備其凶，凶之無有，備之何害？若其有凶，備之為瘳。臣之不信，國之福也，何敢憚罰。」（《國語》〈晉語一〉）

# 女戎勝晉

　　史蘇心懷憂慮地對大夫們說：「晉國以男人的力量戰勝了驪戎，驪戎也必將會以女人的力量戰勝晉國。」大夫里克問他：「這是怎麼回事呢？」史蘇說：「過去夏朝的桀討伐有施氏，有施氏獻上妹喜，妹喜得寵，與伊尹一起使夏朝滅亡。商朝的紂討伐有蘇氏，有蘇氏獻上妲己，妲己得寵，與膠鬲一起使商朝滅亡。周幽王討伐褒國，褒國人進獻褒姒，褒姒得寵，生了伯服，於是聯合虢石甫趕走太子宜臼，改立伯服為太子。宜臼出走申國，申國人、鄫國人聯合西戎伐周，周因此滅亡。現在晉君德行不高，寵幸驪女，與夏、商、周三朝的末代君王不是很像嗎？我卜問討伐驪戎的勝敗，兆象卻顯示晉國的離散，如果晉國出現夏商周三朝女人干政的情景，晉國的亡國就指日可待了。」大夫郭偃說：「晉國眼下只是個偏遠的小侯國，上卿有位，大國在側，國君若放縱惑亂，國內的上卿和鄰國自然不會袖手旁觀。晉國的未來充滿凶險，但亡國還不至於。我聽說通過動亂聚斂財富籠絡人心的人，沒有好的計謀就不能維繫長久，得不到民眾就不能自免於難，不合禮法就不能堅持到底，違反仁義就不能盡其天壽，缺少德惠就不能得到繼嗣，沒有天命佑助就不能長盛不衰。就算驪姬挑起內亂，頂多她自己遭遇不幸，又怎麼能使人順從呢？」大夫士蒍說：「兩位大夫的話都很有道理。既然如此，就應該早做準備。有了準備，一旦出事就好對付了。」驪姬的陰謀最終沒能得逞，在秦國的干預下，晉國的動亂被蕩平，先後立了五位國君才安定下來。

## 【出處】

　　史蘇告大夫曰：「有男戎必有女戎。若晉以男戎勝戎，而戎必以女戎勝晉，其若之何！」里克曰：「何如？」史蘇曰：「昔夏桀伐有施，有施人以妹喜女焉，妹喜有寵，於是乎與伊尹比而亡夏。殷辛伐有蘇，有蘇氏以妲己女焉，妲己有寵，於是乎與膠鬲比而亡殷。周幽王伐有褒，褒人以褒姒女焉，褒姒有寵，生伯服，於是乎與虢石甫比，逐太子宜臼而立伯服。太子出奔申，申人、鄫人召西戎以伐周，周於是乎亡。今晉寡德而安俘女，又增其寵，雖當三季之王，不亦可乎？且其兆云：『挾以銜骨，齒牙為猾。』我卜伐驪，龜往離散以應我。夫若是賊之兆也，非吾宅也，離則有之。不跨其國，可謂挾乎？不得其君，能銜骨乎？若跨其國而得其君，雖逢齒牙以猾其中，誰云不從？諸夏從戎，非敗而何？從政者不可以不戒，亡無日矣！」郭偃曰：「夫三季王之亡也宜。民之主也，縱惑不疚，肆侈不違，流志而行，無所不疚，是以及亡而不獲追鑒。今晉國之方，偏侯也。其土又小，大國在側，雖欲縱惑，未獲專也。大家鄰國將師保之，多而驟立，不其集亡。雖驟立，不過五矣。且夫口，三五之門也。是以讒口之亂，不過三五。且夫挾，小鯁也。可以小戕，而不能喪國。當之者戕焉，於晉何害？雖謂之挾，而猾以齒牙，口弗堪也，其與幾何？晉國懼則甚矣，亡猶未也。商之衰也，其銘有之，曰：『嗛嗛之德，不足就也，不可以矜，而只取憂也。嗛嗛之食，不足狃也，不能為膏，而只罹咎也。』雖驪之亂，其罹咎而已，其何能服？吾聞以亂得聚者，非謀不卒時，非人不免難，非禮不終年，非義不盡齒，非德不及世，非天不離數。今不據其安，不可謂能謀；行之以齒牙，不可謂得

人;廢國而向己,不可謂禮;不度而迂求,不可謂義;以寵賈怨,不可謂德;少族而多敵,不可謂天。德義不行,禮義不則,棄人失謀,天亦不贊。吾觀君夫人也,若為亂,其猶隸農也。雖獲沃田而勤易之,將不克饗,為人而已。」士蔿曰:「誠莫如豫,豫而後給。夫子誠之,抑二大夫之言,其皆有焉。」既,驪姬不克,晉正於秦,五立而後平。(《國語》〈晉語一〉)

# 盡殺群公子

晉國的桓叔、莊伯家族在曲沃代翼過程中建立功勛,勢力日漸壯大。獻公繼位後,對日益壯大的公族勢力心有憂慮。士蔿自告奮勇說:「讓我來處理這件事情。」他認為群公子中以富子威脅最大,只要去掉足智多謀的富子,群公子就群龍無首了。於是士蔿在公族中製造讒言,使群公子攆走了富子,隨後又與群公子合謀殺死了游氏二子。士蔿對獻公說:「不出兩年,國君將不再有後顧之憂。」於是獻公依士蔿之計在聚邑築城,將群公子集中安置於內。後來,獻公發兵突襲聚邑,盡殺群公子。士蔿因為在剿滅公族事件中居功甚偉,升任六卿之一的大司空。[2]

2. 士蔿盡殺群公子,是晉國史上第一次大規模消滅公族事件。與楚國比,晉國壓制公族,重用外卿,楚國則將政治權力牢牢控制在公族範圍之內,外卿很少染指。春秋時代晉國的六卿制度與周室的六卿制度不同。它是晉文公回國後建立的軍政合一的軍事政治制度,分為中、上、下三軍制,每軍各設一名將、一名佐,按地位高低分別是中軍將、中軍佐、上軍將、上軍佐、下軍將、下軍佐。他們把持晉國的軍事、政治,中軍將又稱為元帥,執政晉國。

## 【出處】

晉桓、莊之族逼，獻公患之。士蒍曰：「去富子，則群公子可謀也已。」公曰：「爾試其事。」士蒍與群公子謀，譖富子而去之。（《左傳》〈莊公二十三年〉）晉士蒍又與群公子謀，使殺游氏之二子。士蒍告晉侯曰：「可矣。不過二年，君必無患。」（《左傳》〈莊公二十四年〉）晉士蒍使群公子盡殺游氏之族，乃城聚而處之。冬，晉侯圍聚，盡殺群公子。（《左傳》〈莊公二十五年〉）二十六年春，晉士蒍為大司空。（《左傳》〈莊公二十六年〉）

# 君寢不寐

晉獻公打獵時，看見翟柤國上空凶象瀰漫，回來後徹夜難眠。郤叔虎上朝時，獻公告訴他這件事。郤叔虎問：「是床鋪不安適，還是驪姬不在身邊呢？」獻公沒說話走開了。郤叔虎退朝時遇見士蒍，對他說：「昨晚國君徹夜難寐，一定是為翟柤國。翟柤國的國君好獨佔利益且毫無顧忌，臣下爭相獻媚討好他。堵塞國君視聽的小人步步高昇，進獻諍言的忠臣卻遭到排斥。有放縱的國君而沒有直言敢諫的臣子，有貪婪的上層而沒有忠心耿耿的下屬。君臣上下競相追逐一己之私，民眾各有想法卻投訴無門。這樣的國家已是積重難返。君主若要征伐它，準能成功。這些話我沒向君主講，你一定要告訴他。」士蒍於是向獻公匯報，獻公很高興，於是出兵征伐翟柤國。郤叔虎準備登上城牆殺敵，他的部下說：「丟下政務去打仗，這不是您的職責啊。」郤叔虎回答說：「我既無謀略，又不出力，憑什麼侍奉國君呢？」於

是他披著鳥羽率先爬上城牆，打敗了翟柤國。

## 【出處】

　　獻公田，見翟柤之氛，歸寢不寐。郤叔虎朝，公語之。對曰：「床第之不安邪？抑驪姬之不存側邪？」公辭焉。出遇士蒍，曰：「今夕君寢不寐，必為翟柤也。夫翟柤之君，好專利而不忌，其臣競諂以求媚，其進者壅塞，其退者拒違。其上貪以忍，其下偷以幸，有縱君而無諫臣，有冒上而無忠下。君臣上下各嗇其私，以縱其回，民各有心而無所據依。以是處國，不亦難乎！君若伐之，可克也。吾不言，子必言之。」士蒍以告，公悅，乃伐翟柤。郤叔虎將乘城，其徒曰：「棄政而役，非其任也。」郤叔虎曰：「既無老謀，而又無壯事，何以事君？」被羽先升，遂克之。（《國語》〈晉語一〉）

# 一國三公

　　驪姬為了讓自己的兒子奚齊當上太子，想方設法離間其他三位公子。讓太子申生去坐鎮曲沃，派重耳、夷吾分守邊疆要地蒲和屈地。晉獻公讓士蒍為兩位公子築城。士蒍揣測到驪姬的心思，故意胡亂營造，草草完工。夷吾不理解，就向獻公告狀，指責士蒍在城牆裡塞進了柴草。晉獻公責問士蒍為什麼馬虎從事，士蒍回答說：「臣聽說沒有喪事而悲傷，憂愁必然跟著來到；沒有兵患而築城，城牆就會被敵人利用。現在我奉命築城，修得不堅固是對公子的不敬；修得堅固則是為敵人提供陣地，要承擔對君主不忠的罪名。如果失去了忠和敬，

還怎麼侍奉國君呢？《詩經》說：『心存德行就是安寧，宗室子弟就是城池。』[3]君王只要以賢來安定國家，子孫後代的地位就會像城牆一樣堅固。哪個城池能比得上？」士蒍退下去之後賦詩一首，大意說：「穿狐皮衣服的貴人多得像龍的茸毛，一個國家有三個君主，我究竟該跟從誰呢？」後來，人們就用「一國三公」比喻政令出於多頭，權力不統一，令人無所適從。

## 【出處】

晉侯使以殺大子申生之故來告。初，晉侯使士蒍為二公子築蒲與屈，不慎，置薪焉。夷吾訴之。公使讓之。士蒍稽首而對曰：「臣聞之，無喪而戚，憂必仇焉。無戎而城，仇必保焉。寇仇之保，又何慎焉！守官廢命不敬，固仇之保不忠，失忠與敬，何以事君？《詩》云：『懷德惟寧，宗子惟城。』君其修德而固宗子，何城如之？三年將尋師焉，焉用慎？」退而賦曰：「狐裘龍茸，一國三公，吾誰適從？」（《左傳》〈僖公五年〉）

## 君有異心

晉獻公十六年（西元前661年），獻公組建上下兩軍。獻公統領上軍，讓太子申生統領下軍討伐霍國。軍隊出發前，士蒍對諸位大夫說：「太子是國君的繼承人，恭敬地等著繼承君位，怎麼能授以官位？現在國君分封給他土地，又給他安排官職，這是把他當外人

---

3.　「懷德惟寧，宗子惟城」，出自《詩經》〈大雅·板〉。

看啊。讓我向國君進諫來瞭解他的態度。」於是對獻公說:「太子是國君的繼承者,您卻讓他去統領下軍,這恐怕不合適吧?」獻公說:「下軍是上軍的副職。我統領上軍,太子統領下軍,這有什麼問題嗎?」士蒍回答說:「下不可以作為上的副職。」獻公問:「為什麼?」士蒍回答說:「正副職的關係就像人的四肢一樣,分成上下左右,要靠心和眼來指揮。上軍、下軍就像人的上肢和下肢,左軍、右軍則像人的左膀和右臂。上肢的左右手交替舉物,下肢的左右腳交替走路,輪流變換,服從於心和眼睛的指揮。如果以下肢去引持上肢,或以上肢去引導下肢,就不能正常地輪流變換,破壞了心和眼的協調,人就要被百物牽制,什麼事也做不成。左右軍因功能相近,作戰時可以相互照應、相互彌補,所以很少失敗。但上下肢功能不同,如果以下軍作為上軍的副職,前後缺乏呼應,旗鼓難以指揮,軍隊移動困難,還怎麼去擊退敵軍呢?隨意變亂軍制,只能侵凌小國,對大國作戰將十分被動,請國君三思!」獻公說:「我已為太子編制了下軍,用不著你擔心。」士蒍力諫說:「太子是國家的棟梁。既已確立為儲君,又讓他出任下軍統帥,這不是將他置於危險的境地嗎?」獻公說:「減輕他所擔負的責任,縱有危險,終究無妨。」士蒍出來告訴眾人說:「太子不能繼承君位了。國君授予他新的職位卻不考慮他的尷尬,減輕他的責任卻不擔心他的危險。國君既已心懷異想,太子又怎能繼承君位呢?此次伐霍,若能得勝,太子將因贏得民心遭受讒害;如若失敗也將因此獲罪。無論成功與否,都對太子無益。與其付出努力卻不能使國君滿意,還不如逃離晉國為好。這樣國君得遂其願,太子也能免除殺身之禍。做吳太伯似的人物,不也挺好嗎?」太子聽到士蒍的議論後說:「子輿為我考慮,可謂忠心耿耿。但我聽

說，做兒子的重在順從父親的命令，不必在意美名；做臣子的重在侍奉國君，不必擔心俸祿。今我不才，得以跟隨君父出征，還能要求什麼？我又怎麼比得上吳太伯呢？」太子於是隨父出征，打敗霍國回來，誹謗他的讒言果然多起來。

## 【出處】

十六年，公作二軍，公將上軍，太子申生將下軍以伐霍。師未出，士蒍言於諸大夫曰：「夫太子，君之貳也。恭以俟嗣，何官之有？今君分之土而官之，是左之也。吾將諫以觀之。」乃言於公曰：「夫太子，君之貳也，而帥下軍，無乃不可乎？」公曰：「下軍，上軍之貳也。寡人在上，申生在下，不亦可乎？」士蒍對曰：「下不可以貳上。」公曰：「何故？」對曰：「貳若體焉，上下左右，以相心目，用而不倦，身之利也。上貳代舉，下貳代履，周旋變動，以役心目，故能治事，以制百物。若下攝上，與上攝下，周旋不動，以違心目，其反為物用也，何事能治？故古之為軍也，軍有左右，闕從補之，成而不知，是以寡敗。若以下貳上，闕而不變，敗弗能補也。變非聲章，弗能移也。聲章過數則有釁，有釁則敵入，敵入而凶，救則不暇，誰能退敵？敵之如志，國之憂也。可以陵小，難以征國。君其圖之！」公曰：「寡人有子而制焉，非子之憂也。」對曰：「太子，國之棟也。棟成乃制之，不亦危乎？」公曰：「輕其所在，雖危何害？」士蒍出語人曰：「太子不得立矣。改其制而不患其難，輕其任而不憂其危，君有異心，又焉得立？行之克也，將以害之；若其不克，其因以罪之。雖克與否，無以避罪。與其勤而不入，不如逃之。君得其欲，太子遠死，且有令名，為吳太伯，不亦可乎？」太子聞

之，曰：「子輿之為我謀，忠矣。然吾聞之：為人子者，患不從，不患無名；為人臣者，患不勤，不患無祿。今我不才而得勤與從，又何求焉？焉能及吳太伯乎？」太子遂行，克霍而反，讒言彌興。（《國語》〈晉語一〉）

# 驪姬遠太子

優施是晉獻公宮中的人，與驪姬有私情。驪姬跟他商量說：「我想辦件大事，向三位公子發難，應該怎麼做？」優施回答說：「早點把他們的地位固定下來，讓他們知道自己的地位已經到頂。這樣他們就不會有非分之想。即使有非分之心，也很容易擊敗。」驪姬又問：「如果發難，先從誰下手呢？」優施回答說：「太子申生。申生為人膽小怕事，年長敦重，難以忍受屈辱，又不忍心害人。難以受辱的人容易羞辱；敦重拘泥，正好可以找他的毛病；不忍心害人，就只能自吞苦果。可以先對他最近的行為進行誣衊。」驪姬說：「性情敦重的人，恐怕難以動搖吧。」優施說：「懂得羞恥的人才可以羞辱他，性格再穩重也會動搖的。如果不在乎羞辱，那就更容易找到罪證除掉他。現在夫人內得君心，外受寵愛，君主對你言聽計從。您可以表面上做出善待申生的樣子，私下裡以不義的罪名羞辱他，他的意志必定動搖。我還聽說，精明過度就是愚蠢。精明的人容易受辱，愚蠢到不知躲避禍難。禍難來時，方寸已亂，絕對無法逃避。」驪姬買通了梁五和東關五，指使二人向獻公進言說：「曲沃是您的宗廟所在地；蒲和南北二屈，是您的邊疆要地，不能沒人主管。宗廟所在地無人主

管，民眾就不會畏懼；邊疆要地無人駐守，就會引發戎狄的侵略野心。戎狄野心滋長，民眾輕慢朝廷，都是國家的大患。如果讓太子申生去主管曲沃的宗廟，讓公子重耳和夷吾去駐守蒲地和南北二屈，就可以威服民眾並使戎狄懼怕，而且也彰明了您的功績。」驪姬又指使二人對獻公說：「戎狄土地廣闊，讓它成為晉國的下邑，晉國得以開疆拓土，不也是很好的事情嗎？」獻公聽了很是開心，於是下令在曲沃築城，讓太子申生駐守；在蒲地築城，讓公子重耳駐守；在南北二屈築城，派公子夷吾駐守。太子申生離開國都之後，驪姬就開始編造讒言誹謗他，使他蒙受不白之冤。

## 【出處】

公之優曰施，通於驪姬。驪姬問焉，曰：「吾欲作大事，而難三公子之徒如何？」對曰：「早處之，使知其極。夫人知極，鮮有慢心；雖其慢，乃易殘也。」驪姬曰：「吾欲為難，安始而可？」優施曰：「必於申生。其為人也，小心精潔，而大志重，又不忍人。精潔易辱，重債可疾，不忍人，必自忍也。辱之近行。」驪姬曰：「重，無乃難遷乎？」優施曰：「知辱可辱，可辱遷重；若不知辱，亦必不知固秉常矣。今子內固而外寵，且善否莫不信。若外憚善而內辱之，無不遷矣。且吾聞之：甚精必愚。精為易辱，愚不知避難。雖欲無遷，其得之乎？」是故先施讒於申生。驪姬賂二五，使言於公曰：「夫曲沃，君之宗也；蒲與二屈，君之疆也，不可以無主。宗邑無主，則民不威；疆場無主，則啟戎心。戎之生心，民慢其政，國之患也。若使太子主曲沃，而二公子主蒲與屈，乃可以威民而懼戎，且旌君伐。」使俱曰：「狄之廣莫，於晉為都。晉之啟土，不亦宜乎？」

公悅，乃城曲沃，太子處焉；又城蒲，公子重耳處焉；又城二屈，公子夷吾處焉。驪姬既遠太子，乃生之言，太子由是得罪。（《國語》〈晉語一〉）

## 驪姬夜哭

　　驪姬聽從優施的計謀，夜半在枕邊對獻公哭訴說：「我聽說申生以仁義博得名聲，對百姓寬厚慈愛，這些都是別有用心。他對人說國君被我迷惑，必定導致亂國，我擔心他會以國家利益為藉口對你動武。現在你還健在，準備怎樣應對呢？何不殺了我，不要為了我一個女人而讓百姓遭受動亂啊。」獻公問：「他會為了向百姓示好而為難父親嗎？」驪姬說：「我害怕的正是這個啊。我聽別人說，為仁與為國不同。講求仁義的人，視愛自己的親人為仁；效忠國家的人，視有利於社稷為仁。所以百姓的領袖沒有私親，而以百姓為親。倘若以為對多數人有利並能得到百姓的擁護，哪裡還會忌憚弒主呢？為了民眾的緣故而不愛私親，民眾會更加擁戴他，縱然最初有弒君的惡名，最終卻能獲得忠於國家的讚譽，後來的善果足以掩蓋之前的惡行。民眾的眼裡只有利益。殺死國君而得到厚利，民眾誰還會反對他？殺死父親卻不施惡他人，誰會執意與他過不去呢？他的行為使大家得利受寵，大家就會高興地擁戴他，為他所惑。此時即便想偏愛國君，也難以擺脫迷惑了。假設國君是紂王，紂王有賢名的兒子殺了紂王，這樣就不會招致周武王的興師問罪了。同樣是死，就不必假借他人之手，商的國祚不會中斷，祖宗得到祭祀，後人哪還會在意紂王是善是

惡？君主想不擔心這類事件發生，做得到嗎？一旦大難臨頭，再去考慮應對就來不及了！」獻公害怕地問：「要怎樣才好呢？」驪姬說：「你何不稱老退位，把國政交給申生。申生掌握國政後，按自己心願行事，得到他所追求的東西，自然會放過你。你再考慮一下，自先祖桓叔以來，有誰愛過親人？唯其無私，才得以兼併壯大啊。」獻公說：「不能把國政交給太子。我憑著卓絕的武功和威望，才得以俯瞰諸侯。沒死就丟失國政，不能算有武功；連兒子也制服不了，哪來的威望可言。我把國政交給他，諸侯必定會和我國斷絕關係，接下來就會侵犯我國。丟失國政而傷害國家，這是不能容忍的事情。你不必擔心，我會有辦法。」驪姬說：「皋落氏狄人不分早晚侵擾我國邊境，那裡的邊民沒有一天可以到田野放牧牛羊。國君的倉庫本來就不充實，又擔心外族削減我國的疆土。你何不派申生去討伐狄人，以觀察他是否能帶兵，與民眾的關係是否和睦融洽。如果他不能戰勝狄人，就有了戰敗之罪；如果戰勝狄人，說明他很能號召民眾，也會進一步提出更多要求，我們就要認真對付他。況且戰勝狄人，諸侯驚懼，邊境的壓力大為減輕，國庫充實，四鄰畏服，疆界分明，可以說是利益多多。你何不去付諸實施呢？」獻公聽了很高興，於是派申生去討伐東山狄戎，讓他穿一件左右顏色各異的衣服，佩戴一隻有缺口的青銅環。申生的僕人贊得知消息後搖頭說：「太子危險了！國君的賞賜太奇怪了，怪生無常，無常的人豈能繼承君位？派他出征，藉以觀察他的人緣關係，衣服顏色左右各異象徵不一致，有缺口的青銅環暗示冷淡和離心，明擺著是討厭他而想加害於他了。即便戰勝歸來，又怎能抵擋朝內的讒言？」申生戰勝狄人歸來，圍繞他的讒言已在宮中傳播。君子評論道：「贊這個人明察秋毫。」

## 【出處】

　　優施教驪姬夜半而泣謂公曰：「吾聞申生甚好仁而強，甚寬惠而慈於民，皆有所行之。今謂君惑於我，必亂國，無乃以國故而行強於君。君未終命而不歿，君其若之何？盍殺我，無以一妾亂百姓。」公曰：「夫豈惠其民而不惠於其父乎？」驪姬曰：「妾亦懼矣。吾聞之外人之言曰：為仁與為國不同。為仁者，愛親之謂仁；為國者，利國之謂仁。故長民者無親，眾以為親。苟利眾而百姓和，豈能憚君？以眾故不敢愛親，眾況厚之，彼將惡始而美終，以晚蓋者也。凡民利是生，殺君而厚利眾，眾孰沮之？殺親無惡於人，人孰去之？苟交利而得寵，志行而眾悅，欲其甚矣，孰不惑焉？雖欲愛君，惑不釋也。今夫以君為紂，若紂有良子，而先喪紂，無章其惡而厚其敗。鈞之死也，無必假手於武王，而其世不廢，祀至於今，吾豈知紂之善否哉？君欲勿恤，其可乎？若大難至而恤之，其何及矣！」公懼曰：「若何而可？」驪姬曰：「君盍老而授之政。彼得政而行其欲，得其所索，乃其釋君。且君其圖之，自桓叔以來，孰能愛親？唯無親，故能兼翼。」公曰：「不可與政。我以武與威，是以臨諸侯。未歿而亡政，不可謂武；有子而弗勝，不可謂威。我授之政，諸侯必絕；能絕於我，必能害我。失政而害國，不可忍也。爾勿憂，吾將圖之。」驪姬曰：「以皋落狄之朝夕苟我邊鄙，使無日以牧田野，君之倉廩固不實，又恐削封疆。君盍使之伐狄，以觀其果於眾也，與眾之信輯睦焉。若不勝狄，雖濟其罪，可也。若勝狄，則善用眾矣，求必益廣，乃可厚圖也。且夫勝狄，諸侯驚懼，吾邊鄙不儆，倉廩盈，四鄰服，封疆信，君得其賴，不知可否，其利多矣。君其圖之！」公悅，是故

使申生伐東山，衣之偏裻之衣，佩之以金玦。僕人贊聞之，曰：「太子殆哉！君賜之奇，奇生怪，怪生無常，無常不立。使之出征，先以觀之，故告之以離心，而示之以堅忍之權，則必惡其心而害其身矣。惡其心，必內險之；害其身，必外危之。危自中起，難哉！且是衣也，狂夫阻之衣也。其言曰：『盡敵而反。』雖盡敵，其若內讒何！」申生勝狄而反，讒言作於中。君子曰：「知微。」（《國語》〈晉語一〉）

## 偏衣金玦

　　晉獻公十七年（西元前660年）冬天，獻公派太子申生討伐東山皋落狄人。里克勸諫說：「我聽說皋落狄人將拚死抵抗，國君還是不要派申生去冒險吧！」獻公說：「此行已定。」里克回答說：「過去國君出征，讓太子留守監國；或國君出征，讓太子隨行以撫慰軍心。如今您留守本國，而讓太子出征，這不符合慣例啊。」獻公說：「這你不懂。我聽說立太子有三條規則：德行相當以年齡長幼決定，年齡相同根據國君的喜好程度來定，喜好無偏時以卜筮決定。我們父子之間的事不需要你操心，我是要通過此次出征來考察太子的能力。」獻公不高興。里克退下後，遇見太子。太子問：「父君賜給我偏衣和金玦是什麼意思？」里克說：「你害怕嗎？國君讓你穿偏衣，握金玦，說明對你不薄，有什麼可擔心的？做兒子的只怕不孝，不怕不能繼位。況且我聽說：『恭敬勝於請求。』你還是努力孝敬國君吧。」君子評價道：「里克善於處理父子之間的關係。」

　　太子於是出征，狐突駕馭兵車，先友擔任車右。太子身著偏衣，

佩戴金玦，離開國都後對先友說：「國君賜給我這些東西，意味著什麼呢？」先友答道：「意味著這次出征中你享有一半君權，可以用金玦來決斷大事，你好自為之吧！」狐突則嘆息說：「拿雜色衣服給純正的人穿，賜以冰冷的金屬顯示疏遠，還有什麼可以依賴的？即使太子努力作戰，狄人能全部消滅嗎？」到了稷桑，狄人出兵迎戰。申生打算進攻，狐突勸諫說：「不行。我聽說，國君喜歡寵臣，大夫就危險；國君喜好女色，太子就危險，國家將有災難。如果你順從父親的意願，就可以遠離死亡，何不考慮一下呢？你在狄人的國土上冒險作戰，國內卻在流傳針對你的讒言。」申生說：「國君派我討伐東山，並非出於喜歡，而是想探測我的心思。賜給我偏衣金玦，臨行前還好言慰撫。說的話太甜，骨子裡一定苦。讒言起於宮廷，說明父君對我起了疑心。選擇逃避不如拚死一戰，倘若戰死，還可以獲得孝敬的好名聲。」於是奮力作戰，在稷桑打敗狄人。返回國都後，果然讒言更盛。狐突閉門不出。君子說：「狐突善於深謀遠慮。」

## 【出處】

十七年冬，公使太子伐東山。里克諫曰：「臣聞皋落氏將戰，君其釋申生也！」公曰：「行也！」里克對曰：「非故也。君行，太子居，以監國也；君行，太子從，以撫軍也。今君居，太子行，未有此也。」公曰：「非子之所知也。寡人聞之，立太子之道三：身鈞以年，年同以愛，愛疑決之以卜、筮。子無謀吾父子之間，吾以此觀之。」公不說。里克退，見太子。太子曰：「君賜我以偏衣、金玦，何也？」里克曰：「孺子懼乎？衣躬之偏，而握金玦，令不偷矣。孺子何懼？夫為人子者，懼不孝，不懼不得。且吾聞之曰：『敬賢於

請。』孺子勉之乎！」君子曰：「善處父子之間矣。」太子遂行，狐突御戎，先友為右，衣偏衣而佩金玦。出而告先友曰：「君與我此，何也？」先友曰：「中分而金玦之權，在此行也。孺子勉之乎！」狐突嘆曰：「以尨衣純，而玦之以金銑者，寒之甚矣，胡可恃也？雖勉之，狄可盡乎？」先友曰：「衣躬之偏，握兵之要，在此行也，勉之而已矣。偏躬無慝，兵要遠災，親以無災，又何患焉？」至於稷桑，狄人出逆，申生欲戰。狐突諫曰：「不可。突聞之：國君好艾，大夫殆；好內，適子殆，社稷危。若惠於父而遠於死，惠於眾而利社稷，其可以圖之乎？況其危身於狄以起讒於內也？」申生曰：「不可。君之使我，非歡也，抑欲測吾心也。是故賜我奇服，而告我權。又有甘言焉。言之大甘，其中必苦。讒在中矣，君故生心。雖蝎譖，焉避之？不若戰也。不戰而反，我罪滋厚；我戰死，猶有令名焉。」果敗狄於稷桑而反。讒言益起，狐突杜門不出。君子曰：「善深謀也。」（《國語》〈晉語一〉）

## 懷璧其罪

　　當初，虞公的兄弟虞叔有一塊寶玉，虞公向他索求。虞叔捨不得給他，不久又後悔這件事，說：「周朝的諺語說：『百姓沒有罪，懷藏玉璧就有罪了。』我哪用得著美玉，何必為它招致禍害。」於是把玉璧獻給虞公。虞公又向虞叔索求寶劍。虞叔說：「這是沒有滿足了。慾壑難填，禍害會連累到我身上。」於是攻打虞公，虞公失國，逃亡到共池。

## 【出處】

　　初，虞叔有玉，虞公求旃。弗獻。既而悔之，曰：「周諺有之：『匹夫無罪，懷璧其罪。』吾焉用此，其以賈害也？」乃獻之。又求其寶劍。叔曰：「是無厭也。無厭，將及我。」遂伐虞公。故虞公出奔共池。（《左傳》〈桓公十年〉）

# 自拔其本

　　晉國討伐虢國，向虞國借道。宮之奇勸諫虞公不要答應，虞公不聽。宮之奇出來後對兒子說：「虞國將要滅亡了！只有講求忠信的人才能讓過境的外國軍隊不生非分之想。對外沒有愚昧的幻想叫作忠，處事保持正確的定力叫作信。現在國君以自己不能接受的禍患加害於人，這是很不聰明的做法。貪圖晉國賄賂而讓親近自己的鄰國滅亡，是放棄了正確的立身之道。國家以忠信立國。既不講忠信，又借道外寇，晉國一定會在回師途中算計我國。已經自己拔掉了立國之本，哪裡還會長久？如果我們不儘快離開虞國，災難就會臨頭了。」於是攜帶家眷逃往西山。三個月之後，虞國滅亡。

## 【出處】

　　伐虢之役，師出於虞。宮之奇諫而不聽，出，謂其子曰：「虞將亡矣！唯忠信者能留外寇而不害。除暗以應外謂之忠，定身以行事謂之信。今君施其所惡於人，暗不除矣；以賄滅親，身不定矣。夫國非忠不立，非信不固。既不忠信，而留外寇，寇知其釁而歸圖焉。已自

拔其本矣，何以能久？吾不去，懼及焉。」以其孥適西山，三月，虞
乃亡。（《國語》〈晉語二〉）

# 虢亡不久

　　虢公做夢，夢見身在祖廟，看見一個神人，臉上長白毛，手如虎
爪，拿著戰斧站立在西邊屋簷下。虢公嚇得轉身而逃。神人對他說：
「不要走！上天傳令說，讓晉國攻擊你的國門。」虢公下拜磕頭，從
夢中醒來，召史嚚占問凶吉。史嚚回答說：「君主見到的是天上主管
刑殺的蓐收之神。上天確定的事都是由這些神來執行的。」虢公把史
嚚囚禁起來，要國人祝賀他做的夢是吉祥之夢。舟之僑對家族的人
說：「大家都說虢國離亡國不遠了，我今天才真正確信。國君不認真
反思夢的寓意，反而要國人慶賀晉國的侵襲，這難道能減少禍患嗎？
我聽說，大國正義，小國進入叫作順服；小國傲慢，大國進入叫作誅
討。民眾痛恨國君的貪婪奢侈，就會違抗他的命令。如今他認為自己
做的夢吉祥，其貪婪奢侈就會變本加厲，這是上天在奪走他自省的鏡
子而加重他的罪孽啊。民眾痛恨他的所作所為，上天又迷惑他的良
知；大國一旦來襲，他的命令將無人聽從。公族既已衰敗，諸侯又疏
遠他，內外都沒有可以依靠的人，還能指望誰來拯救呢？我不忍心等
著看國家的滅亡！」於是攜族人離開虢國進入晉國。六年之後，虢國
滅亡。

　　虢公夢在廟，有神人面白毛虎爪，執鉞立於西阿，公懼而走。神曰：「無走！帝命曰：『使晉襲於爾門。』」公拜稽首，覺，召史嚚占之，對曰：「如君之言，則蓐收也，天之刑神也，天事官成。」公使囚之，且使國人賀夢。舟之僑告諸其族曰：「眾謂虢亡不久，吾乃今知之。君不度而賀大國之襲，於己也何瘳？吾聞之曰：『大國道，小國襲焉曰服。小國傲，大國襲焉曰誅。』民疾君之侈也，是以遂於逆命。今嘉其夢，侈必展，是天奪之鑒而益其疾也。民疾其態，天又誑之；大國來誅，出令而逆；宗國既卑，諸侯遠己。內外無親，其誰云救之？吾不忍俟也！」將行，以其族適晉。六年，虢乃亡。（《國語》〈晉語二〉）

## 假道伐虢

　　荀息請求以屈地出產的寶馬和垂棘出產的玉璧向虞國借路以進攻虢國。晉獻公說：「這是我的寶物啊！」荀息回答說：「如果向虞國借路成功，東西放在虞國，就像放在宮外的庫房裡一樣。」晉獻公說：「宮之奇還在虞國。」荀息回答說：「宮之奇的為人，懦弱而不敢強諫，從小和虞君在宮裡一起長大，虞君對他很親暱，即便進諫，虞君也不會聽他的。」於是晉獻公派荀息到虞國借路，對虞公說：「冀國無道，從顛軨入侵，圍攻虞國郇邑的三面城門。敝國助虞伐冀而使冀國受到損失，也是為了您的緣故。現在虢國無道，在邊疆客舍裡築起堡壘，來攻打敝國的南部邊境。謹大膽地請求貴國借路，以便

到虢國問罪。」虞公答應了，而且自己請求先去進攻虢國。宮之奇勸阻，虞公不聽，於是起兵。夏季，晉國的里克、荀息領兵會合虞軍，一起進攻虢國，滅亡了下陽。

## 【出處】

晉荀息請以屈產之乘與垂棘之璧假道於虞以伐虢。公曰：「是吾寶也。」對曰：「若得道於虞，猶外府也。」公曰：「宮之奇存焉。」對曰：「宮之奇之為人也，懦而不能強諫，且少長於君，君暱之，雖諫，將不聽。」乃使荀息假道於虞，曰：「冀為不道，入自顛軨，伐鄍三門。冀之既病。則亦唯君故。今虢為不道，保於逆旅，以侵敝邑之南鄙。敢請假道，以請罪於虢。」虞公許之，且請先伐虢。宮之奇諫，不聽，遂起師。夏，晉里克、荀息帥師會虞師，伐虢，滅下陽。（《左傳》〈僖公二年〉）

# 唇亡齒寒

晉獻公再次向虞國借路攻打虢國，宮之奇勸阻說：「虢國是虞國的外圍，虢國滅亡，虞國必定跟著完蛋。不能讓晉國野心膨脹，讓外國軍隊過境可不是小事。一次已經過分，怎麼能再有第二次呢？俗話說，『輔車相依，唇亡齒寒』，說的就是虞國和虢國的關係啊。」虞公說：「晉國是我的宗族，難道會害我嗎？」宮之奇回答說：「太伯、虞仲，是周太王的兒子，太伯沒有隨侍在側，所以沒有繼位。虢仲、虢叔，是王季的兒子，做過文王卿士，功勳記於王室，與諸侯皆有盟

誓。晉國想滅掉虢國，對虞國有什麼可愛惜的？況且虞國能比晉國的桓叔、莊伯更親嗎？如果他們愛惜桓叔和莊伯，這兩個家族怎麼會遭到殺戮？不就是因為感受到了威脅嗎？桓叔、莊伯家族的人因為威脅公室尚且被殺害，何況虞國呢？」虞公說：「我祭祀的祭品豐盛而清潔，神明會保佑我的。」宮之奇回答說：「下臣聽說，鬼神並不會隨意親近人，只保佑有德行的人。《周書》上說：『上天沒有私親，誰有德行就輔助誰。』又說：『祭祀的黍稷無所謂芬芳，只有美德才芳香馥郁。』還說：『百姓不能變更祭祀的物品，只有德行才可以充當祭祀的物品。』這樣看來，如果沒有德行，社會就不和諧，神明也不會來享用祭物。神明看重的是德行。如果晉國佔領虞國，以美德作為芳香的祭品奉獻給神明，神明難道會吐出來嗎？」虞公不聽，答應了晉國使者的要求。宮之奇帶領他的族人出走，離開時說：「虞國過不了今年的臘祭了。就是這一次，晉國不必再次出兵了。」

## 【出處】

晉侯復假道於虞以伐虢。宮之奇諫曰：「虢，虞之表也；虢亡，虞必從之。晉不可啟，寇不可玩，一之謂甚，其可再乎？諺所謂『輔車相依，唇亡齒寒』者，其虞、虢之謂也。」公曰：「晉，吾宗也，豈害我哉？」對曰：「大伯、虞仲，大王之昭也；大伯不從，是以不嗣。虢仲、虢叔，王季之穆也；為文王卿士，勳在王室，藏於盟府。將虢是滅，何愛於虞？且虞能親於桓、莊乎？其愛之也，桓、莊之族何罪？而以為戮，不唯逼乎？親以寵逼，猶尚害之，況以國乎？」公曰：「吾享祀豐潔，神必據我。」對曰：「臣聞之，鬼神非人實親，惟德是依。故《周書》曰：『皇天無親，惟德是輔。』又曰：『黍稷

非馨，明德惟馨。』又曰：『民不易物，惟德繄物。』如是，則非德，民不和，神不享矣。神所馮依，將在德矣。若晉取虞，而明德以薦馨香，神其吐之乎？」弗聽，許晉使。宮之奇以其族行，曰：「虞不臘矣。在此行也，晉不更舉矣。」（《左傳》〈僖公五年〉）

# 肝膽塗地

晉獻公的時候，城東有個名叫祖朝的平頭百姓，上書獻公說：「草民祖朝請求瞭解國家大事。」獻公讓使者告訴他說：「做官的已經在考慮國家大事了，平民百姓又何必參與其中呢？」祖朝回答說：「大王沒有聽說過古代大將桓司馬的故事嗎？他早上去朝見國君，車伕叫備車，侍衛也叫備車。車伕問侍衛說：『你為何超越職責叫備車呢？況且我已經叫過了。』侍衛對車伕說：『該叫就叫，這也是我的職事。你應該控制和矯正好馬籠頭和韁繩。否則馬突然受驚，車輪就會胡亂輾壓路上的行人。如果面臨大敵，下車摘劍，拋頭顱灑熱血當然是我的事情，你難道能放開手中的韁繩下車幫我嗎？你的駕馭狀態事關我的安全，對此我深懷憂慮，我怎能不叫備車呢？』現在大王說：『做官的已經在考慮國家大事了，平民百姓何必參與其中。』假若當官的決策失誤，像我這樣的平民百姓，豈不就肝膽塗地於中原荒野？那時禍患也會危及我的生命，我對此也深懷憂慮，怎麼能不參與國家大事呢？」晉獻公於是召見他，與他交談了好幾天，並拜他為師。

　　晉獻公之時，東郭民有祖朝者，上書獻公曰：「草茅臣東郭民祖朝，願請聞國家之計。」獻公使使出告之曰：「肉食者已慮之矣，藿食者尚何與焉。」祖朝對曰：「大王獨不聞古之將曰桓司馬者，朝朝其君，舉而晏。御呼車，驂亦呼車。御肘其驂曰：『子何越云為乎？何為籍呼車？』驂謂其御曰：『當呼者呼，乃吾事也；子當御正子之轡銜耳。子今不正轡銜，使馬卒然驚，妄觸道中行人。必逢大敵，下車免劍，涉血履肝者，固吾事也。子寧能辟子之轡，下佐我乎？其禍亦及吾身，與有深憂，吾安得無呼車哉！』今大王曰：『食肉者已慮之矣，藿食者尚何與焉』，設使食肉者一旦失計於廟堂之上，若臣等之藿食者，寧得無肝膽塗地於中原之野與？其禍亦及臣之身。臣與有其憂深。臣安得無與國家之計乎？」獻公召而見之，三日，與語，無復憂者。乃立以為師。（《說苑》〈善說〉）

## 不阿其惑

　　晉獻公打算廢黜太子申生，改立奚齊為太子。里克、丕鄭、荀息三位大夫見面時，里克說：「史蘇的預言將要應驗了，怎麼辦呢？」荀息說：「君命不可違。國君確定的事，下臣理當服從，怎麼能有二心呢？」丕鄭說：「我聽說，侍奉國君，只能服從正確的決定，不可屈從他的錯誤。國君的錯誤會導致民眾跟著犯錯失德，這等於是拋棄民眾。老百姓之所以擁戴國君，是指望他倡導禮義的，義以生利，利以裕民。怎麼可以辜負民眾而拋棄他們呢？一定要說服國君

不要廢黜申生。」里克說：「本人無才，雖不懂大義，但也不會屈從國君的錯誤，我將保持沉默。」

## 【出處】

公將黜太子申生而立奚齊。里克、丕鄭、荀息相見，里克曰：「夫史蘇之言將及矣！其若之何？」荀息曰：「吾聞事君者，竭力以役事，不聞違命。君立臣從，何貳之有？」丕鄭曰：「吾聞事君者，從其義，不阿其惑。惑則誤民，民誤失德，是棄民也。民之有君，以治義也。義以生利，利以豐民，若之何其民之與處而棄之也？必立太子。」里克曰：「我不佞，雖不識義，亦不阿惑，吾其靜也。」三大夫乃別。（《國語》〈晉語一〉）

## 對以中立

驪姬對優施說：「國君已經答應我殺太子改立奚齊，但我感到里克很難對付，怎麼辦呢？」優施說：「我來對付里克，一天就可以使他就範。為我準備一隻烤全羊，我來陪他喝酒。我是個戲子，說話沒那麼多忌諱。」驪姬於是準備了宴席，讓優施送到里克家裡。酒喝到高興的時候，優施起立舞蹈，對里克妻子說：「夫人敬我一杯，我來教大夫怎樣輕鬆愉快地侍奉國君。」隨即唱道：「一心想侍奉好國君啊，其智慧還不及鳥雀烏鴉。別人都聚集於草木豐盛之地，他卻獨留在枯朽的枝椏。」里克笑著問：「何謂草木豐盛之地？何謂枯朽的枝椏？」優施說：「母親貴為國君夫人，兒子將繼承君位，這不是草

木豐盛之地嗎？母親死了，兒子遭人誹謗，這不是枯朽的枝椏嗎？這枯枝很快就會折斷了。」優施走後，里克撤去酒菜，飯也不吃就睡了。半夜時分，他召見優施問道：「你在酒席上說的話是開玩笑呢？還是聽到了什麼風聲？」優施說：「確有其事。國君已許諾驪姬殺死太子改立奚齊，都計劃好了。」里克說：「要我秉承國君的旨意殺死太子，我不忍心。要我和往常一樣與太子交往，我也不敢。我採取中立的態度大概可以免禍吧？」優施說：「應該可以。」早晨，里克去見丕鄭，對他說：「史蘇的預言就將變成現實了！優施告訴我，國君計劃已定，將要立奚齊為太子。」丕鄭問：「你怎麼回答優施的？」里克說：「我回答他將保持中立。」丕鄭搖頭說：「這太可惜了！如果對他說不相信這回事，他們或許會心灰意冷。太子的地位得到加強，就會分化他們的黨羽。應該多想辦法迫使他們改變計劃，他們的計劃被拖延，再找機會離間他們。現在你說保持中立，等於鞏固了他們的陰謀，一旦準備就緒，再要離間就困難了。」里克說：「話已出口無可挽回，況且驪姬肆無忌憚，無法阻攔。你打算怎麼辦呢？」丕鄭說：「我心裡也沒主意。侍奉國君的人，唯君命是從，還能怎麼樣呢？」里克說：「把弒君救太子看作耿直的舉動，誇大這種耿直會產生驕傲，因這種驕傲去影響國君和太子的關係，我不敢做，違心地順從國君，參與廢太子立奚齊以謀私利，我也做不到。我只有隱退了。」第二天，里克稱病不再上朝。一個月後，驪姬策劃的宮廷政變就發生了。

## 【出處】

　　驪姬告優施曰：「君既許我殺太子而立奚齊矣，吾難里克，奈

何！」優施曰：「吾來里克，一日而已。子為我具特羊之饗，吾以從之飲酒。我優也，言無郵。」驪姬許諾，乃具，使優施飲里克酒。中飲，優施起舞，謂里克妻曰：「主孟啗我，我教茲暇豫事君。」乃歌曰：「暇豫之吾吾，不如鳥烏。人皆集於苑，己獨集於枯。」里克笑曰：「何謂苑，何謂枯？」優施曰：「其母為夫人，其子為君，可不謂苑乎？其母既死，其子又有謗，可不謂枯乎？枯且有傷。」優施出，里克辟奠，不飱而寢。夜半，召優施，曰：「曩而言戲乎？抑有所聞之乎？」曰：「然。君既許驪姬殺太子而立奚齊，謀既成矣。」里克曰：「吾秉君以殺太子，吾不忍。通復故交，吾不敢。中立其免乎？」優施曰：「免。」旦而里克見丕鄭，曰：「夫史蘇之言將及矣！優施告我，君謀成矣，將立奚齊。」丕鄭曰：「子謂何？」曰：「吾對以中立。」丕鄭曰：「惜也！不如曰不信以疏之，亦固太子以攜之，多為之故，以變其志，志少疏，乃可間也。今子曰中立，況固其謀也，彼有成矣，難以得間。」里克曰：「往言不可及也，且人中心唯無忌之，何可敗也！子將何如？」丕鄭曰：「我無心。是故事君者，君為我心，制不在我。」里克曰：「弒君以為廉，長廉以驕心，因驕以制人家，吾不敢。抑撓志以從君，為廢人以自利也，利方以求成人，吾不能。將伏也！」明日，稱疾不朝。三旬，難乃成。（《國語》〈晉語二〉）


## 事父以孝


　　祭祀武宮祖廟的時候，晉獻公稱病沒去參加，派奚齊主持祭祀。

猛足對太子申生說：「不讓長子出面，卻由奚齊出任主持，你有什麼看法？」太子說：「羊舌大夫[4]告訴我，對待國君要恭敬，對待父親要孝順。違抗君命就是不敬，不按父親的意願擅自行動就是不孝。我能有什麼想法呢？況且質疑父愛卻還享受他的賞賜就是不忠，阻礙別人以成全自己就是不貞。拋棄孝、敬、忠、貞這些好品德，我很難做到，我只有靜待命運的安排了。」

## 【出處】

蒸於武公，公稱疾不與，使奚齊蒞事。猛足乃言於太子曰：「伯氏不出，奚齊在廟，子盍圖乎！」太子曰：「吾聞之羊舌大夫曰：『事君以敬，事父以孝。』受命不遷為敬，敬順所安為孝。棄命不敬，作令不孝，又何圖焉？且夫間父之愛而嘉其貺，有不忠焉；廢人以自成，有不貞焉。孝、敬、忠、貞，君父之所安也。棄安而圖，遠於孝矣，吾其止也。」（《國語》〈晉語一〉）

# 天強其毒

晉獻公討伐驪戎，殺死國君驪子，將驪姬帶回晉國，並立驪姬為夫人。驪姬生奚齊，驪姬的妹妹生卓子。驪姬得寵，請求獻公派太子申生去曲沃說可以解救國家的危難，另派公子重耳去蒲城，公子夷吾去屈地，讓奚齊留在國都絳，以防備敵國入侵受辱。獻公一一滿足了她的請求。史蘇上朝時對大夫們說：「你們可要戒備哩，晉國的內亂

---

4. 即羊舌突，複姓羊舌，名突，又稱姬突。

很快就要爆發了。當年，國君立驪姬為夫人，民眾的不滿就達到極點。現在驪姬生了兒子，野心必然膨脹。砍伐樹木不挖掉樹根，還會長出新芽；堵塞河水不從源頭開始，堤壩就會潰決；消滅禍亂不剷除根基，必定會重生禍亂。國君殺死驪姬的父親卻又把她帶回後宮，這正是禍亂的根基啊。既留下驪姬，又順從她的欲望，使她滋長報仇雪恨的野心。驪姬外貌雖然很美，但內心卻非常醜惡。國君因為喜愛她的美貌，對她有求必應，晉國敗亡的象徵已經很明顯了。禍亂來自於女人，這跟夏、商、周末朝的情況一樣。」後來驪姬果然作亂，殺死太子申生，驅逐了公子重耳和夷吾。君子感嘆說：「史蘇早已預測到動亂之源。」

## 【出處】

獻公伐驪戎，克之，滅驪子，獲驪姬以歸，立以為夫人，生奚齊。其娣生卓子。驪姬請使申生主曲沃以速懸，重耳處蒲城，夷吾處屈，奚齊處絳，以儆無辱之故。公許之。史蘇朝，告大夫曰：「二三大夫其戒之乎，亂本生矣！日，君以驪姬為夫人，民之疾心固皆至矣。昔者之伐也，興百姓以為百姓也，是以民能欣之，故莫不盡忠極勞以致死也。今君起百姓以自封也，民外不得其利，而內惡其貪，則上下既有判矣；然而又生男，其天道也？天強其毒，民疾其態，其亂生哉！吾聞君之好好而惡惡，樂樂而安安，是以能有常。伐木不自其本，必復生；塞水不自其源，必復流；滅禍不自其基，必復亂。今君滅其父而畜其子，禍之基也。畜其子，又從其欲，子思報父之恥而信其欲，雖好色，必惡心，不可謂好。好其色，必授之情。彼得其情以厚其欲，從其惡心，必敗國且深亂。亂必自女戎，三代皆然。」驪姬

果作難，殺太子而逐二公子。君子曰：「知難本矣。」（《國語》〈晉語一〉）

# 哲婦傾城

驪姬是驪戎的女兒。獻公先娶齊國女子，生秦穆夫人和太子申生。[5]後娶戎女二人，生公子重耳和夷吾。獻公討伐驪戎得勝，得到驪姬。驪姬生奚齊和卓子。驪姬最為得寵，齊姜死後，獻公立驪姬為夫人。驪姬想以奚齊取代太子，就和妹妹謀劃，說服獻公讓太子申生出掌曲沃，重耳、夷吾出守蒲地、屈地。驪姬在深夜哭泣，指責太子的仁慈是沽名釣譽，勸獻公告老退位，把政權交給太子：「太子得到想要的東西，就不會加害於您。」獻公不同意交權，對太子產生懷疑。驪姬派人以獻公的名義告訴太子說：「君主夢見你的母親齊姜，趕快去祭拜她。」申生在曲沃祭拜，帶著祭肉和酒回絳城，準備獻給父親。獻公田獵未回，驪姬接過祭品，在酒肉裡下毒。獻公回來，讓申生獻上祭品。驪姬說：「外面拿來的食品，要先測試一下是否安全。」把酒倒在地上，地面突起，把肉給狗吃，狗當場斃命，讓侍臣喝酒，侍臣也死了。申生未作申辯就逃走了。驪姬仰天哭泣說：「天啊，國家早晚是你的，為什麼如此著急要做國君呢？對父親都忍心下手，國人誰會擁戴你呢？」獻公派人對申生說：「你自己看著辦吧。」里克說：「您去申辯就可以活，否則性命難保。」太子說：「父君年

---

5. 晉獻公先娶賈氏為妻，賈女未生子嗣。獻公即位後與父妾齊姜（齊桓公之女）私通，生太子申生和女兒穆姬（秦穆公夫人）。

紀大了，離不開驪姬。如果我去自證清白，驪姬必死，君王的晚景會很淒涼。」於是在新城祖廟自殺。獻公殺死少傅杜原款，又派閹[6]楚去刺殺重耳，重耳逃往狄國。讓賈華去刺殺夷吾，夷吾逃往梁國。獻公身邊只剩下奚齊和卓子。奚齊被立為太子。獻公死了，奚齊繼位，里克殺死奚齊。荀息扶立卓子繼位，又被里克殺死。驪姬被鞭打而死。秦國協助公子夷吾回國繼位，這就是晉惠公。惠公死後，太子圉繼位，是為懷公。晉人在高粱殺死懷公，重耳繼位，這就是晉文公。一場波及五代的內亂總算平息。《詩經》上說：「她有長舌善逞辯，產生邪惡埋禍根。」又說「有才女子亂國政」，說的就是這種情況。

## 【出處】

驪姬者，驪戎之女，晉獻公之夫人也。初，獻公娶於齊，生秦穆夫人及太子申生。又娶二女於戎，生公子重耳、夷吾。獻公伐驪戎，克之，獲驪姬以歸，生奚齊、卓子。驪姬嬖於獻公，齊姜先死，公乃立驪姬以為夫人。驪姬欲立奚齊，乃與弟謀曰：「一朝不朝，其間用刀。逐太子與二公子，而可間也。」於是驪姬乃說公曰：「曲沃，君之宗邑也；蒲與二屈，君之境也，不可以無主。宗邑無主，則民不畏；邊境無主，則開寇心。夫寇生其心，民嫚其政，國之患也。若使太子主曲沃，二公子主蒲與二屈，則可以威民而懼寇矣。」遂使太子居曲沃，重耳居蒲，夷吾居二屈。驪姬既遠太子，乃夜泣，公問其故，對曰：「吾聞申生為人甚好仁而強，甚寬惠而慈於民，今謂

---

6. 奄國，是商末周初山東曲阜之東的一個小國，其國都為山東曲阜，後為周成王所滅。周滅奄之後，俘奄人之強壯男子，去其睪丸，不令生育，用作奴隸以侍奉主人，稱閹人，故「奄」又通「閹」。

君惑於我，必亂國，無乃以國民之故行強於君。君未終命而歿，君其奈何？胡不殺我，無以一妾亂百姓。」公曰：「惠其民而不惠其父乎？」驪姬曰：「為民與為父異。夫殺君利民，民孰不戴？苟父利而得寵，除亂而眾說，孰不欲焉？雖其愛君，欲不勝也。若紂有良子而先殺紂，毋章其惡，鈞死也，毋必假手於武王以廢其祀。自吾先君武公兼翼，而楚穆弒成，此皆為民而不顧親。君不早圖，禍且及矣。」公懼，曰：「奈何而可？」驪姬曰：「君何不老而授之政？彼得政而治之，殆將釋君乎？」公曰：「不可，吾將圖之。」由此疑太子。驪姬乃使人以公命告太子曰：「君夢見齊姜，亟往祀焉！」申生祭於曲沃，歸福於絳。公田不在，驪姬受福，乃置鴆於酒，施毒於脯。公至，召申生，將胙，驪姬曰：「食自外來，不可不試也。」覆酒於地，地墳。申生恐而出。驪姬與犬，犬死；飲小臣，小臣死之。驪姬乃仰天叩心而泣，見申生哭曰：「嗟乎！國，子之國，子何遲為君？有父恩忍之，況國人乎？弒父以求利，人孰利之！」獻公使人謂太子曰：「爾其圖之！」太傅里克曰：「太子入自明，可以生，不則不可以生。」太子曰：「吾君老矣。若入而自明，則驪姬死，吾君不安。」遂自經於新城廟。公遂殺少傅杜原款；使閹楚刺重耳，重耳奔狄；使賈華刺夷吾，夷吾奔梁。盡逐群公子，乃立奚齊。獻公卒，奚齊立，里克殺之；卓子立，又殺之；乃戮驪姬，鞭而殺之。於是秦立夷吾，是為惠公。惠公死，子圉立，是為懷公。晉人殺懷公於高梁，立重耳，是為文公。亂及五世然後定。《詩》曰：「婦有長舌，惟厲之階。」又曰：「哲婦傾城。」[7]此之謂也。（《列女傳》〈孽嬖傳〉）

---

7. 「婦有長舌，惟厲之階」「哲婦傾城」均出自《詩經》〈大雅・瞻卬〉。

# 以身當之

驪姬在晉獻公面前陷害太子申生，獻公有心要殺死太子。公子重耳勸申生說：「你為什麼不去找父親辯解呢？說明了事實真相，父親不就原諒你了嗎？」申生說：「不行。我去辯解，一旦辨明真相，驪姬必然獲罪。父親老了，年事已高，沒有驪姬便吃不香、睡不著。我不忍心讓父親帶著遺憾辭世。」重耳說：「不去說明真相，那就趕快離開晉國啊。」申生說：「這也不妥。選擇離開雖然可免一死，但人們會認為我怨恨父親。以張揚父親的過失來獲取美名，也是我不忍心做的。我聽說，忠臣不暴露君王的過失，智者不加重自己的罪惡，勇者不逃避死亡。眼下這種局面，我只有以生命來擔當。」於是申生自刎而死。

## 【出處】

晉驪姬譖太子申生於獻公，獻公將殺之。公子重耳謂申生曰：「為此者，非子之罪也，子胡不進辭？辭之必免於罪。」申生曰：「不可，我辭之，驪姬必有罪矣。吾君老矣，微驪姬寢不安席，食不甘味，如何使吾君以恨終哉？」重耳曰：「不辭則不若速去矣。」申生曰：「不可。去而免於死，是惡吾君也。夫彰父之過而取美，諸侯孰肯納之。入困於宗，出困於逃，是重吾惡也。吾聞之，忠不暴君，智不重惡，勇不逃死。如是者，吾以身當之。」遂伏劍死。（《說苑》〈立節〉）

# 聚居異情惡

　　晉獻公二十二年（西元前655年），公子重耳採納狐偃的建議出逃狄國。一年以後，公子夷吾也被迫出逃。他對師傅冀芮（郤芮）說：「何不跟隨哥哥逃往狄國呢？」冀芮搖頭說：「不行。你出逃在後，卻與他逃往同一個國家，難免有合謀之罪。再說一起進出也不方便，住在一起性格不合，很容易產生矛盾。不如投奔梁國，梁國與秦國較近，秦國對我們的國君很友善。我們的國君年紀大了，你去梁國，驪姬害怕，必定以為你會向秦國求援，這樣我們在梁國就比較安全。她會派人來表達歉意，這樣我們就免於擔罪了。」於是夷吾逃往梁國。一年之後，驪姬派奄楚送來玉環，表達問候和解釋誤會。四年之後，夷吾回國繼立為君。

## 【出處】

　　二十二年，公子重耳出亡，及柏谷，卜適齊、楚。狐偃曰：「無卜焉。夫齊、楚道遠而望大，不可以困往。道遠難通，望大難走，困往多悔。困且多悔，不可以走望。若以偃之慮，其狄乎！夫狄近晉而不通，愚陋而多怨，走之易達。不通可以竄惡，多怨可與共憂。今若休憂於狄，以觀晉國，且以監諸侯之為，其無不成。」乃遂之狄。處一年，公子夷吾亦出奔，曰：「盍從吾兄竄於狄乎？」冀芮曰：「不可。後出同走，不免於罪。且夫偕出偕入難，聚居異情惡，不若走梁。梁近於秦，秦親吾君。吾君老矣，子往，驪姬懼，必援於秦。以吾存也，且必告悔，是吾免也。」乃遂之梁。居二年，驪姬使奄楚以

環釋言。四年，復為君。(《國語》〈晉語二〉)

# 狐突之死

晉獻公的時候，狐突擔任太子申生的老師。獻公寵幸驪姬，國內多憂患，狐突藉口有病閉門不出。六年之後，獻公要殺太子。太子死前派人對狐突說：「我們的國君老了，國內動盪不安，請老師再次出山輔佐我們的國君，老師若肯答應，申生死而無憾。」申生死後，狐突重新入朝儘力侍奉獻公。過了三年，獻公病死。狐突向大夫們告辭說：「我受太子的詔命輔佐國君，任務已經完成，與其繼續活於亂世，不如以死報答太子。」回家後便自殺而死。[8]

## 【出處】

晉獻公之時，有士焉曰狐突，傅太子申生。公立驪姬為夫人，而國多憂，狐突稱疾不出。六年，獻公以讒誅太子。太子將死，使人謂狐突曰：「吾君老矣，國家多難，傅一出以輔吾君，申生受賜以死不恨。」再拜稽首而死。狐突乃復事獻公。三年，獻公卒。狐突辭於諸大夫曰：「突受太子之詔，今事終矣，與其久生亂世也，不若死而報太子。」乃歸自殺。(《說苑》〈立節〉)

---

8. 一種說法是狐突為晉懷公所殺。兩漢至隋唐乃至宋，歷代皇帝都以狐突忠貞報國為忠義楷模，宋徽宗封狐突為忠惠利應侯。七月十四日狐突誕辰日至今仍為交城一帶的傳統節日。

# 不食其言

　　晉獻公二十六年（西元前651年），獻公去世。里克打算殺死奚齊，事先告訴荀息說：「三位公子的黨徒將要殺死奚齊，你是什麼態度？」荀息說：「國君剛去世就殺他的兒子，我寧願死，也不會輕易跟從他們。」里克說：「如果你的死能使奚齊立為國君，那也值得，但你死了奚齊照樣被廢，那又何必去死呢？」荀息說：「先君曾經問過我臣子該怎樣侍奉國君，我回答說必須忠貞。先君問我什麼叫忠貞，我回答說，只要有利於國家，盡其所能就叫忠。安葬去世的國君，侍奉繼位的國君，令逝者無悔，生者無愧，就叫作貞。我既已向故君表達忠貞，又怎能為踐行諾言而吝惜生命呢？」丕鄭接受里克的建議，殺死奚齊、卓子和驪姬，請求秦國幫助擁立新的國君。奚齊被殺後，荀息打算隨奚齊而死。有人勸他說：「不如立奚齊的弟弟輔佐他。」荀息於是立卓子為君。里克又殺死卓子，荀息於是自盡而死。君子說：「荀息兌現了他的承諾。」

## 【出處】

　　二十六年，獻公卒。里克將殺奚齊，先告荀息曰：「三公子之徒將殺孺子，子將如何？」荀息曰：「死吾君而殺其孤，吾有死而已，吾蔑從之矣！」里克曰：「子死，孺子立，不亦可乎？子死，孺子廢，焉用死？」荀息曰：「昔君問臣事君於我，我對以忠貞。君曰：『何謂也？』我對曰：『可以利公室，力有所能，無不為，忠也。葬死者，養生者，死人復生不悔，生人不愧，貞也。』吾言既往矣，豈

能欲行吾言而又愛吾身乎？雖死，焉避之？」里克告丕鄭曰：「三公子之徒將殺孺子，子將何如？」丕鄭曰：「荀息謂何？」對曰：「荀息曰『死之』。」丕鄭曰：「子勉之。夫二國士之所圖，無不遂也。我為子行之。子帥七輿大夫以待我。我使狄以動之，援秦以搖之。立其薄者可以得重賂，厚者可使無入。國，誰之國也！」里克曰：「不可，克聞之，夫義者，利之足也；貪者，怨之本也。廢義則利不立，厚貪則怨生。夫孺子豈獲罪於民？將以驪姬之惑蠱君而誣國人，讒群公子而奪之利，使君迷亂，信而亡之，殺無罪以為諸侯笑，使百姓莫不有藏惡於其心中，恐其如壅大川，潰而不可救御也。是故將殺奚齊而立公子之在外者，以定民弭憂，於諸侯且為援，庶幾曰諸侯義而撫之，百姓欣而奉之，國可以固。今殺君而賴其富，貪且反義。貪則民怨，反義則富不為賴。賴富而民怨，亂國而身殆，懼為諸侯載，不可常也。」丕鄭許諾。於是殺奚齊、卓子及驪姬，而請君於秦。既殺奚齊，荀息將死之。人曰：「不如立其弟而輔之。」荀息立卓子。里克又殺卓子，荀息死之。君子曰：「不食其言矣。」（《國語》〈晉語二〉）

## 亡人無狷潔

　　秦穆公召見大夫孟明視、公孫枝說：「晉國動亂，我想派人去考察重耳和夷吾，看二人誰適宜立為新君，誰去辦這件事比較適合呢？」大夫孟明視說：「公子縶聰敏知禮，待人恭敬、觀察仔細，是最合適的人選。」於是派公子縶去狄國弔慰公子重耳，告知他恰逢回國繼位的好時機。公子重耳按舅舅子犯的意思推辭說：「承蒙您來弔

慰逃亡之人，肩負助我回國的重要使命。但重耳流亡在外，父親死了都不能親往弔喪，又哪敢有其他想法玷辱您的義舉？」重耳向公子縶行跪拜禮但未叩首，起身時哭泣，不再私下回訪公子縶。公子縶離開狄國到達梁國，像弔慰重耳一樣去弔慰公子夷吾。夷吾對冀芮說：「秦國對我獻殷勤來了！」冀芮說：「公子努力啊。逃亡在外的人無所謂潔身自好，否則大事難成。準備厚禮配以感恩戴德，千萬不要吝惜錢財。別的公子也有機會，若能僥倖取勝，不也很好嗎？」公子夷吾出來拜見公子縶，跪拜磕頭，站起來時臉上沒有悲傷，退下之後，又私下拜訪公子縶說：「中大夫里克表態支持我，我許諾賜給他汾陽一帶田地一百萬畝。丕鄭也表態支持我，我承諾以負蔡一帶的七十萬畝田地獎賞他。貴國君主若能幫助我回國繼位，我願奉上黃河以西的五座城邑，並願執鞭牽馬，跟隨在貴國君主車塵之後。另以黃金八百兩、白玉飾品六雙，慰勞公子左右的隨從。」公子縶回國向穆公覆命。穆公聽了公子縶的匯報後說：「我支持公子重耳。重耳仁德，行跪拜禮而不磕頭，是表示不貪圖君位；起身哭泣，說明心裡愛他的父親；退下後不私自拜訪，是不急切獲得私利。」公子縶說：「國君的選擇有誤。如果輔立晉君是為了成全晉國，當然應該立一位仁德的公子；如果輔立晉君是為成就秦國的威名，則不如立德行較差的公子。這樣不僅可以擾亂晉國，還可以駕馭它。」秦穆公深以為然，於是輔立公子夷吾，這就是晉惠公。

## 【出處】

　　秦穆公許諾。反使者，乃召大夫子明及公孫枝，曰：「夫晉國之亂，吾誰使先，若夫二公子而立之？以為朝夕之急。」大夫子明曰：

「君使縶也。縶敏且知禮，敬以知微。敏能竄謀，知禮可使；敬不墜命，微知可否。君其使之。」乃使公子縶弔公子重耳於狄，曰：「寡君使縶弔公子之憂，又重之以喪。寡人聞之，得國常於喪，失國常於喪。時不可失，喪不可久，公子其圖之！」重耳告舅犯。舅犯曰：「不可。亡人無親，信仁以為親，是故置之者不殆。父死在堂而求利，人孰仁我？人實有之，我以僥倖，人孰信我？不仁不信，將何以長利？」公子重耳出見使者曰：「君惠弔亡臣，又重有命。重耳身亡，父死不得與於哭泣之位，又何敢有他志以辱君義？」再拜不稽首，起而哭，退而不私。公子縶退，弔公子夷吾於梁，如弔公子重耳之命。夷吾告冀芮曰：「秦人勤我矣！」冀芮曰：「公子勉之。亡人無狷潔，狷潔不行。重賂配德，公子盡之，無愛財！人實有之，我以僥倖，不亦可乎？」公子夷吾出見使者，再拜稽首，起而不哭，退而私於公子縶曰：「中大夫里克與我矣，吾命之以汾陽之田百萬。丕鄭與我矣，吾命之以負蔡之田七十萬。君苟輔我，蔑天命矣！亡人苟入掃宗廟，定社稷，亡人何國之與有？君實有郡縣，且入河外列城五。豈謂君無有，亦為君之東游津梁之上，無有難急也。亡人之所懷挾纓纕，以望君之塵垢者。黃金四十鎰，白玉之珩六雙，不敢當公子，請納之左右。」公子縶返，致命穆公。穆公曰：「吾與公子重耳，重耳仁。再拜不稽首，不沒為後也。起而哭，愛其父也。退而不私，不沒於利也。」公子縶曰：「君之言過矣。君若求置晉君而載之，置仁不亦可乎？君若求置晉君以成名於天下，則不如置不仁以猾其中，且可以進退。臣聞之曰：『仁有置，武有置。仁置德，武置服。』」是故先置公子夷吾，實為惠公。（《國語》〈晉語二〉）

# 善以微勸

秦穆公問冀芮說：「公子夷吾在晉國有誰可以依靠？」冀芮回答說：「我聽說，逃亡在外的人沒有黨羽，有黨羽就有仇人。夷吾少年時不好遊戲，報復心不強，也很少大發雷霆、怒形於色，這些性格長大後也沒有改變。所以出亡後國人對他沒有怨恨，民眾能安然處之。要不然，以夷吾並不傑出的才能，還有誰能依靠呢？」君子說：「冀芮善於巧妙應對。」

## 【出處】

穆公問冀芮曰：「公子誰恃於晉？」對曰：「臣聞之，亡人無黨，有黨必有仇。夷吾之少也，不好弄戲，不過所復，怒不及色，及其長也弗改。故出亡無怨於國，而眾安之。不然，夷吾不佞，其誰能恃乎？」君子曰：「善以微勸也。」（《國語》〈晉語二〉）

# 眾口禍福之門

晉惠公回國繼位後就背棄了先前對國內外幫助他的人的承諾。民眾諷刺說：「討好的被捉弄，到底沒能得到田地。欺詐的被欺詐，終究沒有得到好處。貪心得國的人，將來也不會有好下場。丟了田地而不思報復，禍亂就要臨頭了。」不久里克、丕鄭果然被殺；惠公自己也在韓原之戰中兵敗被俘。大夫郭偃感嘆說：「太好了！眾人的嘴巴是禍福之門。因此有見識的人體察民眾的願望後才付諸行動，瞭解民

善以微勸

眾的輿論後才謀劃，謀劃的事經過揣度後才實施，所以沒有不成功的。謀劃於心而揣度於外，不倦地思考比較，每天反覆研究，警戒防備之道就全在於此了。」

## 【出處】

惠公入而背外內之賂。輿人誦之曰：「佞之見佞，果喪其田。詐之見詐，果喪其賂。得國而狃，終逢其咎。喪田不懲，禍亂其興。」既里、丕死，禍，公隕於韓。郭偃曰：「善哉！夫眾口禍福之門。是以君子省眾而動，監戒而謀，謀度而行，故無不濟。內謀外度，考省不倦，日考而習，戒備畢矣。」（《國語》〈晉語三〉）

## 欲加之罪，其無辭乎

魯僖公十年（西元前650年）夏季四月，周公忌父、王子黨會合齊國的隰朋主持了晉惠公的繼位儀式。晉惠公以殺死里克來洗脫篡位的嫌疑。處死里克之前，晉惠公派人對他說：「如果沒有您，我就做不了晉君。儘管如此，您殺死兩個國君、一個大夫，做您的國君，不也太難了嗎？」里克回答說：「不廢除奚齊和卓子，怎麼會有君王的今天？要給人加上罪名，還怕沒有話說嗎？下臣知道國君的意思了。」說完，伏劍而死。

## 【出處】

夏四月，周公忌父、王子黨會齊隰朋立晉侯。晉侯殺里克以說。

將殺里克，公使謂之曰：「微子，則不及此。雖然，子弒二君與一大夫，為子君者，不亦難乎？」對曰：「不有廢也，君何以興？欲加之罪，其無辭乎？臣聞命矣。」伏劍而死。（《左傳》〈僖公十年〉）

# 不謀而諫

　　晉惠公殺死里克不久感到後悔，責怪冀芮說：「冀芮呀，是你讓我錯殺了國家重臣。」郭偃聽說後評論說：「不為國家打算勸說除掉里克的是冀芮，未經思考輕易殺人的是國君自己。不為國家打算而進言是不忠，未經思考而殺人是不祥。不忠要受到國君的懲罰，不祥將遭遇天降之禍。受到國君的懲罰，死而蒙羞。遭遇天降之禍將斷子絕孫。通曉事理的人不要忘記，災禍就要來臨！」等到晉文公回國後，秦國人殺死冀芮，並陳屍示眾。

## 【出處】

　　惠公既殺里克而悔之，曰：「芮也，使寡人過殺我社稷之鎮。」郭偃聞之，曰：「不謀而諫者，冀芮也。不圖而殺者，君也。不謀而諫，不忠。不圖而殺，不祥。不忠，受君之罰。不祥，罹天之禍，受君之罰，死戮。罹天之禍，無後。志道者勿忘，將及矣！」及文公入，秦人殺冀芮而施之。（《國語》〈晉語三〉）

# 丕鄭聘秦

晉惠公回國繼位後，違背了向秦國獻地的承諾。他派丕鄭到秦國，向秦穆公表示歉意。丕鄭私下對穆公說：「您派人以厚禮把呂甥、郤稱、冀芮騙到秦國拘留起來，然後派軍隊護送公子重耳回晉國，我們的人在國內策應，這樣晉君必定會逃離晉國。」穆公於是派泠至回訪晉國，同時召請呂甥、郤稱和冀芮三位大夫。丕鄭和泠至準備按計劃行動，冀芮看出了其中的破綻，對惠公說：「丕鄭出使秦國時攜帶的禮品很微薄，秦國回贈的禮品卻很豐厚，他與秦國之間一定有陰謀，讓秦國來引誘我們。不殺丕鄭，肯定會發生叛亂。」惠公於是殺死丕鄭和七輿大夫共華、賈華、叔堅、騅歂、累虎、特宮、山祁。這些人都是里克、丕鄭的同黨。

## 【出處】

惠公既即位，乃背秦賂。使丕鄭聘於秦，且謝之。而殺里克，曰：「子殺二君與一大夫，為子君者，不亦難乎？」丕鄭如秦謝緩賂，乃謂穆公曰：「君厚問以召呂甥、郤稱、冀芮而止之，以師奉公子重耳，臣之屬內作，晉君必出。」穆公使泠至報問，且召三大夫。鄭也與客將行事，冀芮曰：「鄭之使薄而報厚，其言我與秦也，必使誘我。弗殺，必作難。」是故殺丕鄭及七輿大夫：共華、賈華、叔堅、騅歂、累虎、特宮、山祁，皆里、丕之黨也。（《國語》〈晉語三〉）

# 我姑待死

丕鄭從秦國返回途中得知里克被殺，見到共華，問他說：「我可以回國嗎？」共華說：「我們幾個都沒有受株連，你是出使秦國的使者，可以回來。」丕鄭回國後被惠公殺死。共賜對共華說：「你逃走嗎？馬上要輪到你了。」共華說：「丕鄭回國是我的主意，我就在這兒等著吧。」共賜說：「有誰知道是你的主意呢？」共華說：「那也不行。自己知道卻昧著良心是不信，為人謀劃使人遭難是不智，身陷困境怕死是不勇。背負這三項惡名出走，又能去哪裡？你走吧，我在這裡等死好了。」不久他與賈華等七人被惠公所殺。

## 【出處】

丕鄭之自秦反也，聞里克死，見共華曰：「可以入乎？」共華曰：「二三子皆在而不及，子使於秦，可哉！」丕鄭入，君殺之。共賜謂共華曰：「子行乎？其及也！」共華曰：「夫子之入，吾謀也，將待也。」賜曰：「孰知之？」共華曰：「不可。知而背之不信，謀而困人不智，困而不死無勇。任大惡三，行將安入？子其行矣，我姑待死。」（《國語》〈晉語三〉）

# 民不祀非族

秋季，狐突到陪都曲沃去，路上遇見太子申生。太子讓他登車代駕，告訴他說：「公子夷吾無禮，我已請求上帝並得到允許，準備把

晉國送給秦國，秦國會祭祀我。」狐突回答說：「為臣聽說，本族的神明不享受他族的祭品，百姓也不會祭祀外族的先人。您的祭祀恐怕會因此斷絕吧？況且老百姓有什麼過錯？處罰不當而又失去祭祀，請您考慮一下。」太子申生說：「那好吧，我來重新請求。七天之後，新城西邊會有巫祝代我表達意見。」狐突答應去見巫祝，申生就不見了。七天之後，巫祝告訴狐突說：「天帝讓我懲罰有罪的人，他將在韓地大敗。」

## 【出處】

　　秋，狐突適下國，遇大子。大子使登，僕，而告之曰：「夷吾無禮，余得請於帝矣，將以晉畀秦，秦將祀余。」對曰：「臣聞之：『神不歆非類，民不祀非族。』君祀無乃殄乎？且民何罪？失刑、乏祀，君其圖之！」君曰：「諾。吾將復請。七日，新城西偏將有巫者而見我焉。」許之，遂不見。及期而往，告之曰：「帝許我罰有罪矣，敝於韓。」（《左傳》〈僖公十年〉）

### 惰於受瑞

　　魯僖公十一年（西元前649年）春，晉惠公派使者向天子報告丕鄭發動叛亂的消息。周襄王派召武公和內史過到晉國慰撫晉惠公。晉惠公在接受天子贈送的禮品時顯得精神不佳。內史過從晉國返回，向周襄王報告說：「晉侯的後代恐怕很難享有祿位了。天子賜給他瑞玉，他懶散地接受，一副自暴自棄的樣子。禮義是國家的軀幹；敬是

裝載禮義的車廂。不恭敬，禮就不能實施；禮不能實施，上下就昏亂，統治又怎麼能長久呢？」

## 【出處】

十一年春，晉侯使以丕鄭之亂來告。天王使召武公、內史過賜晉侯命。受玉惰。過歸，告王曰：「晉侯其無後乎！王賜之命，而惰於受瑞，先自棄也已，其何繼之有？禮，國之幹也；敬，禮之輿也。不敬，則禮不行；禮不行，則上下昏，何以長世？」（《左傳》〈僖公十一年〉）

## 泛舟之役

晉國發生饑荒，向秦國請求購買糧食。丕豹對秦穆公說：「晉君對您無禮，大家都知道。晉國往年多難，如今又遭遇饑荒。既失人心，又失天助，他的災難可真多啊。國君應該趁機討伐晉國，而不要賣糧食給他們。」秦穆公說：「我很討厭晉君的為人，但他的百姓有什麼罪？天災流行，各國都會出現。救濟饑荒是仁道的體現，怎麼能讓天下人覺得我不仁義呢？」又問公孫枝說：「應該給晉國糧食嗎？」公孫枝說：「您對晉君有恩，晉君卻對百姓失德。現在因遭遇旱災而求援於您，大概是天意吧。您若不出手相救，老天也許會幫助他。如果晉國民眾對國君忘恩負義不滿，晉君就有了推託之辭。不如賣給他們糧食，讓晉國民眾高興。民眾感謝我們，就必定會責怪他們的國君。晉君如不聽命於我國，我們就可以討伐他。那時即使他想抵抗我

們，民眾誰會去幫助他？」於是在黃河上排列船隻，把糧食運往晉國。

## 【出處】

晉饑，乞糴於秦。丕豹曰：「晉君無禮於君，眾莫不知。往年有難，今又薦饑。已失人，又失天，其有殃也多矣。君其伐之，勿予糴！」公曰：「寡人其君是惡，其民何罪？天殃流行，國家代有。補乏薦饑，道也，不可以廢道於天下。」謂公孫枝曰：「予之乎？」公孫枝曰：「君有施於晉君，晉君無施於其眾。今旱而聽於君，其天道也。君若弗予，而天予之。苟眾不說其君之不報也，則有辭矣。不若予之，以說其眾。眾說，必咎於其君。其君不聽，然後誅焉。雖欲御我，誰與？」是故氾舟於河，歸糴於晉。（《國語》〈晉語三〉）

## 忘善背德

秦國也遭遇饑荒。晉惠公命令黃河以西的城市給秦國運去糧食。虢射說：「沒有給秦國河西五城，卻賣給它五城之地所產的糧食，並不會減輕他們的怨恨，反而會增強他們的實力，不如不給。」惠公說：「對。」慶鄭勸諫說：「不能這樣。已經反悔獻地給秦國，現在又吝嗇糧食，忘記秦國的善意和恩德，如果我處在秦國的地位，也會來攻打晉國的。不給秦國糧食，他們一定會攻打我們的。」惠公說：「這事不需要你過問。」終於沒有賣給秦國人糧食。

秦饑，公令河上輸之粟。虢射曰：「弗予賂地而予之糴，無損於怨而厚於寇，不若勿予。」公曰：「然。」慶鄭曰：「不可。已賴其地，而又愛其實，忘善而背德，雖我必擊之。弗予，必擊我。」公曰：「非鄭之所知也。」遂不予。（《國語》〈晉語三〉）

## 皮之不存，毛將安傅

冬季，秦國發生饑荒，派人到晉國請求購買糧食。晉國人不給。慶鄭說：「背棄恩惠就沒有親近的人，幸災樂禍就是不仁，貪圖所愛惜的東西就是不祥，使鄰國憤怒就是不義。這四種道德都丟掉了，用什麼來保衛國家？」虢射說：「皮已經不存在，毛又依附在哪裡？」慶鄭說：「丟棄信用，背棄鄰國，患難誰來周濟？沒有信用就會發生患難，失掉了救援，一定滅亡，這是必然的。」虢射說：「即使給糧食，對怨恨不會有所減少，反而使敵人增加實力，不如不給。」慶鄭說：「背棄恩惠，幸災樂禍，是百姓所唾棄的。親近的人還會因此結仇，何況是敵人呢？」晉惠公不聽。

【出處】

冬，秦饑，使乞糴於晉，晉人弗與。慶鄭曰：「背施，無親；幸災，不仁；貪愛，不祥；怒鄰，不義。四德皆失，何以守國？」虢射曰：「皮之不存，毛將安傅？」慶鄭曰：「棄信、背鄰，患孰恤之？無信，患作；失授，必斃。是則然矣。」虢射曰：「無損於怨，而厚

於寇，不如勿與。」慶鄭曰：「背施、幸災，民所棄也。近猶仇之，況怨敵乎？」弗聽。（《左傳》〈僖公十四年〉）

## 烝於賈君

　　晉惠公回國繼承君位的時候，秦穆姬把賈君[9]囑託給他，又叮囑說：「把公子們都接回國內。」回國後，晉惠公和賈君通姦，又不接納公子們回國，由此穆姬就怨恨他。晉惠公曾經答應給中大夫送禮，後來也都不給了。還答應給秦穆公黃河以西和以南的五座城池，後來也沒兌現。晉國有饑荒，秦國給它運送粟米；秦國有饑荒，晉國卻拒絕秦國買糧，所以秦穆公攻打晉國。

## 【出處】

　　晉侯之入也，秦穆姬屬賈君焉，且曰「盡納群公子」。晉侯烝於賈君，又不納群公子，是以穆姬怨之。晉侯許賂中大夫，既而皆背之。賂秦伯以河外列城五，東盡虢略，南及華山，內及解梁城，既而不與。晉饑，秦輸之粟；秦饑，晉閉之糴，故秦伯伐晉。（《左傳》〈僖公十五年〉）

---

9. 秦穆姬與太子申生為一母所生，賈君為太子申生之妻。

# 一夫不可狙

　　晉惠公六年（西元前645年），秦穆公統率軍隊侵入晉國，一直打到韓原。晉惠公問慶鄭說：「秦軍已深入國土，該怎麼辦呢？」慶鄭回答說：「君主與秦國結怨很深，能讓秦軍不深入嗎？我不知道該怎樣應對，您還是去問虢射吧。」惠公說：「你這是在責備我嗎？」於是不用慶鄭為車右。惠公率晉軍迎戰秦軍，派韓簡往前線偵察敵情，韓簡回來說：「敵軍人數比我們少，但士氣卻比我們旺盛。」惠公問：「什麼原因呢？」韓簡回答說：「因為君主出亡時依靠過秦國，回國繼位時麻煩過秦國，遭災時又吃過秦國的糧食，秦國三次施恩於我們卻得不到回報，所以才來興師問罪。如今君主又親自率兵迎戰，秦國人個個義憤填膺，晉軍卻因理虧而毫無鬥志。」惠公說：「雖然如此，但現在不上前迎敵，秦國今後就會經常來犯。匹夫尚且不受人輕侮，何況國家呢？」將要開戰時，公孫枝勸諫秦穆公說：「過去君主沒選擇公子重耳而選擇晉君，是您不願意立有德之人而想立服從之人。立惠公不能如意，如果不能戰而勝之，豈不要遭到諸侯的嘲笑？何不等待晉君自取滅亡呢？」穆公說：「你說得不錯。過去我安排夷吾回國繼位，確實不是從德行而是從服從的角度考慮。但公子重耳本身也不肯回國繼位，我又能說什麼呢？晉君對內殺死丕鄭和里克，對外背棄對我國的許諾，他自毀信義而我總是加惠於他，上天不會主持公道嗎？假如上天能主持公道，我一定能戰勝他。」

　　六年，秦歲定，帥師侵晉，至於韓。公謂慶鄭曰：「秦寇深矣，奈何？」慶鄭曰：「君深其怨，能淺其寇乎？非鄭之所知也，君其訊射也。」公曰：「舅所病也？」卜右，慶鄭吉。公曰：「鄭也不遜。」以家僕徒為右，步揚御戎；梁由靡御韓簡，虢射為右，以承公。公御秦師，令韓簡視師，曰：「師少於我，鬥士眾。」公曰：「何故？」簡曰：「以君之出也處己，入也煩己，饑食其糴，三施而無報，故來。今又擊之，秦莫不慍，晉莫不怠，鬥士是故眾。」公曰：「然。今我不擊，歸必狃。一夫不可狃，而況國乎！」公令韓簡挑戰，曰：「昔君之惠也，寡人未之敢忘。寡人有眾，能合之弗能離也。君若還，寡人之願也。君若不還，寡人將無所避。」穆公衡彫戈出見使者，曰：「昔君之未入，寡人之憂也。君入而列未成，寡人未敢忘。今君既定而列成，君其整列，寡人將親見。」客還，公孫枝進諫曰：「昔君之不納公子重耳而納晉君，是君之不置德而置服也。置而不遂，擊而不勝，其若為諸侯笑何？君盍待之乎？」穆公曰：「然。昔吾之不納公子重耳而納晉君，是吾不置德而置服也。然公子重耳實不肯，吾又奚言哉？殺其內主，背其外賂，彼塞我施，若無天乎？若有天，吾必勝之。」（《國語》〈晉語三〉）

## 外強中乾

　　韓原之戰時，晉惠公占卜車右的人選，慶鄭得吉卦，但是晉惠公不用他，讓步揚駕戰車，以家僕徒為車右，以鄭國出產的駿馬拉車。

慶鄭勸諫說：「古時候作戰，都是用本國出產的馬拉車。因為本國的馬適應本國的水土，知道主人的心意，安於受主人的調教，熟悉這裡的道路，駕馭起來得心應手。現在您用鄭國出產的馬拉車從事戰鬥，打起仗來一緊張就會不聽指揮。鼻子裡亂噴粗氣表示憤怒，血液在全身奔流，使血管擴張突起，外表強壯而內部枯竭。到時候進也不能，退也不是，旋轉也不能，君王肯定要後悔的。」晉惠公不聽。

## 【出處】

卜右，慶鄭吉，弗使。步揚御戎，家僕徒為右，乘小駟，鄭入也。慶鄭曰：「古者大事，必乘其產。生其水土，而知其人心；安其教訓，而服習其道；唯所納之，無不如志。今乘異產，以從戎事，及懼而變，將與人易。亂氣狡憤，陰血周作，張脈僨興，外強中乾。進退不可，周旋不能，君必悔之。」弗聽。（《左傳》〈僖公十五年〉）

## 甘拜下風

魯僖公十五年（西元前645年）九月十四日，秦、晉兩軍在韓原作戰。晉惠公的小駟馬陷在爛泥中盤旋不出，秦國俘虜了晉惠公。秦軍押解晉惠公回國，晉國的大夫們披頭散髮，攜帶帳篷行李跟隨在後邊。秦穆公派使者勸阻說：「你們沒必要那麼憂傷啊，寡人跟隨你們的國君西行，只不過是踐行你們國君的妖夢而已，哪裡會做太過分的事呢？」晉國的大夫們再三跪拜說：「君王下踩后土頭頂皇天走在前面，皇天后土都聽到了您的聲音，下臣們甘拜於下風處聽候吩咐。」

## 【出處】

壬戌，戰於韓原，晉戎馬還濘而止。公號慶鄭。慶鄭曰：「愎諫、違卜，固敗是求，又何逃焉？」遂去之。梁由靡御韓簡，虢射為右，輅秦伯，將止之。鄭以救公誤之，遂失秦伯。秦獲晉侯以歸。晉大夫反首拔舍從之。秦伯使辭焉，曰：「二三子何其戚也？寡人之從晉君而西也，亦晉之妖夢是踐，豈敢以至？」晉大夫三拜稽首曰：「君履后土而戴皇天，皇天后土實聞君之言，群臣敢在下風。」（《左傳》〈僖公十五年〉）

## 逆君於秦

晉惠公被秦國關了三個月，聽說秦國要跟晉國講和，於是派郤乞回國告訴呂甥。呂甥讓郤乞對上朝的官員們說：「國君派我來告訴大家：『秦國將放我回國，我辱沒了國家不配當國君，請大家改立子圉來代替我吧。』」又代表惠公賞賜土地以取悅群臣。群臣感動得哭了。呂甥於是召集群臣說：「國君因戰敗被俘而愧疚，他心裡始終惦念大家。賢惠的國君被關在國外，我們該怎麼辦呢？」群臣說：「我們該怎樣做才能讓國君回國呢？」呂甥說：「韓原戰敗，我們的武器裝備都消耗盡了。如果我們增收賦稅、修治武器以輔佐太子，作為國君的後援，鄰國得知我們失去國君又立了新君，群臣和睦，武力更強盛，友邦會勉勵我們，敵國會害怕我們，是否對國君回來有好處呢？」大家深以為然，於是改革兵制建置州兵以擴充軍力。呂甥到秦國迎惠公歸國，秦穆公問他說：「晉國人和睦嗎？」呂甥回答說：「不

和睦。」穆公問：「什麼原因呢？」呂甥答說：「小人不記掛國君的罪過，只哀悼戰死的父兄子弟，不惜徵稅修武擁立子圉為新君，誓言報戰敗之仇，寧可侍奉齊國和楚國，以得到齊、楚兩國的援助。君子思念國君，但也知道他的過錯，他們表態要侍奉秦國，死無二心。所以彼此不和睦。等到大家統一認識才來迎接國君，所以拖了很久。」穆公說：「你不來，我本來也要送晉君歸國的。晉國人怎樣看待晉君回國這件事呢？」呂甥回答說：「小人認為國君不能倖免於難，君子認為他肯定沒事。」穆公問：「為什麼呢？」呂甥答說：「小人怨恨秦國，沒考慮自己國君的過錯，只想著跟隨子圉一起報復秦國。君子以為，國君當初能回國繼位，是秦君的恩惠。能接納他、俘虜他，就能夠放他。沒有比這再寬厚的仁德，也沒有比這更大的恩惠。讓他回國而不成全他，或廢黜而不起用他，使原來的仁德化為仇怨，秦君不會這樣做的。」秦穆公說：「君子說的對。」於是改變對晉君的態度，安排他住進館舍，按諸侯之禮款待他。

## 【出處】

公在秦三月，聞秦將成，乃使郤乞告呂甥。呂甥教之言，令國人於朝曰：「君使乞告二三子曰：『秦將歸寡人，寡人不足以辱社稷，二三子其改置以代圉也。』」且賞以悅眾，眾皆哭，焉作轅田。呂甥致眾而告之曰：「吾君慚焉其亡之不恤，而群臣是憂，不亦惠乎？君猶在外，若何？」眾曰：「何為而可？」呂甥曰：「以韓之病，兵甲盡矣。若征繕以輔孺子，以為君援，雖四鄰之聞之也，喪君有君，群臣輯睦，兵甲益多，好我者勸，惡我者懼，庶有益乎？」眾皆說，焉作州兵。呂甥逆君於秦，穆公訊之曰：「晉國和乎？」對曰：「不

和。」公曰：「何故？」對曰：「其小人不念其君之罪，而悼其父兄子弟之死喪者，不憚征繕以立孺子，曰：『必報仇，吾寧事齊、楚，齊、楚又交輔之。』其君子思其君，且知其罪，曰：『必事秦，有死無他。』故不和。比其和之而來，故久。」公曰：「而無來，吾固將歸君，國謂君何？」對曰：「小人曰不免，君子則否。」公曰：「何故？」對曰：「小人忌而不思，願從其君而與報秦，是故云。其君子則否，曰：『吾君之入也，君之惠也。能納之，能執之，則能釋之。德莫厚焉，惠莫大焉。納而不遂，廢而不起，以德為怨，君其不然？』」秦君曰：「然。」乃改館晉君，饋七牢焉。（《國語》〈晉語三〉）

## 待刑以快君志

　　晉惠公在韓原之戰被秦軍俘虜，將要放還歸國時，蛾析對慶鄭說：「國君被俘，是你的罪過。現在國君要回來了，你不趕快逃走，還等什麼？」慶鄭說：「我聽說軍隊戰敗和主將被俘，應該為之而死。這兩樣我沒能做到，加上耽誤了別人救駕的機會，致使國君被俘。有這三條大罪，還能逃到哪裡去？國君如果能回來，我就等待判刑以洩國君之恨好了。國君如果回不來，我會獨自領兵討伐秦國。不救回國君，寧願戰死。這就是我仍然待在這兒的原因。」晉惠公到達國都郊外，聽說慶鄭被捕，就命家僕將他帶來，問他說：「你明知有罪，還待在都城幹什麼？」慶鄭說：「我怨恨國君，當初回國就報答秦國恩德的話，國家的威望就不會下降；威望下降如果能聽從勸諫，

也不至於發生戰爭；兩軍開戰如果能選用良將，也不至於失敗。既已戰敗就要嚴肅軍法。有罪的人不能伏法，還怎麼守衛國家疆土？我留在都城，就是在等待判決，以成全國君的政令。」惠公說：「其罪當死。」慶鄭說：「直言勸諫是臣子的行為準則，嚴格軍紀是國君聖明的表現。臣子盡責而國君聖明，對國家有利。國君即使不殺我，我也一定會自殺的。」

## 【出處】

惠公未至，蛾析謂慶鄭曰：「君之止，子之罪也。今君將來，子何俟？」慶鄭曰：「鄭也聞之曰：『軍敗，死之；將止，死之。』二者不行，又重之以誤人，而喪其君，有大罪三，將安適？君若來，將待刑以快君志；君若不來，將獨伐秦。不得君，必死之。此所以待也。臣得其志，而使君曾，是犯也。君行犯，猶失其國，而況臣乎？」公至於絳郊，聞慶鄭止，使家僕徒召之，曰：「鄭也有罪，猶在乎？」慶鄭曰：「臣怨君始入而報德，不降；降而聽諫，不戰；戰而用良，不敗。既敗而誅，又失有罪，不可以封國。臣是以待即刑，以成君政。」君曰：「刑之！」慶鄭曰：「下有直言，臣之行也；上有直刑，君之明也。臣行君明，國之利也。君雖弗刑，必自殺也。」（《國語》〈晉語三〉）

## 男為人臣，女為人妾

晉惠公在梁國的時候，梁伯把女兒嫁給他。梁嬴懷孕，已經過

了預產期，胎兒尚未出生。惠公心中焦急，請卜招父和他的兒子占卜，招父的兒子掐指一算說：「將要生一男一女。」卜招父點頭，說：「對，是龍鳳胎，不過男的做別人的奴僕，女的做別人的奴婢。」於是為兒子取名叫「圉」，女兒取名叫「妾」。後來圉果然到秦國做人質，妾則在秦國做侍女。

## 【出處】

惠公之在梁也，梁伯妻之。梁嬴孕，過期，卜招父與其子卜之。其子曰：「將生一男一女。」招曰：「然。男為人臣，女為人妾。」故名男曰圉，女曰妾。及子圉西質，妾為宦女焉。（《左傳》〈僖公十七年〉）

# 晉圉懷嬴

懷嬴是秦穆公的女兒，晉惠公太子圉的妻子。圉在秦國做人質時，穆公把懷嬴嫁給他。兩人一起生活了六年。後來圉打算逃回晉國，於是對嬴氏說：「我離開晉國好幾年了，父子不能見面，而秦晉兩國的友好並未增加。倦鳥都知道飛回家鄉，狐狸到死也會頭向自己的洞穴。我如果想死在晉國，你願意與我同行嗎？」嬴氏回答說：「你是晉國的太子，在秦國做人質受辱，想回去是對的。父君命我侍奉你的起居，本意是要留住你。阻擋你我做不到，跟你回去又背棄了父君，如果告密就違背了做妻子的道義。雖然我不跟你走，但我也不會洩漏消息。」於是太子圉獨自一人逃回晉國。君子說：懷嬴對夫妻

之間的關係處理得很好。

## 【出處】

　　懷嬴者，秦穆之女，晉惠公太子之妃也。圉質於秦，穆公以嬴妻之。六年，圉將逃歸，謂嬴氏曰：「吾去國數年，子父之接忘而秦晉之友不加親也。夫鳥飛反鄉，狐死首丘，我其首晉而死，子其與我行乎？」嬴氏對曰：「子，晉太子也，辱於秦。子之欲去，不亦宜乎？雖然，寡君使婢子執巾櫛，以固子也。今吾不足以結子，是吾不肖也；從子而歸，是棄君也；言子之謀，是負妻之義也。三者無一可行。雖吾不從子也，子行矣。吾不敢洩言，亦不敢從也。」子圉遂逃歸。君子謂懷嬴善處夫婦之間。（《列女傳》〈節義傳〉）

## 淫刑以逞

　　魯僖公二十三年（西元前637年）九月，晉惠公去世。晉懷公即位後，對流亡在外的重耳心有忌憚，於是發布命令，規定臣民不准跟隨逃亡在外的人，並規定期限，過了期限不回不予赦免。狐突的兒子狐毛、狐偃跟隨重耳在秦國，懷公讓狐突召二人回來，否則將拿他問罪。狐突回答說：「兒子剛開始做官時，做父親的就要教他們忠誠的道理，這是古來的制度。下臣的兒子跟隨重耳已經有些年頭了，如果召他回來，這是教他們三心二意。父親教兒子三心二意，用什麼來侍奉國君呢？不濫用刑罰，這是君主的賢明，也是下臣的願望。濫用刑罰以圖快意，誰都可以定罪。下臣知道您的意思了。」晉懷公於是殺

死了狐突。

【出處】

　　九月，晉惠公卒。懷公立，命無從亡人，期，期而不至，無赦。狐突之子毛及偃從重耳在秦，弗召。冬，懷公執狐突，曰：「子來則免。」對曰：「子之能仕，父教之忠，古之制也。策名、委質，貳乃辟也。今臣之子，名在重耳，有年數矣。若又召之，教之貳也。父教子貳，何以事君？刑之不濫，君之明也，臣之願也。淫刑以逞，誰則無罪？臣聞命矣。」乃殺之。（《左傳》〈僖公二十三年〉）

# 堅樹在始

　　里克和丕鄭殺死奚齊和卓子之後，讓屠岸夷去狄國勸說公子重耳回國繼承君位，說：「國亂民擾，正是得到君位的好機會，公子何不趁機回國繼承君位呢？」重耳對舅舅子犯說：「里克邀請我回國繼承君位。」子犯搖頭說：「不行。參天大樹只有根深才能葉茂，否則就將枯萎凋零。執掌國家政權的人，必須以喜怒哀樂等禮節來訓導民眾。服喪期間不哀痛而得到君位，很難成功；乘國家動亂之機上位，將很危險。因為國喪而得到君位，就會視國喪為樂事；因動亂而得國，就會把動亂當喜事。這些都是違背人倫禮節的，又拿什麼去訓導民眾呢？民眾不聽從訓導，還當什麼國君？」重耳不以為然說：「如果不是國喪，誰有機會繼承君位？如果不是動亂，誰會接納我呢？」子犯說：「喪亂有大小之分。大喪適逢大亂，往往凶多吉少。父母去

世是大喪，兄弟相讒屬大亂，如今正好遇到這種情況，所以回國繼位充滿凶險。」公子重耳於是出見使者說：「很感謝您大老遠前來看望流亡在外的重耳。父親在世時我不能在他身邊盡灑掃義務，父親去世後我不能在他靈前守孝，這種罪上加罪有負大夫們的厚望，所以辭謝你們的建議。能安定國家的君主，要親近民眾，友善鄰國，順從民意。只要民眾得到好處，鄰國願意擁立，大夫們樂意服從，我也沒任何反對意見。」

## 【出處】

既殺奚齊、卓子，里克及丕鄭使屠岸夷告公子重耳於狄，曰：「國亂民擾，得國在亂，治民在擾，子盍入乎？吾請為子鉥。」重耳告舅犯曰：「里克欲納我。」舅犯曰：「不可。夫堅樹在始，始不固本，終必槁落。夫長國者，唯知哀樂喜怒之節，是以導民。不哀喪而求國，難；因亂以入，殆。以喪得國，則必樂喪，樂喪必哀生。因亂以入，則必喜亂，喜亂必怠德。是哀樂喜怒之節易也，何以導民？民不我導，誰長？」重耳曰：「非喪誰代？非亂誰納我？」舅犯曰：「偃也聞之，喪亂有小大。大喪大亂之剎也，不可犯也。父母死為大喪，讒在兄弟為大亂。今適當之，是故難。」公子重耳出見使者，曰：「子惠顧亡人重耳，父生不得供備灑掃之臣，死又不敢蒞喪以重其罪，且辱大夫，敢辭。夫固國者，在親眾而善鄰，在因民而順之。苟眾所利，鄰國所立，大夫其從之，重耳不敢違。」（《國語》〈晉語二〉）

# 待我二十五年

公子重耳流亡狄國期間，狄人攻打廧咎如，俘虜了該部落首領的兩個女兒叔隗和季隗，送給重耳一行。重耳自娶季隗，生了伯鯈、叔劉；將叔隗嫁給趙衰，生下趙盾。重耳去齊國之前對季隗說：「等我二十五年，不回來可以改嫁。」季隗回答說：「我已經二十五歲了，再過二十五年改嫁，只怕我的墳墓上已經長出松柏了。我等著您。」文公回國繼位後，翟君得到消息，遣使來賀，同時送季隗歸晉與文公團聚。文公問起季隗年齡，季隗回答說：「分別八年，今年三十二歲了。」文公開玩笑說：「幸虧還沒到二十五年。」

## 【出處】

晉公子重耳之及於難也，晉人伐諸蒲城。蒲城人欲戰，重耳不可，曰：「保君父之命而享其生祿，於是乎得人。有人而校，罪莫大焉。吾其奔也。」遂奔狄。從者狐偃、趙衰、顛頡、魏武子、司空季子。狄人伐廧咎如，獲其二女，叔隗、季隗，納諸公子。公子取季隗，生伯鯈、叔劉，以叔隗妻趙衰，生盾。將適齊，謂季隗曰：「待我二十五年，不來而後嫁。」對曰：「我二十五年矣，又如是而嫁，則就木焉。請待子。」（《左傳》〈僖公二十三年〉）

其妻笑曰：「犁二十五年，吾冢上柏大矣。雖然，妾待子。」（《史記》〈晉世家〉）

# 天祚將在武族

　　重耳一行經過衛國，衛文公因邢人、狄人聯合入侵而煩惱，未能以禮相待。寧莊子對衛文公說：「禮是國家的綱紀，親是民眾團結的紐帶，善是立德的基礎。國無綱紀就難以長存，人民不團結國家就不穩定，善行不彰顯則無以立德。這三者，國君都應該謹慎對待而不可拋棄。晉公子重耳是個賢人，又是衛國的親屬，君主不以禮相待，等於拋棄了這三種美德。衛國的祖先康叔是周文王的兒子。晉國的祖先唐叔是周武王的兒子。為周朝統一天下建立大功的是周武王，只要姬姓的周朝仍在，得到老天爺關照的一定是武王的後代。武王的後代中，只有晉國顯現出繁榮昌盛的氣象，晉國的後代中，以公子重耳最有德行。現在晉國的政治仍然無道，上天保佑有德行的人，晉國能守住祭祀的人，一定是公子重耳。如果重耳能返國復位，修其德行，安撫百姓，必然得到諸侯的擁戴，討伐之前對他無禮的國家。君王如果不早作打算，衛國就不免要遭到討伐了。小人因此感到害怕，怎敢不盡心直言呢？」衛文公沒有聽從寧莊子的勸諫。

## 【出處】

　　過衛，衛文公有邢、狄之虞，不能禮焉。寧莊子言於公曰：「夫禮，國之紀也；親，民之結也；善，德之建也。國無紀不可以終，民無結不可以固，德無建不可以立。此三者，君之所慎也。今君棄之，無乃不可乎！晉公子善人也，而衛親也，君不禮焉，棄三德矣。臣故云君其圖之。康叔，文之昭也。康叔，武之穆也。周之大功在武，天

祚將在武族。苟姬未絕周室，而俾守天聚者，必武族也。武族唯晉實昌，晉胤公子實德。晉仍無道，天祚有德，晉之守祀，必公子也。若復而修其德，鎮撫其民，必獲諸侯，以討無禮。君弗蚤圖，衛而在討。小人是懼，敢不盡心。」公弗聽。（《國語》〈晉語四〉）

# 舉塊以與

公子重耳在狄國一住十二年，後來聽從狐偃的勸告，決定投奔齊國。路過五鹿的時候，眾人向田野裡的農夫討飯吃，農夫卻把地裡的泥塊給他們。重耳非常生氣，想要鞭打農夫。狐偃阻止說：「這是上天的賞賜啊。民眾獻土表示順服，我們還有什麼可以企求的呢？大事將成必有徵兆。十二年之後，這片土地一定會歸屬我國。」於是重耳下跪叩頭，鄭重地收下泥土裝在車上，一行人往齊國去了。

## 【出處】

乃行，過五鹿，乞食於野人。野人舉塊以與之，公子怒，將鞭之。子犯曰：「天賜也。民以土服，又何求焉！無事必象，十有二年，必獲此土。二三子志之。歲在壽星及鶉尾，其有此土乎！天以命矣，復於壽星，必獲諸侯。天之道也，由是始之。有此，其以戊申乎！所以申土也。」再拜稽首，受而載之。遂適齊。（《國語》〈晉語四〉）

# 曹僖氏妻

重耳一行從衛國經過曹國，曹共公未予禮遇。聽說重耳的肋骨生得連成一片，曹共公很想看看是什麼樣子，於是將重耳等人安排在旅館裡。等重耳洗澡的時候，便透過薄薄的帳幕偷看。僖負羈的妻子對丈夫說：「我看晉公子是個賢人，他的隨從都是國相級人才，如此盡心盡力地輔佐他，肯定能使他回國即位。得到晉國後討伐對他無禮的國家，恐怕第一個就要拿曹國開刀。你為何不早一點去表明自己的姿態呢？」僖負羈於是端了一盤食品給重耳送去，盤子裡還放了一塊玉璧。重耳接受饋贈的食物，退回了玉璧。僖負羈對曹共公說：「晉公子經過此地，與君主地位相當，為什麼不以禮相待呢？」曹共公回答說：「諸侯各國逃亡在外經過曹國的公子太多了，逃亡的人都沒什麼禮節可言，我哪能個個以禮相待？」僖負羈回答說：「晉公子十七歲流亡國外，三個具有卿相之才的人一直追隨他，證明他是個賢人。君王輕視他，是不尊重賢人。晉公子出逃流亡的原因是值得憐憫的。即便將他視為賓客，也應該以禮相待。如果哪一天晉公子擁有君位，曹國將非常被動，請君主三思。」曹共公不以為然，沒有聽從僖負羈的勸告。

## 【出處】

自衛過曹，曹共公亦不禮焉，聞其骿脅，欲觀其狀，止其舍，諜其將浴，設微薄而觀之。僖負羈之妻言於負羈曰：「吾觀晉公子賢人也，其從者皆國相也，以相一人，必得晉國。得晉國而討無禮，

曹其首誅也。子盍蚤自貳焉？」僖負羈饋飧，置璧焉。公子受飧反璧。負羈言於曹伯曰：「夫晉公子在此，君之匹也，不亦禮焉？」曹伯曰：「諸侯之亡公子其多矣，誰不過此！亡者皆無禮者也，余焉能盡禮焉！」對曰：「臣聞之：愛親明賢，政之幹也。禮賓矜窮，禮之宗也。禮以紀政，國之常也。失常不立，君所知也。國君無親，以國為親。先君叔振，出自文王，晉祖唐叔，出自武王，文、武之功，實建諸姬。故二王之嗣，世不廢親。今君棄之，不愛親也。晉公子生十七年而亡，卿材三人從之，可謂賢矣，而君蔑之，是不明賢也。謂晉公子之亡，不可不憐也。比之賓客，不可不禮也。失此二者，是不禮賓，不憐窮也。守天之聚，將施於宜。宜而不施，聚必有闕。玉帛酒食，猶糞土也，愛糞土以毀三常，失位而闕聚，是之不難，無乃不可乎？君其圖之。」公弗聽。（《國語》〈晉語四〉）

# 晉文齊姜

　　齊桓公把女兒嫁給重耳為妻，對重耳很好，又送給他馬車二十乘。重耳打算老死在齊國了。他感嘆說：「人生就是為了享樂，還有什麼其他的可想呢？」齊桓公死後，孝公即位，諸侯紛紛叛齊。子犯（狐偃）感覺齊國不可能幫重耳回國執政，也知道重耳有留居齊國終老的想法，打算離開齊國，又擔心重耳不肯出走，就和隨同逃亡的人在桑樹下商量辦法。養蠶的小妾聽到他們的對話，報告給了姜氏，姜氏把她殺了，然後對公子重耳說：「你的隨從計劃與你一起離開齊國，聽到此事的人已被我殺了。你一定要聽他們的勸告，千萬不要猶

豫，否則大事難成。你因晉國有難而來到這裡，自從你離開以後，晉國沒有安寧的日子，百姓沒有敬仰的國君。天不亡晉，你父親再沒有其他的兒子了。能得到晉國的，除了你還能是誰？努力爭取吧！老天爺保佑你，遲疑不決一定會壞事的。」公子說：「我不想再奔波了，一定要終老於此。」姜氏說：「不能這樣。齊國的政治已經敗壞，晉君的無道已經很久，你的隨從忠心耿耿，公子回到晉國的日子已經很近。你做了晉國的國君，可以救濟百姓，如果放棄追求，那還算人嗎？齊國政治敗壞不宜久居，得到晉國的良機不容錯過，追隨者的忠誠不可辜負，眼前的安逸不必貪戀，公子趕快離開齊國吧！」公子重耳仍然不為所動。齊姜與子犯商量後，將重耳灌醉，抬上車後出發。重耳酒醒後，操起戈追打子犯說：「假如不能成功，我就是吃了舅舅的肉，也不能滿足啊！」子犯一邊逃一邊回答說：「假如事業不成，我還不知道死在哪裡，誰敢與豺狼爭著吃我的肉呢？假如事業成功，公子每頓都可以吃到晉國最可口的飯菜，我狐偃的肉腥臊難聞，你怎麼會吃呢？」於是重耳的氣消了，戀戀不捨地別齊而去。

## 【出處】

　　齊侯妻之，甚善焉。有馬二十乘，將死於齊而已矣。曰：「民生安樂，誰知其他？」桓公卒，孝公即位。諸侯叛齊。子犯知齊之不可以動，而知文公之安齊而有終焉之志也，欲行，而患之，與從者謀於桑下。蠶妾在焉，莫知其在也。妾告姜氏，姜氏殺之，而言於公子曰：「從者將以子行，其聞之者吾以除之矣。子必從之，不可以貳，

貳無成命。《詩》云：『上帝臨女，無貳爾心。』[10]先王其知之矣，貳將可乎？子去晉難而極於此。自子之行，晉無寧歲，民無成君。天未喪晉，無異公子，有晉國者，非子而誰？子其勉之！上帝臨子，貳必有咎。」公子曰：「吾不動矣，必死於此。」姜曰：「不然。《周詩》曰：『莘莘征夫，每懷靡及。』夙夜征行，不遑啟處，猶懼無及。況其順身縱欲懷安，將何及矣！人不求及，其能及乎？日月不處，人誰獲安？西方之書有之曰：『懷與安，實疚大事。』《鄭詩》云：『仲可懷也，人之多言，亦可畏也。』昔管敬仲有言，小妾聞之，曰：『畏威知疾，民之上也。從懷如流，民之下也。見懷思威，民之中也。畏威如疾，乃能威民。威在民上，弗畏有刑。從懷如流，去威遠矣，故謂之下。其在辟也，吾從中也。《鄭詩》之言，吾其從之。』此大夫管仲之所以紀綱齊國，裨輔先君而成霸者也。子而棄之，不亦難乎？齊國之政敗矣，晉之無道久矣，從者之謀忠矣，時日及矣，公子幾矣。君國可以濟百姓，而釋之者，非人也。敗不可處，時不可失，忠不可棄，懷不可從，子必速行。吾聞晉之始封也，歲在大火，閼伯之星也，實紀商人。商之饗國三十一王。瞽史之紀曰：『唐叔之世，將如商數。』今未半也。亂不長世，公子唯子，子必有晉。若何懷安？」公子弗聽。姜與子犯謀，醉而載之以行。醒，以戈逐子犯，曰：「若無所濟，吾食舅氏之肉，其知饜乎！」舅犯走，且對曰：「若無所濟，余未知死所，誰能與豺狼爭食？若克有成，公子無亦晉之柔嘉，是以甘食。偃之肉腥臊，將焉用之？」遂行。（《國語》〈晉語四〉）

---

10.「上帝臨女，無貳爾心」，出自《詩經》〈大雅‧大明〉。

# 成幼而不倦

公子重耳經過宋國，與宋國司馬公孫固惺惺相惜。公孫固對宋襄公說：「晉公子長期流亡在外，已經從少年長成大人了，喜歡做善事而不自滿，像對待父親一樣對待狐偃，像對待老師一樣對待趙衰，像對待長兄一樣對待賈佗。狐偃是他的舅舅，仁善而足智多謀。趙衰是為他先君駕戰車的趙夙的弟弟，富於文采而為人忠貞。賈佗是晉國公族，見多識廣而謙恭有禮。這三個人在左右輔助他。公子平時對他們謙下恭敬，每逢有事都要徵求他們的意見，從年少至今始終如此，不稍懈怠，非常有禮貌。注重禮節的人，一定會得到善報。《商頌》上說：『商湯尊賢下士，聖德與日俱增。』尊賢下士，就是有禮的表現。請君王認真對待。」宋襄公聽從公孫固的意見，送給重耳八十匹馬。

## 【出處】

公子過宋，與司馬公孫固相善，公孫固言於襄公曰：「晉公子亡，長幼矣，而好善不厭，父事狐偃，師事趙衰，而長事賈佗。狐偃，其舅也，而惠以有謀。趙衰，其先君之戎御趙夙之弟也，而文以忠貞。賈佗，公族也，而多識以恭敬。此三人者，實左右之。公子居則下之，動則諮焉，成幼而不倦，殆有禮矣。樹於有禮，必有艾。《商頌》曰：『湯降不遲，聖敬日躋。』降，有禮之謂也。君其圖之。」襄公從之，贈以馬二十乘。（《國語》〈晉語四〉）

# 日載其德

　　重耳經過鄭國，鄭文公也未予禮待。叔詹勸諫說：「我聽說，親敬上天，遵循先君的遺訓，禮待兄弟，資助窮困的人，上天會保佑他。如今晉公子有三種吉兆，應該是上天要幫助他吧。同姓男女不通婚姻，為的是子孫昌盛。狐氏是唐叔的後代，狐姬是伯行的女兒，生下重耳，長大成人，才能出眾，雖然流浪在外，但舉止得體，長久處於窮困卻不失德行，此其一。九個兄弟中，只有重耳還活著，雖然遭到陷害而流亡在外，但晉國國內卻始終不安定，此其二。晉國的百姓對晉侯怨聲載道，國內外都厭惡拋棄他，重耳則天天注重修身養性，有狐偃、趙衰等為他出謀劃策，此其三。晉、鄭兩國是兄弟之國，我們的先王鄭武公和晉文侯曾同心協力捍衛王室，輔佐周平王，平王心存感激，讓他們締結盟信，世世代代互相扶持。親敬上天，獲得三種吉兆，顯然已得到天助。致力於開創晉文侯的功勞和鄭武公的業績，稱得上是繼承遺訓。晉、鄭兩國同姓相親，又有周平王的遺命，稱得上是兄弟。至於說資助貧困，公子長期流亡在外，乘車周遊列國，可稱得上窮困。同時拋棄這四種美德，肯定會招致災禍，請君王好好地想一想。」鄭文公沒有聽從叔詹的勸告。叔詹又說：「君王如果不能以禮相待，那就殺了他。諺語說，黍稷不生長就不會開花。黍不成黍就不會繁茂，稷不成稷就不能繁衍。等到公子返國繼位，鄭國就大難臨頭了。」鄭文公仍然無動於衷。

# 【出處】

公子過鄭，鄭文公亦不禮焉。叔詹諫曰：「臣聞之：親有天，用前訓，禮兄弟，資窮困，天所福也。今晉公子有三祚焉，天將啟之。同姓不婚，惡不殖也。狐氏出自唐叔。狐姬，伯行之子也，實生重耳。成而雋才，離違而得所，久約而無釁，一也。同出九人，唯重耳在，離外之患，而晉國不靖，二也。晉侯日載其怨，外內棄之；重耳日載其德，狐、趙謀之，三也。在《周頌》曰：『天作高山，大王荒之。』荒，大之也。大天所作，可謂親有天矣。晉、鄭兄弟也，吾先君武公與晉文侯戮力一心，股肱周室，夾輔平王，平王勞而德之，而賜之盟質，曰：『世相起也。』若親有天，獲三祚者，可謂大天。若用前訓，文侯之功，武公之業，可謂前訓。若禮兄弟，晉、鄭之親，王之遺命，可謂兄弟。若資窮困，亡在長幼，還軫諸侯，可謂窮困。棄此四者，以徼天禍，無乃不可乎？君其圖之。」弗聽。叔詹曰：「若不禮焉，則請殺之。諺曰：『黍稷無成，不能為榮。黍不為黍，不能蕃廡。稷不為稷，不能蕃殖。所生不疑，唯德之基。』」公弗聽。（《國語》〈晉語四〉）

## 避君三舍

重耳一行到達楚國，楚成王以周王室款待諸侯的禮節招待他，宴會上獻酒九次，院子裡陳列的酒餚禮器數以百計。公子重耳想要推辭，子犯說：「這是上天的意思，您就坦然接受吧。一個逃亡在外的人，竟然得到國君的禮遇，若不是上天的安排，楚成王怎麼會有

這樣的想法呢？」宴會結束後，楚成王問公子重耳說：「公子若回到晉國繼位，將以什麼來報答我呢？」公子重耳跪拜叩頭說：「美女、寶玉和絲帛，您多的是。鳥羽、旄牛尾、象牙和犀皮革，為貴國所產。那些流傳到晉國的寶物，都是君王瞧不上眼的，我能用什麼來報答您呢？」楚成王說：「雖然這樣，我還是想聽聽您的想法。」重耳回答說：「借您的吉言，如果我能回國繼位，將來晉、楚兩國交戰，在中原相逢，我願意避開君王後退九十里。[11]如果這樣還得不到您的諒解，我就披掛上陣，奉陪您一較高下。」令尹子玉聽到重耳的回答，對成王說：「不如殺死重耳。一旦他回到晉國，必然成為我軍的憂患。」楚成王說：「不可。文武不修才是我軍的憂患。自己文武不修，殺他又有何用？如果上天保佑楚國，楚國誰也不怕。如果上天不保佑楚國，殺了重耳，晉國也還會有新的賢君。晉公子為人機敏而富於文辭，身處窮困卻不肯逢迎諂諛，又有三位卿相之材輔佐，這是上天在保佑他啊。天意要他復興，誰能阻擋？」子玉說：「那就把狐偃扣留起來。」楚成王說：「不行。知道錯誤仍堅持去做，是錯上加錯。這不符合禮啊。」這時晉懷公從秦國逃回了晉國。秦穆公派人到楚國來召請公子重耳，楚成王便贈送厚禮把重耳送往秦國。

## 【出處】

遂如楚，楚成王以周禮享之，九獻，庭實旅百。公子欲辭，子犯曰：「天命也，君其饗之。亡人而國薦之，非敵而君設之，非天，誰啟之心！」既饗，楚子問於公子曰：「子若克復晉國，何以報我？」

---

11. 主動退讓九十里，意即退讓和迴避，避免衝突。古時行軍計程以三十里為一舍。

公子再拜稽首對曰：「子女玉帛，則君有之。羽旄齒革，則君地生焉。其波及晉國者，君之餘也，又何以報？」王曰：「雖然，不穀願聞之。」對曰：「若以君之靈，得復晉國，晉、楚治兵，會於中原，其避君三舍。若不獲命，其左執鞭弭，右屬櫜鞬，以與君周旋。」令尹子玉曰：「請殺晉公子。弗殺，而反晉國，必懼楚師。」王曰：「不可。楚師之懼，我不修也。我之不德，殺之何為！天之祚楚，誰能懼之？楚不可祚，冀州之土，其無令君乎？且晉公子敏而有文，約而不諂，三材待之，天祚之矣。天之所興，誰能廢之？」子玉曰：「然則請止狐偃。」王曰：「不可。《曹詩》曰：『彼己之子，不遂其媾。』郵之也。夫郵而效之，郵又甚焉。郊郵，非禮也。」於是懷公自秦逃歸。秦伯召公子於楚，楚子厚幣以送公子於秦。（《國語》〈晉語四〉）

## 唯秦所命

　　秦穆公賞給重耳五位美女，懷嬴也在其中。重耳讓懷嬴端來水盆洗手，洗完後揮手讓她離開。懷嬴生氣地說：「秦、晉兩國是同等國家，你為什麼如此輕視我？」重耳知道她的身分後感到害怕，便脫去衣冠，將自己囚禁起來等候處理。秦穆公來見重耳，對他說：「寡人將懷嬴嫁給你，是因為她非常有才。以前公子圉在秦國作人質，曾經娶她為妻。現在讓她和公子成婚，因她曾經是公子圉的妻子，怕說起來不大好聽。除此之外再無不妥。我沒有為你們舉辦正式婚禮，是因為喜歡她的緣故。公子受辱是寡人的罪過。如何處置她，完全聽憑公子的意見。」重耳想推辭這椿婚事，司空季子說：「公子和子圉的關

係，就同道路上的陌生人一樣，娶他拋棄的女人以成就歸國大業，有什麼不可以？」重耳問子犯說：「您覺得如何？」子犯回答說：「你就要奪取他的國家，還在乎娶他的妻子？只管順從秦君的意思吧。」重耳又問趙衰：「你的意思呢？」趙衰回答說：「《禮志》上說：『有求於人，先人求己；欲人愛己，先要愛人；欲人從己，必先從人。對別人沒有恩德，卻想有求於人，這是非分之想。』現在你跟秦國聯姻以服從他們，接受他們的好意與他們親近，遵從他們的意願以積累仁德。只怕不能成事，有什麼可猶豫的呢？」於是重耳鄭重地向秦君納聘締結婚約，親自迎懷嬴成親。

## 【出處】

秦伯歸女五人，懷嬴與焉。公子使奉匜沃盥，既而揮之。嬴怒曰：「秦、晉匹也，何以卑我？」公子懼，降服囚命。秦伯見公子曰：「寡人之適，此為才。子圉之辱，備嬪嬙焉，欲以成婚，而懼離其惡名。非此，則無敵。不敢以禮致之，歡之故也。公子有辱，寡人之罪也。唯命是聽。」公子欲辭，司空季子曰：「同姓為兄弟。黃帝之子二十五人，其同姓者二人而已，唯青陽與夷鼓皆為己姓。青陽，方雷氏之甥也。夷鼓，彤魚氏之甥也。其同生而異姓者，四母之子別為十二姓。凡黃帝之子，二十五宗，其得姓者十四人為十二姓。姬、酉、祁、己、滕、箴、任、荀、僖、姞、儇、依是也。唯青陽與蒼林氏同於黃帝，故皆為姬姓。同德之難也如是。昔少典娶於有蟜氏，生黃帝、炎帝。黃帝以姬水成，炎帝以姜水成。成而異德，故黃帝為姬，炎帝為姜，二帝用師以相濟也，異德之故也。異姓則異德，異德則異類。異類雖近，男女相及，以生民也，同姓則同德，同德則同

心，同心則同志。同志雖遠，男女不相及，畏黷敬也。黷則生怨，怨亂毓災，災毓滅姓。是故娶妻避其同姓，畏亂災也。故異德合姓，同德合義。義以導利，利以阜姓。姓利相更，成而不遷，乃能攝固，保其土房。今子於子圉，道路之人也，取其所棄，以濟大事，不亦可乎？」公子謂子犯曰：「何如？」對曰：「將奪其國，何有於妻，唯秦所命從也。」謂子余曰：「何如？」對曰：「《禮志》有之曰：『將有請於人，必先有入焉。欲人之愛己也，必先愛人。欲人之從己也，必先從人。無德於人，而求用於人，罪也。』今將婚媾以從秦，受好以愛之，聽從以德之，懼其未可也，又何疑焉？」乃歸女而納幣，且逆之。（《國語》〈晉語四〉）

## 沉璧而盟

晉文公回晉國，到達黃河邊，下令拋棄竹筐木盤、墊席之類的器物，讓臉色青黑、手腳長滿了老繭的人走在最後。咎犯聽到這個命令，在半夜裡哭泣。晉文公說：「我出逃有十九年，現在即將回國，您不高興反而痛哭，是為什麼呢？難道您不願意我回國嗎？」咎犯回答說：「竹筐木盤、墊席之類，那是途中用來供吃飯和休息的東西，您卻要拋棄它；臉色青黑、手腳長滿老繭的人，那是操勞服役的人，您卻讓他們走在最後邊；我聽說國君摒棄賢士，無論什麼忠臣也不會任用；大夫摒棄交遊，無論什麼忠直的朋友也不會結交；現在回到了晉國，我就在被摒棄之列了，因為承受不了這種哀痛，所以哭泣。」晉文公說：「禍福利害，如果不與舅父共同承受，有河水為證。」說

完，將玉璧拋入黃河，借此表明自己的心志。

## 【出處】

　　晉文公入國，至於河，令棄籩豆茵席，顏色黎黑，手足胼胝者，在後。咎犯聞之，中夜而哭。文公曰：「吾亡也十有九年矣，今將反國，夫子不喜而哭，何也？其不欲吾反國乎？」對曰：「籩豆茵席，所以官者也，而棄之；顏色黎黑，手足胼胝，所以執勞苦者也，而皆後之。臣聞國君蔽士，無所取忠臣；大夫蔽遊，無所取忠友；今至於國，臣在所蔽之中矣，不勝其哀，故哭也。」文公曰：「禍福利害，不與咎氏同之者，有如白水。」乃沉璧而盟。（《說苑》〈復恩〉）

# 事君不貳

　　原先，晉獻公派寺人勃鞮到蒲城行刺公子重耳，重耳跳牆逃走，被勃鞮割下一塊衣袖。文公回國繼位後，勃鞮來求見，晉文公拒絕接見勃鞮，讓人回覆他說：「以前驪姬加害我的時候，你在屏門內向我射箭，還到蒲城追殺我，砍斷我的衣袖。又為晉惠公追到渭水謀害我，惠公命令你三日到達，可是你提前兩天就趕到了。你接受獻公、惠公的命令，兩次想取我性命。我和你到底有多深的積怨呢？你回去好好想想，改天再來見我。」勃鞮回答說：「我以為君主已懂得君臣之道，因此才返回晉國。既然您不懂得其中的道理，那我離開好了。做臣子的侍奉君主講究忠心不貳；做君主的應該拋開個人好惡。這是顯然的道理。明白這個道理，才能成為百姓的明君。在獻公、惠公的

事君不貳

時候，你只是蒲人和狄人，與我有什麼關係？剷除國君所痛恨的人，儘力去完成任務，我怎麼能懷有二心？如今君主即位，就沒有痛恨的人嗎？商代的伊尹流放太甲，後來卻輔佐他成為賢明的君王；齊國管仲射傷過齊桓公，最終助桓公稱霸。如今您的德行和氣量，為什麼就不能寬大一些呢？憎惡您本該喜愛的忠臣，您的君位能保持長久嗎？您不能恪守歷代前賢的教誨，拋棄了做一個明君的追求。我只是個有罪的閹人，有什麼可擔心的呢？您不接見我，肯定會後悔的。」這時呂甥、冀芮害怕受到文公的迫害，後悔當初接納文公，陰謀發動叛亂，打算在己丑那天焚燒文公的宮殿，趁文公出來救火時殺死他。勃鞮得知這一陰謀後便去求見晉文公。文公立刻出來接見勃鞮，說：「你說得對，確實是我心中有怨恨，我會從此改過的。」勃鞮於是將呂甥、冀芮的陰謀告訴了文公。文公非常害怕，乘驛車走小道脫身，直入秦邦，密會秦穆公，告知呂、冀作亂的陰謀。等到己丑那天，宮中果然起火，呂甥、冀芮沒能捉到文公，在黃河岸邊為秦穆公誘殺。

## 【出處】

　　初，獻公使寺人勃鞮伐公於蒲城，文公踰垣，勃鞮斬其袪。及入，勃鞮求見，公辭焉，曰：「驪姬之讒，爾射余於屏內，困余於蒲城，斬余衣袪。又為惠公從余於渭濱，命曰三日，若宿而至。若干二命，以求殺余。余於伯楚屢困，何舊怨也？退而思之，異日見我。」對曰：「吾以君為已知之矣，故入；猶未知之也，又將出矣。事君不貳是謂臣，好惡不易是謂君。君君臣臣，是謂明訓。明訓能終，民之主也。二君之世，蒲人、狄人，余何有焉？除君之惡，唯力所及，何貳之有？今君即位，其無蒲、狄乎？伊尹放太甲而卒以為明王，管仲

賊桓公而卒以為侯伯。乾時之役，申孫之矢集於桓鉤，鉤近於袪，而無怨言，佐相以終，克成令名。今君之德宇，何不寬裕也？惡其所好，其能久矣？君實不能明訓，而棄民主。余，罪戾之人也，又何患焉？且不見我，君其無悔乎！」於是呂甥、冀芮畏偪，悔納文公，謀作亂，將以己丑焚公宮，公出救火而遂殺之。伯楚知之，故求見公。公遽出見之，曰：「豈不如女言，然是吾惡心也，吾請去之。」伯楚以呂、郤之謀告公。公懼，乘馹自下，脫會秦伯於王城，告之亂故。及己丑，公宮火，二子求公不獲，遂如河上，秦伯誘而殺之。（《國語》〈晉語四〉）

# 沐則心覆

晉文公出逃的時候，負責管理錢財的侍臣豎頭須沒有跟隨他一起逃亡。文公回國後，豎頭須請求進見，文公推託說正在洗頭而拒絕接見。豎頭須對傳話的人說：「洗頭的時候心是倒過來的，想法就會相反，不接見我就不難理解了。跟隨流亡的是牽馬侍鞍的僕人，留在國內的是國家的守臣，何必要怪罪留下來的人呢？身為國君卻跟一個普通人為仇，恐懼不安的人就多了。」文公聽到這番話，趕緊出來接見他。

## 【出處】

文公之出也，豎頭須，守藏者也，不從。公入，乃求見，公辭焉以沐。謂謁者曰：「沐則心覆，心覆則圖反，宜吾不得見也。從者為

羈紲之僕，居者為社稷之守，何必罪居者！國君而仇匹夫，懼者眾矣。」謁者以告，公遽見之。（《國語》〈晉語四〉）

# 不食其食

　　文公對跟隨他流亡的人員給予獎賞。一時忘記了躲藏起來的介之推。介之推對母親說：「獻公有九個兒子，只剩下國君一個。惠公、懷公都沒有親信，國內外也唾棄他們。上天不讓晉國滅亡，就必定會有君主。主持晉國祭祀的，除了國君還有誰呢？是上天在幫助君主，有些人卻認為是自己的功勞，不也很荒謬嗎？偷別人的財物是盜賊，貪天功為己有的人呢？臣下扭曲真相，主上賞賜奸佞，上下互相欺騙，我不屑與他們為伍。」母親支持他說：「那我和你一起隱藏起來吧。」於是隱居至死。後來文公打聽到介之推在綿山隱居，但未能找到他，於是把整座綿山封給了介之推，作為他的封地，稱之為介推田，又起名叫介山。[12]文公說：「以此來記載我的過失，而且表彰能人。」

## 【出處】

　　晉侯賞從亡者，介之推不言祿，祿亦弗及。推曰：「獻公之子九人，唯君在矣。惠、懷無親，外內棄之。天未絕晉，必將有主。主晉祀者，非君而誰？天實置之，而二三子以為己力，不亦誣乎？竊人之

---

12. 一說晉文公往綿山尋訪介之推不得，聽小人之言下令燒山，介之推與其母寧死不出，被活活燒死。今寒食節即與祭祀介之推有關。

財，猶謂之盜，況貪天之功以為己力乎？下義其罪，上賞其奸；上下相蒙，難與處矣。」其母曰：「盍亦求之？以死，誰懟？」對曰：「尤而效之，罪又甚焉。且出怨言，不食其食。」其母曰：「亦使知之，若何？」對曰：「言，身之文也。身將隱，焉用文之？是求顯也。」其母曰：「能如是乎？與女偕隱。」遂隱而死。晉侯求之不獲。以綿上為之田，曰：「以志吾過，且旌善人。」（《左傳》〈僖公二十四年〉）

# 請陳其辭

　　晉文公出逃後周遊天下，舟之僑離開虢國跟從他。晉文公回國後大行獎賞，舟之僑卻不在其中。晉文公宴請群臣，酒興正濃時，晉文公說：「大家賦詩助興吧。」舟之僑上前說：「這裡有一首詩，我來轉述一下，詩是這樣寫的：『有條龍威武矯健，頃刻間失去了住所。有條蛇跟隨著它，遊遍了天上地下。這條龍返回深淵，安居在原來的住所。那條蛇精疲力竭，卻得不到棲身之處。』」文公猛然警覺說：「你想要得到爵位嗎？請等待一兩天。你想得到俸祿嗎？我馬上命令糧官支付。」舟之僑說：「因請求而得到獎賞，廉潔的人不會接受。話說盡了才得到名聲，正派的人不會去幹。天上濃雲密布，普降大雨，那麼禾苗植物就會蓬勃生長，誰也沒法禁止。因為一人的表白而施惠予一人，就好比為一小塊土地下雨，整個大地並不會有勃勃生機。」舟之僑走下臺階離去。之後文公到處找不到他，於是一直唸誦《詩經》〈齊風・甫田〉中懷念遠人的詩句。

## 【出處】

晉文公出亡，周流天下，舟之僑去虞而從焉。文公反國。擇可爵而爵之，擇可祿而祿之，舟之僑獨不與焉。文公酌諸大夫酒，酒酣，文公曰：「二三子盍為寡人賦乎？」舟之僑進曰：「君子為賦，小人請陳其辭，辭曰：『有龍矯矯，頃失其所。一蛇從之，周流天下。龍反其淵，安寧其處。一蛇耆乾，獨不得其所。』」文公瞿然曰：「子欲爵耶？請待旦日之期。子欲祿邪？請今命廩人。」舟之僑曰：「請而得其賞，廉者不受也。言盡而名至，仁者不為也。今天油然作雲，沛然下雨，則苗草興起，莫之能禦。今為一人言施一人，猶為一塊土下雨也，土亦不生之矣。」遂歷階而去。文公求之不得，終身誦甫田之詩。（《說苑》〈復恩〉）

## 先德而後力

晉文公逃亡時，陶叔狐跟隨他。晉文公回到晉國，頒行了三次賞賜都沒有輪到陶叔狐。陶叔狐謁見咎犯說：「我跟隨國君逃亡有十三年，容顏憔悴，手腳都磨起了老繭。現在國君回國頒行了三次賞賜都沒有輪到我，我私下考慮，這是國君忘掉了我呢？還是因為我有什麼大過錯呢？請您為我向國君請示一下。」咎犯便向晉文公說了這件事，晉文公說：「唉，我怎麼會忘記這個人呢？那高明的大賢，道德品行完備，能用道義使我精神專注，用仁愛的道理來勸說我，改變我的品行，顯揚我的名聲，使我成為德才優異的人，我認為這種人應該受到最高的賞賜。能用禮義來約束我，用正確的原則來勸誡我，保護

我並援助我，使我不會做錯事，多次指引我登門向賢人請教的人，我認為這種人應該受到第二等賞賜。那勇敢強壯善於禦敵，危難在前就奮勇上前，危難在後就捨身斷後，使我從患難中解脫的人，我認為這種人該受到第三等賞賜。況且他難道不知道嗎，為人殉死不如保護那人的性命，跟人逃亡不如保存那人的國家。三次行賞之後，就輪到有勞苦功績的人了。在有勞苦功績的人當中，陶叔狐當然是頭一個了！我怎麼會忘了他呢？」東周內史叔興知道這件事後說：「晉文公將會稱霸了！從前先王將德行擺在首位，而將勇力放在其後，文公大概可以當得上這樣的評價吧！《詩經》上說：『遵循禮法決不踰越』[13]，說的就是這樣的事啊！」

## 【出處】

晉文公亡時，陶叔狐從，文公反國，行三賞而不及陶叔狐。陶叔狐見咎犯曰：「吾從君而亡，十有三年，顏色黎黑，手足胼胝，今君反國行三賞而不及我也，意者君忘我與？我有大故與？子試為我言之君！」咎犯言之文公，文公曰：「噫，我豈忘是子哉！夫高明至賢，德行全誠，耽我以道，說我以仁，暴浣我行，昭明我名，使我為成人者，吾以為上賞。防我以禮，諫我以誼，蕃援我使我不得為非者，數引我而請於賢人之門，吾以為次賞。夫勇壯強禦，難在前則居前，難在後則居後，免我於患難之中者，吾又以為之次。且子獨不聞乎？死人者不如存人之身，亡人者不如存人之國。三行賞之後，而勞苦之士次之，夫勞苦之士，是子固為首矣！吾豈敢忘子哉？」周內史叔興聞

---

13.「率禮不越」出自《詩經》〈商頌・長發〉。

之曰：「文公其霸乎！昔聖王先德而後力，文公其當之矣！《詩》云：『率禮不越。』此之謂也。」（《說苑》〈復恩〉）

# 以教之義

晉文西元年（西元前636年）冬天，周襄王為躲避昭叔之難，暫居於鄭國氾地，派人到晉國告急，也派人向秦國求救。子犯說：「百姓親近君王，但還不知道道義，您何不送周襄王回國，以此來教導百姓呢？如果秦國送襄王回國，晉國就失去了侍奉天子的表現機會，在諸侯當中就沒有威望。不修養品德，又不能尊奉天子，天下人怎麼會敬服君主呢？繼承晉文侯的業績，建立晉武公的功德，開拓國土，安定疆界，就在此次了，請您務必做好這件事。」文公聽了很高興，於是就送錢財給革中之戎和麗土之狄，打開東進的道路。

## 【出處】

冬，襄王避昭叔之難，居於鄭地氾。使來告難，亦使告於秦。子犯曰：「民親而未知義也，君盍納王以教之義。若不納，秦將納之，則失周矣，何以求諸侯？不能修身而又不能宗人，人將焉依？繼文之業，定武之功，啟土安疆，於此乎在矣，君其務之。」公說，乃行賂於革中之戎與麗土之狄，以啟東道。（《國語》〈晉語四〉）

# 入王尊周

　　晉文公二年（西元前635年）春天，秦國軍隊駐紮在黃河岸邊，準備護送周王回京。趙衰說：「要想成為霸主，就不能放過眼下這千載難逢的機會。周王室與晉國同姓，如果我們不搶先護送周王回京，反而落在秦國後邊，以後就無法在天下發號施令。尊敬周王，正是晉國稱霸的資本啊。」文公認為趙衰的話很有道理，於三月果斷派兵進駐陽樊，包圍溫地，一路護送周襄王到達周都。四月，晉國人殺死了襄王的弟弟王子帶。作為回報，周襄王把河內陽樊之地賜給了晉國。

## 【出處】

　　二年春，秦軍河上，將入王。趙衰曰：「求霸莫如入王尊周。周晉同姓，晉不先入王，後秦入之，毋以令於天下。方今尊王，晉之資也。」三月甲辰，晉乃發兵至陽樊，圍溫，入襄王於周。四月，殺王弟帶。周襄王賜晉河內陽樊之地。（《史記》〈晉世家〉）

# 陽人不服

　　晉文公二年（西元前635年）春，文公因護駕天子有功，周襄王賜給文公南陽地區所屬的陽樊、溫、原、州、陘、絺、組、攢茅等八邑的田地。陽樊人不願歸服。文公派軍隊包圍陽樊，準備屠殺陽樊的百姓，倉葛大喊說：「你幫助周襄王恢復王位，是為了遵循周禮啊。陽樊人不瞭解你的德行，所以不願歸順你。你竟然要屠殺他們，這不

是在違背周禮嗎？陽樊人有夏、商後代遺留下來的法典，有周王室的軍隊和民眾，有仲山甫一樣的守官，即使不是官員，也都是王室的父兄甥舅啊。你安定周室卻屠殺他的親族，百姓怎麼會歸附呢？我斗膽向軍吏陳說此情，請君主認真想想。」晉文公說：「這是出自君子的良言。」於是下令放陽樊的百姓出城。

## 【出處】

二年春，公以二軍下，次於陽樊。右師取昭叔於溫，殺之於隰城。左師迎王於鄭。王入於成周，遂定之於郟。王饗禮，命公胙侑。公請隧，弗許。曰：「王章也，不可以二王，無若政何。」賜公南陽陽樊、溫、原、州、陘、絺、組、攢茅之田。陽人不服，公圍之，將殘其民，倉葛呼曰：「君補王闕，以順禮也。陽人未狎君德，而未敢承命。君將殘之，無乃非禮乎！陽人有夏、商之嗣典，有周室之師旅，樊仲之官守焉，其非官守，則皆王之父兄甥舅也。君定王室而殘其姻族，民將焉放？敢私佈於吏，唯君圖之！」公曰：「是君子之言也。」乃出陽人。（《國語》〈晉語四〉）

# 趙衰三讓

晉文公問趙衰誰可擔任元帥，趙衰回答說：「郤縠可以。他年過五十還堅持學習，對先王制定的法規典籍非常重視，懂得以道德仁義取信於民。請讓郤縠擔任此項職務。」文公採納了趙衰的建議。文公想任命趙衰為卿，趙衰推辭說：「欒枝忠貞謹慎，先軫足智多謀，胥

臣博聞強識，都可以輔佐君主，小臣不如他們。」於是文公任命欒枝統帥下軍，以先軫為副將。後來攻取五鹿，便是採納先軫的計謀。郤縠死後，又任命先軫接替他的職位。由胥臣擔任下軍副將。文公又任命趙衰為下卿，趙衰推辭說：「三椿有功德的事情，都是狐偃的計謀。以德政來治理國家，成效十分顯著，應該先任用他。」文公便任命狐偃為下卿。狐偃推辭說：「狐毛的智慧超過小臣，年齡又比我大。狐毛不在其位，小臣哪敢接受任命。」文公於是以狐毛統帥上軍，狐偃為副將。狐毛死後，文公讓趙衰接替他的職位，趙衰再次推辭說：「城濮之戰，先且居帶兵打仗表現很好，有軍功的人應當得到獎賞，以正道輔佐君王的應當得到獎賞，本職工作幹得出色的應當得到獎賞。先且居兼有這三種應當得到的獎賞，不可不加以重用。而且箕鄭、胥嬰、先都，都不比我差。」文公於是派先且居統帥上軍。狐偃死後，先且居請求委派副將。文公說：「趙衰三次推讓，都不失禮義。謙讓是為了推薦賢人，講究禮義是為了營造良好的道德氛圍。有了良好的氛圍，何愁賢才不至？就讓趙衰做你的副將吧。」於是，文公任命趙衰擔任上軍的副將。

## 【出處】

　　文公問元帥於趙衰，對曰：「郤縠可，行年五十矣，守學彌惇。夫先王之法志，德義之府也。夫德義，生民之本也。能惇篤者，不忘百姓也。請使郤縠。」公從之。公使趙衰為卿，辭曰：「欒枝貞慎，先軫有謀，胥臣多聞，皆可以為輔佐，臣弗若也。」乃使欒枝將下軍，先軫佐之。取五鹿，先軫之謀也。郤縠卒，使先軫代之。胥臣佐下軍。公使原季為卿，辭曰：「夫三德者，偃之出也。以德紀民，

其章大矣，不可廢也。」使狐偃為卿，辭曰：「毛之智，賢於臣，其齒又長。毛也不在位，不敢聞命。」乃使狐毛將上軍，狐偃佐之。狐毛卒，使趙衰代之，辭曰：「城濮之役，先且居之佐軍也善，軍伐有賞，善君有賞，能其官有賞。且居有三賞，不可廢也。且臣之倫，箕鄭、胥嬰、先都在。」乃使先且居將上軍。公曰：「趙衰三讓。其所讓，皆社稷之衛也。廢讓，是廢德也。」以趙衰之故，蒐於清原，作五軍。使趙衰將新上軍，箕鄭佐之；胥嬰將新下軍，先都佐之。子犯卒，蒲城伯請佐，公曰：「夫趙衰三讓不失義。讓，推賢也。義，廣德也。德廣賢至，又何患矣。請令衰也從子。」乃使趙衰佐新上軍。（《國語》〈晉語四〉）

# 文公伐原

晉文公出兵討伐原國，命令攜帶三天的口糧。到第三天，原國仍不投降，文公下令晉軍撤退。這時斥候前來報告說：「原國最多只能支撐一兩天了！」軍吏將情報上報給晉文公，文公說：「得到原國而失去信義，依靠什麼來召喚民眾呢？信義是民眾賴以生存的保障，絕不可失。」於是晉軍撤離原國，部隊到達孟門的時候，原國便投降了。

## 【出處】

文公伐原，令以三日之糧。三日而原不降，公令疏軍而去之。諜出曰：「原不過一二日矣！」軍吏以告，公曰：「得原而失信，何以

使人？夫信，民之所庇也，不可失。」乃去之，及孟門，而原請降。
（《國語》〈晉語四〉）

# 文公遂伯

晉文公即位的第二年，就想使用民力發動戰爭。子犯說：「民眾還不懂得大義，何不以護送周天子的名義彰顯大義呢？」於是文公派軍隊護送周襄王返回周都。文公又問：「現在可以了吧？」子犯回答說：「民眾還不懂得信用，何不攻打原國，以顯示信用呢？」於是文公出兵征伐原國，示信於民。文公又問：「現在可以了吧？」子犯回答說：「民眾還不懂得禮儀，何不舉行一次大規模的閱兵，以崇禮尚武來宣示禮儀呢？」於是文公在被廬舉行大規模的閱兵，建立了上、中、下三軍。任命郤縠統帥中軍，執掌國家大政，由郤溱輔佐他。子犯這才點頭說：「現在可以興兵征伐了。」於是文公發兵攻打曹、衛兩國，趕走戍守穀地的楚軍，解救宋國之圍，又在城濮之戰中打敗楚軍，最終稱霸諸侯。

## 【出處】

文公即位二年，欲用其民，子犯曰：「民未知義，盍納天子以示之義？」乃納襄王於周。公曰：「可矣乎？」對曰：「民未知信，盍伐原以示之信？」乃伐原。曰：「可矣乎？」對曰：「民未知禮，盍大蒐，備師尚禮以示之。」乃大蒐於被廬，作三軍。使郤縠將中軍，以為大政。郤溱佐之。子犯曰：「可矣。」遂伐曹、衛，出穀戍，釋

宋圍，敗楚師於城濮，於是乎遂伯。(《國語》〈晉語四〉)

## 曹人兇懼

　　晉文公圍攻曹國。攻城時晉軍戰死的人很多，卻難以攻入城內。曹軍把戰死的晉國士兵屍體陳列在城牆上，晉文公非常焦急。於是聽從眾人的主意，聲稱要在曹國人的墓地裡宿營。曹國人大為恐懼，因為懼怕祖墳被挖，連忙將陣亡晉軍士兵的屍體裝進棺材運送出城外，以表歉意。城門打開的時候，晉軍乘機進入，終於攻破了城門。

## 【出處】

　　晉侯圍曹，門焉，多死。曹人屍諸城上，晉侯患之。聽輿人之謀，稱「舍於墓」。師遷焉。曹人兇懼，為其所得者，棺而出之。因其凶也而攻之。(《左傳》〈僖公二十八年〉)

## 表裡山河

　　魯僖公二十八年（西元前632年）夏四月，晉、楚兩軍將在城濮作戰。楚軍背靠險要的地方紮營，晉文公得知消息後很擔心，聽到士兵們唸誦說：「田野裡綠草繁茂，何不捨棄舊恩建立新功。」晉文公因答應楚成王兩軍交鋒退避三舍，擔心說他忘恩負義。文公的舅舅子犯見文公猶豫不決，勸他說：「出戰吧！戰而得勝，一定能得到諸侯；如果不勝，我國外有黃河，內有太行，憑藉地理環境之險，也可

以固守無憂。」晉文公說：「對楚國的恩惠怎麼辦？」欒枝說：「漢水以北的姬姓諸國，楚國差不多都吞併完了。想著小恩小惠而忘記大恥大辱，不如出戰。」晉文公夢見和楚成王搏鬥，楚成王伏在自己身上咀嚼自己的腦漿，醒來害怕。子犯說：「這個夢吉利。您面向上天，我軍得到天助，楚國面向下，代表認罪，腦汁柔軟，表明楚國向我們服軟。」

## 【出處】

夏四月戊辰，晉侯、宋公、齊國歸父、崔夭、秦小子憖次於城濮。楚師背酅而舍，晉侯患之，聽輿人之誦曰：「原田每每，舍其舊而新是謀。」公疑焉。子犯曰：「戰也！戰而捷，必得諸侯。若其不捷，表裡山河，必無害也。」公曰：「若楚惠何？」欒貞子曰：「漢陽諸姬，楚實盡之。思小惠而忘大恥，不如戰也。」晉侯夢與楚子搏，楚子伏己而盬其腦，是以懼。子犯曰：「吉。我得天，楚伏其罪，吾且柔之矣。」（《左傳》〈僖公二十八年〉）

## 咎犯解夢

城濮戰役時，晉文公對咎犯說：「我為這次戰爭占卜，龜甲兆紋消失，我軍對著歲星，楚軍背著歲星，彗星出現，楚人手握把柄，我們拿著末梢。我又夢見與楚王搏鬥，他在上面，我在下面。我不想打這一仗了，您認為怎麼樣？」咎犯說：「龜甲兆紋消失，說明楚人將失敗。我軍面對歲星，敵軍背對歲星，說明他們將要逃走，我軍將追

趕他們。彗星出現，楚人手握柄把，我們拿著末梢，如果用於掃除則對敵軍有利，用於進擊則對我軍有利。大王夢見與楚王搏鬥，他在上，你在下，那麼你能望見天日而楚王低頭認罪。況且我軍有宋、衛兩國軍隊強力支持，又有齊、秦兩國的輔佐，我軍此次作戰既符合天道，又有人和，一定能戰勝楚國。」晉文公於是消除疑慮，後來楚軍果然大敗。

## 【出處】

城濮之戰，文公謂咎犯曰：「吾卜戰而龜熸。我迎歲，彼背歲；彗星見，彼操其柄，我操其標；吾又夢與荊王搏，彼在上，我在下。吾欲無戰，子以為何如？」咎犯對曰：「卜戰龜熸，是荊人也；我迎歲，彼背歲，彼去我從之也；彗星見，彼操其柄，我操其標，以掃則彼利，以擊則我利；君夢與荊王搏，彼在上，君在下，則君見天而荊王伏其罪也。且吾以宋、衛為主，齊、秦輔我，我合天道，獨以人事，固將勝之矣。」文公從之，荊人大敗。（《說苑》〈權謀〉）

## 一時之權

晉文公準備和楚軍作戰，召見舅犯詢問說：「我準備和楚軍作戰，敵眾我寡，怎麼辦？」舅犯說：「我聽說，講究禮儀的君子，不嫌忠信多；戰場上兵戎相見，不嫌欺詐多。您還是使用欺詐手段好了。」文公辭退舅犯，又召來雍季問道：「我準備和楚軍作戰，敵眾我寡，怎麼辦？」雍季回答說：「焚燒山林來打獵，獲得的野獸雖

多，但第二年就沒有野獸了；用欺詐的手段對待民眾，暫且能得到一時的利益，以後民眾就不會再上當了。」文公說：「好。」辭退了雍季。文公用舅犯的謀略和楚軍作戰，結果打敗了敵人。回來後論功行賞，先賞雍季而後賞舅犯。群臣說：「城濮的勝仗，靠的是舅犯的計謀。採用了他的計謀，卻把他擺在後面，這妥當嗎？」文公說：「這不是你們能理解的。舅犯的主張是權宜之計，雍季的主張才是符合長遠利益的。」孔子聽到後說：「晉文公稱霸是完全應該的啊！他既懂得權宜之計，又懂得長遠利益。」

## 【出處】

晉文公將與楚人戰，召舅犯問之，曰：「吾將與楚人戰，彼眾我寡，為之奈何？」舅犯曰：「臣聞之：『繁禮君子，不厭忠信；戰陣之間，不厭詐偽。』君其詐之而已矣。」文公辭舅犯，因召雍季而問之，曰：「我將與楚人戰，彼眾我寡，為之奈何？」雍季對曰：「焚林而田，偷取多獸，後必無獸；以詐遇民，偷取一時，後必無復。」文公曰：「善。」辭雍季，以舅犯之謀與楚人戰以敗之。歸而行爵，先雍季而後舅犯。群臣曰：「城濮之事，舅犯謀也。夫用其言而後其身，可乎？」文公曰：「此非君所知也。夫舅犯言，一時之權也；雍季言，萬世之利也。」仲尼聞之，曰：「文公之霸也，宜哉！既知一時之權，又知萬世之利。」（《韓非子》〈難一〉）

# 理直氣壯

城濮之戰前，楚軍已經擺開戰陣，晉文公卻下令晉軍退後三十里。軍吏請求說：「身為國君卻躲避敵國的臣子，是一種恥辱。況且楚軍已經疲勞，戰之必敗，我軍為什麼要撤退呢？」子犯說：「大家還記得以前文公流亡楚國時的承諾嗎？我狐偃聽說，用兵作戰理直才會氣壯，理屈士氣就會低落。我們尚未報答以前楚國的恩惠而救宋，這是我方理屈而楚國理直，楚軍士氣因此就會旺盛，不能認為他們疲勞不堪。如果我方做到以君避臣，而楚軍還不撤退，那對方就也理屈了。」於是晉軍連續後撤九十里以避讓楚軍。楚軍將士都主張停止進軍，楚國令尹子玉卻不肯善罷甘休，結果在城濮大敗。

## 【出處】

楚既陳，晉師退舍，軍吏請曰：「以君避臣，辱也。且楚師老矣，必敗。何故退？」子犯曰：「二三子忘在楚乎？偃也聞之：戰鬥，直為壯，曲為老。未報楚惠而抗宋，我曲楚直，其眾莫不生氣，不可謂老。若我以君避臣，而不去，彼亦曲矣。」退三舍避楚。楚眾欲止，子玉不肯，至於城濮，果戰，楚眾大敗。君子曰：「善以德勸。」（《國語》〈晉語四〉）

# 文公其能刑

晉軍攻打曹國時，文公因當年僖負羈曾經熱情款待，命令部隊善

待僖負羈及其家族。魏犨、顛頡心懷不滿，縱火燒死僖負羈。文公大怒，放過勇力過人的魏犨，殺死顛頡通報全軍，立舟之僑為車右。城濮之戰中，晉軍中軍在沼澤地遇到大風，丟失大旗的左側飄帶，祁瞞以觸犯軍令被司馬處死，並通報諸侯，由茅茷代替。軍隊返回，舟之僑擅自先行，回國後文公殺舟之僑並通報全國。國人為之震撼。君子認為：「文公能夠嚴明刑罰，顛頡、祁瞞、舟之僑三人因罪得誅，百姓為之順服。《詩經》中說：『施惠於中原國家，安定四方的諸侯』，仰賴的正是公正的賞賜和刑罰啊。」[14]

## 【出處】

三月丙午，入曹。……令無入僖負羈之宮，而免其族，報施也。魏犨、顛頡怒，曰：「勞之不圖，報於何有？」爇僖負羈氏。魏犨傷於胸。公欲殺之，而愛其材。使問，且視之。病，將殺之。魏犨束胸見使者，曰：「以君之靈，不有寧也！」距躍三百，曲踴三百。乃舍之。殺顛頡以徇於師，立舟之僑以為戎右。

城濮之戰，晉中軍風於澤，亡大旆之左旃。祁瞞奸命，司馬殺之，以徇於諸侯，使茅茷代之。師還。壬午，濟河。舟之僑先歸，士會攝右。秋七月丙申，振旅，愷以入於晉。獻俘、授馘、飲至、大賞、徵會、討貳。殺舟之僑以徇於國，民於是大服。君子謂文公「其能刑矣，三罪而民服。《詩》云『惠此中國，以綏四方』，不失賞刑

---

14. 「惠此中國，以綏四方」，出自《詩經》〈大雅‧民勞〉。傳說舟之僑在歸國途中得知妻子病重的消息，認為部隊已經大勝，因此匆匆而歸。放在其他時候，或罪不致死。但戰爭和祭祀是當時國家最重要的兩件大事，文公不得不從嚴執法，以儆傚尤。

之謂也」。（《左傳》〈僖公二十八年〉）

# 盡辭而死

　　晉文公攻打鄭國，摧毀城上防禦用的矮牆，鄭國人獻上名貴的寶物請求講和，文公回答說：「把叔詹交出來就退兵。」叔詹請求前往，鄭文公不肯，叔詹再三請求說：「犧牲我一個人而拯救百姓、安定國家，君主何必對小臣如此愛惜呢？」鄭國於是將叔詹交給晉國。晉國人準備對叔詹處以極刑。叔詹說：「讓我把話說完再處死我吧。」晉文公答應了。叔詹說：「上天降災禍於鄭國，如同曹共公偷看您洗澡一樣，拋棄了禮儀，違背了宗親關係。我當時勸阻說：『不能這樣。晉公子十分賢明，他的左右隨從都具有卿相之才，一旦返國即位，必然得志成為諸侯的盟主，那時鄭國就會大禍臨頭。』如今果然如此。當初我敬仰公子的賢明，覺察到未來的禍患而加以遏制，這是智慧。現在寧願犧牲自己以挽救國家，這是忠貞。」說完慨然赴刑，用手抓住鼎耳高聲呼喊說：「從今以後，忠心耿耿侍奉君主的人，都與叔詹的下場一樣。」晉文公下令不殺叔詹，贈以厚禮送他回國。

## 【出處】

　　文公誅觀狀以伐鄭，反其陴。鄭人以名寶行成，公弗許，曰：「予我詹而師還。」詹請往，鄭伯弗許，詹固請曰：「一臣可以赦百姓而定社稷，君何愛於臣也？」鄭人以詹予晉，晉人將烹之。詹曰：「臣願獲盡辭而死，固所願也。」公聽其辭。詹曰：「天降鄭禍，使

淫觀狀，棄禮違親。臣曰：『不可。夫晉公子賢明，其左右皆卿才，若復其國，而得志於諸侯，禍無赦矣。』今禍及矣。尊明勝患，智也。殺身贖國，忠也。」乃就烹，據鼎耳而疾號曰：「自今以往，知忠以事君者，與詹同。」乃命弗殺，厚為之禮而歸之。（《國語》〈晉語四〉）

## 治國為易

晉文公對郭偃感嘆說：「剛開始的時候，我以為治理國家很容易，現在才知道非常艱難。」郭偃回答說：「您以為容易，那麼困難就來了。您以為艱難，那麼容易也就快來了。」

## 【出處】

文公問於郭偃曰：「始也，吾以治國為易，今也難。」對曰：「君以為易，其難也將至矣。君以為難，其易也將至焉。」（《國語》〈晉語四〉）

## 師之所材

晉文公問胥臣說：「我想讓陽處父做歡的老師來教育他，能教育好嗎？」胥臣回答說：「這取決於歡。直胸的殘疾人不能讓他俯身，駝背不能讓他仰頭，僬僥人不能讓他舉重，矮子不能讓他攀高，瞎子不能讓他看東西，啞巴不能讓他說話，聾子不能讓他聽音，糊塗人不

能讓他出主意。本質好而又有賢人教導，就可以期待他有所成就。如果本質邪惡，教育他也聽不進去，怎麼能使他為善呢？我聽說周文王很少讓母親憂慮，無須老師操心，侍奉父王不讓他生氣，對兩個弟弟號仲和號叔都很友愛，對兩個兒子大蔡和小蔡也很慈祥，為自己的妻子大姒做出榜樣，與同宗的兄弟也很親近。周文王的成長，顯然不單單是教誨的作用。」晉文公說：「如此說來，教育就不能發揮作用嗎？」胥臣回答說：「教育並非重在文采，而是為了使其本質更美好。人生下來就要學習，不學習怎麼能步入正道？」文公說：「那對剛才所說的八種殘疾人怎麼辦呢？」胥臣回答說：「重在因材施教。駝背的人讓他俯身敲鐘，直胸的人讓他頭頂玉磬，矮子讓他表演雜技，瞎子讓他演奏音樂，聾子讓他掌管燒火。糊塗人、啞巴和僬僥人，如果不能因材而用，就讓他們去充實邊野吧。教育就是根據受教育者內在的能力、本質加以因勢利導，就好比河川有它的源頭，把它引入江河就可以匯成大流。」

## 【出處】

　　文公問於胥臣曰：「我欲使陽處父傅讙也而教誨之，其能善之乎？」對曰：「是在讙也。蘧蒢不可使俯，戚施不可使仰，僬僥不可使舉，侏儒不可使援，蒙瞍不可使視，嚚瘖不可使言，聾聵不可使聽，童昏不可使謀。質將善而賢良贊之，則濟可竢。若有違質，教將不入，其何善之為！臣聞昔者大任娠文王不變，少溲於豕牢，而得文王不加疾焉。文王在母不憂，在傅弗勤，處師弗煩，事王不怒，孝友二號，而惠慈二蔡，刑於大姒，比於諸弟。《詩》云：『刑於寡妻，至於兄弟，以御於家邦。』於是乎用四方之賢良。及其即位也，詢於

八虞，而諮於二虢，度於閎夭而謀於南宮，諏於蔡、原而訪於辛、尹，重之以周、邵、畢、榮，億寧百神，而柔和萬民。故《詩》云：『惠於宗公，神罔時恫。』[15]若是，則文王非專教誨之力也。」公曰：「然則教無益乎？」對曰：「胡為文，益其質。故人生而學，非學不入。」公曰：「奈夫八疾何！」對曰：「官師之所材也，戚施直鎛，蘧蒢蒙璆，侏儒扶盧，蒙瞍修聲，聾聵司火。童昏、嚚瘖、僬僥，官師之所不材也，以實裔土。夫教者，因體能質而利之者也。若川然有原，以卬浦而後大。」（《國語》〈晉語四〉）

## 多聞以待能者

晉文公向臼季學習讀書，三天之後，文公對臼季說：「書上所說的我一點也做不到，但知道的道理倒是不少。」臼季回答說：「多知道些道理，等待有才能的人來實行，比不學習不是要好得多嗎？」

**【出處】**

文公學讀書於臼季，三日，曰：「吾不能行也咫，聞則多矣。」對曰：「然而多聞以待能者，不猶愈也？」（《國語》〈晉語四〉）

15.「惠於宗公，神罔時怨，神罔時恫。刑於寡妻，至於兄弟，以御於家邦」，出自《詩經》〈大雅・思齊〉。

# 分腥不如分地

晉文公向舅犯請教理政的經驗。舅犯回答說：「分熟肉不如分生肉，分生肉不如分土地。把土地分給老百姓，並增加他們的爵祿，這樣百姓就會知道，只要君主獲得土地，百姓就能富足；君主喪失土地，百姓就會貧困。古人所謂單車攻入敵陣挑戰的，講的就是這種情況。」

## 【出處】

晉文侯問政於舅犯，舅犯對曰：「分熟不如分腥，分腥不如分地。割以分民，而益其爵祿，是以上得地而民知富，上失地而民知貧，古之所謂致師而戰者，其此之謂也。」（《說苑》〈政理〉）

# 寡人學惰

晉侯問士文伯說：「三月初一這天有日食現象發生，我才疏學淺，《詩經》上所說的『那日食發生，是哪件事沒辦好』，是什麼含義呢？」士文伯回答說：「講的是執政不善。國家治理有偏，賢人不得重用，就會受到日月災害的警懲，所以理政不能不小心謹慎。從政要牢牢把握三條：一是遵從民意，二是選擇能人，三是順應天時。」

## 【出處】

晉侯問於士文伯曰：「三月朔，日有蝕之。寡人學惰焉，《詩》

所謂『彼日而蝕，於何不臧』[16]者，何也？」對曰：「不善政之謂也。國無政，不用善，則自取謫於日月之災，故政不可不慎也。政有三而已，一曰因民，二曰擇人，三曰從時。」（《說苑》〈政理〉）

## 信於君心

晉國遭遇饑荒，文公問箕鄭說：「用什麼辦法來賑救饑荒呢？」箕鄭回答說：「最主要是信用為上。」文公問：「具體該怎麼做？」箕鄭回答說：「國君內心要重視信用，上下尊卑要恪守信用，實施政令、安排民事要強調信用。」文公說：「這樣會達到什麼效果呢？」箕鄭回答說：「國君有守信之心，善惡就不會混淆。上下尊卑恪守信用，就不會交互侵犯。實施政令強調信用，就不會誤時廢功。安排民事重視信用，老百姓就各司其業。這樣一來，百姓們對國君充滿信任，遭遇困難也不會害怕，富裕人家也樂意拿出倉中的物資賑災救荒，饑荒不就度過了嗎？」文公於是任命箕鄭為箕地大夫。清原閱兵的時候，又提拔他擔任新上軍的副將。

## 【出處】

晉饑，公問於箕鄭曰：「救饑何以？」對曰：「信。」公曰：「安信？」對曰：「信於君心，信於名，信於令，信於事。」公曰：「然則若何？」對曰：「信於君心，則美惡不逾。信於名，則上下不干。信於令，則時無廢功。信於事，則民從事有業。於是乎民知君心，貧

---

16.「彼日而蝕，於何不臧」，出自《詩經》〈小雅・十月之交〉。

而不懼，藏出如入，何匱之有？」公使為箕。及清原之蒐，使佐新上軍。（《國語》〈晉語四〉）

# 一人有慶，兆民賴之

晉文公看望咎季（胥臣），見他家的祖廟靠近西牆，問他說：「誰住在您西邊呢？」咎季回答說：「是君王的老臣。」晉文公說：「可以從西邊擴建一下住宅。」咎季回答說：「我對君主的忠心，還比不上老臣的功勞。老臣家的牆壞了也沒有修築呢。」文公問：「為什麼不修繕呢？」咎季回答說：「俗話說，一日不稼，百日不食，怕耽誤農時啊。」晉文公出門將此事告訴隨行的車伕，車伕感嘆說：「《呂刑》[17]上說：『一人吉慶，萬民仰賴』。君王的聖明，是群臣的福氣啊。」文公於是詔令全國：「不准濫修宮室，以此妨害百姓的住宅。建房要安排好時間，不得妨礙農事。」

## 【出處】

文公見咎季，其廟傅於西牆，公曰：「孰處而西？」對曰：「君之老臣也。」公曰：「西益而宅。」對曰：「臣之忠，不如老臣之力，其牆壞而不築。」公曰：「何不築？」對曰：「一日不稼，百日不食。」公出而告之僕，僕頓首於軫曰：「呂刑云：『一人有慶，兆民賴之』。君之明，群臣之福也。」乃令於國曰：「毋淫宮室，以妨人宅。板築

---

17. 周穆王命呂侯（亦稱甫侯）制定《呂刑》，計有墨、劓、荆、宮、大辟五刑共三千條。

以時，無奪農功。」（《說苑》〈建本〉）

## 狐豹之罪

晉文公的時候，有翟族人進獻大狐皮和文豹皮，文公感嘆說：「大狐、文豹有什麼罪過？因為它們的皮毛珍貴華美而成為罪過。」大夫欒枝說：「土地寬廣而分配不均等，財物集聚而不分散，這不也是跟大狐、文豹一樣的罪過嗎？」文公問：「什麼意思呢？」欒枝說：「土地寬廣而分配不均等，人們就要平分它；財物聚集而不分散，人們就會爭奪它。」晉文公於是劃分土地給予百姓，施捨財物賑濟貧民。

## 【出處】

晉文公時，翟人有獻封狐文豹之皮者，文公喟然嘆曰：「封狐文豹何罪哉！以其皮為罪也。」大夫欒枝曰：「地廣而不平，財聚而不散，獨非狐豹之罪乎？」文公曰：「善哉！說之。」欒枝曰：「地廣而不平，人將平之；財聚而不散，人將爭之。」於是列地以分民，散財以賑貧。（《說苑》〈政理〉）

## 罪莫大於可欲

翟人向晉文公進獻大狐和黑豹的皮，文公接受禮物後感嘆說：「狐豹因為皮美，從而給自己帶來了禍害。」徐偃王因為追求仁義的

名聲，從而給自己帶來禍害；虞公因為貪圖城邑和土地，從而導致了虞國和虢國的滅亡。所以《老子》說：「欲望是最大的禍害。」

## 【出處】

翟人有獻豐狐、玄豹之皮於晉文公。文公受客皮而嘆曰：「此以皮之美自為罪。」夫治國者以名號為罪，徐偃王是也；則以城與地為罪，虞、虢是也。故曰：「罪莫大於可欲。」（《韓非子》〈喻老〉）

## 天帝殺蛇

晉文公外出打獵，開道的人報告說：「前面有一條大蛇，身高如堤，把道路完全堵住了。」文公說：「我聽說，諸侯夢見不祥之物就要修養道德，大夫夢見不祥之物就要謹慎處理公務，士人夢見不祥之物就要加強自我修養，這樣災禍才不會降臨。一定是我有過失，上天用這條大蛇向我發出警告，讓車掉頭返回吧。」開道的人說：「我聽說，高興時不要嘉獎，生氣時不動刑罰。如果禍福已擺在面前，就無法改變，何不將大蛇攆走呢？」文公說：「不是這樣的。神怪不能戰勝聖道，妖孽也不能戰勝仁德，禍福未見分曉，還來得及化解啊。」於是掉過車駕回頭。文公齋戒三天，在祖廟禱告說：「我祭祀時所獻的牛羊少而不肥，財貨也不多，這是第一個罪過；我喜歡打獵，毫無節制，這是第二個罪過；我橫徵暴斂，刑罰過重，這是第三個罪過。我發願從今往後，免去關市和山林水澤的稅賦，赦免罪人，舊田只收半稅，新田免稅。」推行惠民措施不到五天，看守大蛇的官吏夢見天

帝把蛇殺了，對牠說：「為什麼你要擋住聖君的道路？真是該死。」夢醒之後，去看那條蛇，發現已經腐爛。文公感嘆說：「是啊，神怪果然不能戰勝聖道，妖孽也不能戰勝仁德，怎能不講究理智而聽任自然呢？回應以仁德就可以了。」

## 【出處】

晉文公出獵，前驅曰：「前有大蛇，高如堤，阻道竟之。」文公曰：「寡人聞之，諸侯夢惡則修德，大夫夢惡則修官，士夢惡則修身，如是而禍不至矣。今寡人有過，天以戒寡人，還車而反。」前驅曰：「臣聞之，喜者無賞，怒者無刑。今禍福已在前矣，不可變，何不遂驅之？」文公曰：「不然，夫神不勝道，而妖亦不勝德，禍福未發，猶可化也。」還車反，宿齋三日，請於廟曰：「孤少犧不肥，幣不厚，罪一也；孤好弋獵，無度數，罪二也；孤多賦斂，重刑罰，罪三也。請自今以來者，關市無徵，澤梁無賦斂，赦罪人，舊田半稅，新田不稅。」行此令未半旬，守蛇吏夢天帝殺蛇，曰：「何故當聖君道為？而罪當死。」發夢，視蛇臭腐矣。謁之，文公曰：「然，夫神果不勝道，而妖亦不勝德，奈何其無究理而任天也，應之以德而已。」（《新序》〈雜事二〉）

## 樂納善言

晉文公在虢國的故地打獵，遇到一位農夫，問他說：「虢國歷史悠久，這是您的故鄉，應該知道虢君亡國的原因吧？」農夫回答道：

「虢君治政無能，又不採納忠言。缺乏決斷能力又不用賢人，這就是虢國滅亡的原因。」文公心有所動，於是停止打獵轉身回宮。路上碰見趙衰，把這事說給他聽。趙衰問道：「那個農夫在哪？」文公說：「我沒帶他一起回來。」趙衰說：「古時候的君子，採納了誰的好見解就任用誰，現在的君子，採納了人家的好見解卻把人家甩在一邊，可悲啊！」文公於是召見這位農夫給他賞賜，從此晉國上下流行好納善言的風氣，文公也終於成為春秋霸主。

## 【出處】

晉文公田於虢，遇一田夫而問曰：「虢之為虢久矣，子處此故矣，虢亡其有說乎？」對曰：「虢君斷則不能，諫則無與也。不能斷又不能用人，此虢之所以亡。」文公以輟田而歸，遇趙衰而告之。趙衰曰：「今其人安在？」君曰：「吾不與之來也。」趙衰曰：「古之君子，聽其言而用其人，今之君子，聽其言而棄其身，哀哉！晉國之憂也。」文公乃召賞之，於是晉國樂納善言，文公卒以霸。(《新序》〈雜事四〉)

## 鵲巢鳩居

晉文公打獵，追趕一隻麋鹿卻跟丟了，見到農夫老古，問他說：「看見一頭麋鹿沒有？」老古用腳指示說：「往那邊去了。」晉文公頗不高興，責怪他說：「寡人問你，你卻用腳指路，什麼意思呢？」老古拍了拍衣服上的塵土，站起身來說：「真沒想到君主竟是這樣的

人。虎豹厭倦偏遠而靠近人類棲居，因此被人獵獲；魚鱉脫離深淵游於淺水，因此被人捕捉；諸侯因為離開民眾而外出遠遊，所以導致亡國。《詩經》裡說：『喜鵲築巢，斑鳩居住。』國君外出不歸，只怕別人就佔了你的位置啦。」文公聽了感到心慌。返回時遇到欒武子，欒武子問文公道：「獵到野獸了嗎？看您高興的樣子。」文公說：「我跟丟了一隻麋鹿，卻得到了忠告，所以高興。」欒武子問：「那位高人在哪？」文公說：「我沒有請他同來。」欒武子說：「地位崇高而不體恤屬下，是驕橫；命令遲緩而處罰疾速，是暴戾；採納忠告卻拋開人家，是偷盜啊。」文公說：「你說的對。」於是回去載上老古，與他一起返朝。

## 【出處】

晉文公逐麋而失之，問農夫老古曰：「吾麋何在？」老古以足指曰：「如是往。」公曰：「寡人問，子以足指，何也？」老古振衣而起曰：「一不意人君如此也！虎豹之居也，厭閒而近人，故得；魚鱉之居也，厭深而之淺，故得；諸侯之居也，厭眾而遠游，故亡其國。《詩》云：『維鵲有巢，維鳩居之。』[18]君放不歸，人將君之。」於是文公恐，歸，遇欒武子。欒武子曰：「獵得獸乎？而有悅色！」文公曰：「寡人逐麋而失之，得善言，故有悅色。」欒武子曰：「其人安在乎？」曰：「吾未與來也。」欒武子曰：「居上位而不恤其下，驕也；緩令急誅，暴也；取人之善言而棄其身，盜也。」文公曰：「善。」還載老古，與俱歸。（《新序》〈雜事二〉）

---

18. 「維鵲有巢，維鳩居之」，出自《詩經》〈召南・鵲巢〉。

# 文公知其道

晉文公會盟諸侯，發表盟誓說：「我聽說國家的昏亂，不是由於貪戀聲色，就是因為奸詐好利。喜好聲色之樂就是荒淫，奸詐貪利必生惑亂。荒淫惑亂的國家，即便不亡國也會四分五裂。從今往後，不要因美妾而懷疑嫡妻，不要以聲色之樂妨礙政事，不要為私情損害公益，不要用追逐財利為臣民示範。如果這樣做，就是砍掉自己的根本而流連於花葉。這樣的國君，有了禍患不必為他擔憂，有了賊寇不要為他平息。如果不按這番話去做，就拿盟約誓言給他看。」君子聽到盟誓後評論說：「晉文公大概懂得王道吧，他不稱王，是由於沒人輔佐。」

## 【出處】

晉文公合諸侯而盟曰：「吾聞國之昏，不由聲色，必由姦利。好樂聲色者，淫也。貪姦者，惑也。夫淫惑之國，不亡必殘。自今以來，無以美妾疑妻，無以聲樂妨正，無以姦情害公，無以貨利示下。其有之者，是謂伐其根素，流於華葉。若此者，有患無憂，有寇勿弭。不如言者，盟示之。」於是君子聞之曰：「文公其知道乎，其不王者，猶無佐也。」（《說苑》〈反質〉）

# 行地登隧

晉文公的車子爬坡，大夫們都上去幫助推車，只有士會未予理

會。文公問士會說：「做臣子的對國君不敬，該當何罪？」士會回答說：「罪該重死。」文公問：「什麼叫重死？」士會回答說：「除了自己被處死，妻子孩子也要受株連。」士會又反問道：「您為什麼只問臣子對君主不敬，而不問國君對臣子不敬會怎樣呢？」文公問：「君王對臣子不敬，會是怎樣？」士會回答說：「君王如果對臣子不敬，有智謀的人就不會為他出謀劃策，有辯才的人就不會為他據理力爭，仁人賢士不會跟隨他而行，勇士驍將也不會為他效命。」文公扶著車繩下車，向眾大夫致歉說：「我的腰腿有毛病，請各位不要怪罪。」

## 【出處】

晉文侯行地登隧，大夫皆扶之，隨會不扶。文侯曰：「會，夫為人臣而忍其君者，其罪奚如？」對曰：「其罪重死。」文侯曰：「何謂重死？」對曰：「身死，妻子為戮焉。」隨會曰：「君奚獨問為人臣忍其君者，而不問為人君而忍其臣者耶？」文侯曰：「為人君而忍其臣者，其罪何如？」隨會對曰：「為人君而忍其臣者，智士不為謀，辨士不為言，仁士不為行，勇士不為死。」文侯援綏下車，辭大夫曰：「寡人有腰髀之病，願諸大夫勿罪也。」（《說苑》〈尊賢〉）

## 以髮繞炙

晉文公的時候，一次主管膳食的官吏端上一盤烤肉，上面竟有頭髮纏繞。文公令人將廚師叫來，當面怒斥他說：「你想讓我嚥不下去嗎？為什麼烤肉上纏著頭髮？」廚師磕頭又拜了兩次，說：「罪臣有

三條死罪：拿來磨刀石磨刀，刀磨得像寶劍干將一樣鋒利，用來切肉，肉切斷了，頭髮卻沒有斷，這是第一條罪狀；拿起木棒穿透肉片卻沒有看見頭髮，這是第二條罪狀；捧著肉放在燒得很旺的爐子上，炭火燒得通紅，肉都烤熟了，頭髮卻沒有燒掉，這是我的第三條罪狀。堂下該不會有人暗中嫉恨我吧？」文公說：「說得對。」就召見堂下的侍從查問，果然如此，於是將栽贓陷害的人處死了。

## 【出處】

文公之時，宰臣上炙而髮繞之。文公召宰人而譙之曰：「女欲寡人之哽耶？奚為以髮繞炙？」宰人頓首再拜，請曰：「臣有死罪三：援礪砥刀，利猶干將也，切肉肉斷而髮不斷，臣之罪一也；援木而貫臠而不見髮，臣之罪二也；奉熾爐，炭火盡赤紅，而炙熟而髮不燒，臣之罪三也。堂下得無微有疾臣者乎？」公曰：「善。」乃召其堂下而譙之，果然，乃誅之。（《韓非子》〈內儲說下六微〉）

## 履繫自結

晉文公率軍和楚人交戰，到達黃鳳陵的時候，鞋帶散了，就自己繫上。侍從說：「不能讓別人代勞嗎？」文公說：「我聽說，跟上卿在一起的時候，要充滿敬畏；跟中間臣屬在一起的時候，要體現關愛；只有與下等人在一起的時候，才可以放心使喚他們。我雖然不賢，但先父的舊臣都在場，我怎麼敢有勞他們？」

履繫自結

晉文公與楚戰，至黃鳳之陵，履繫解，因自結之。左右曰：「不可以使人乎？」公曰：「吾聞：上，君所與居，皆其所畏也；中，君之所與居，皆其所愛也；下，君之所與居，皆其所侮也。寡人雖不肖，先君之人皆在，是以難之也。」（《韓非子》〈外儲說左下〉）

## 相待如賓

臼季奉命出使，住在冀邑郊外。冀缺（郤成子）在田中鋤草，妻子給他送飯，夫妻倆相敬如賓。臼季看到後，上前打聽，才知道是冀芮的兒子，就把他帶回國都。臼季匯報完出使的公務後，向文公推薦冀缺說：「我得到一個賢能的人，冒昧地向您報告。」文公說：「冀缺的父親有罪，可以重用他嗎？」臼季回答說：「只要是賢良之才，就不應該計較他前輩的罪惡。以前舜處死了鯀，卻起用他的兒子大禹。齊桓公重用管仲，那可是曾經傷害過他的仇敵啊。」文公說：「你怎麼知道冀缺是賢能之人呢？」臼季回答說：「我見到他們夫婦倆在田間都不忘恭敬。恭敬有禮是品德高尚的表現，嚴守德行而謹慎從事，還有什麼事情幹不成呢？」文公召見冀缺，任命他為下軍大夫。

【出處】

臼季使，舍於冀野。冀缺薅，其妻饁之。敬，相待如賓。從而問之，冀芮之子也，與之歸，使覆命，而進之曰：「臣得賢人，敢以

告。」文公曰：「其父有罪，可乎？」對曰：「國之良也，滅其前惡，是故舜之刑也殛鯀，其舉也興禹。今君之所聞也。齊桓公親舉管敬子，其賊也。」公曰：「子何以知其賢也？」對曰：「臣見其不忘敬也。夫敬，德之恪也。恪於德以臨事，其何不濟！」公見之，使為下軍大夫。（《國語》〈晉語五〉）

## 臣之罪當死

晉文公任命李離為大法官。李離因判案失誤錯殺了無罪的人，於是自己拘捕自己，向文公謝罪說：「以臣下的罪過該判死刑。」文公安慰他說：「官位有高低，處罰有輕重，是你手下的錯誤，不是你的過失。」李離說：「我是司法部門的最高長官，並沒有讓位給下級；得到的薪水最高，也沒有分給部下；判案失誤，錯殺了不該殺的人，卻把責任推給下級；這不合道義，我罪該萬死。」文公說：「您一定要說自己有罪，那寡人也有錯誤。」李離說：「主公根據能力任命官員，臣下履行職能處理政務。下臣接受任命那天，主公告誡我說：『執法要體現仁政思想，寧可重罪輕判也不要濫殺無辜。』下臣辜負了君主的教誨，造成錯殺，使民眾無法感受君主的仁德。主公有什麼過錯呢？況且司法部門有明確的規定：重罪輕判者尚可諒解，錯判死刑者當斬。主公以為我有火眼金睛，能明察秋毫，所以任命我主管司法。我卻苛刻嚴酷而不講仁義，相信筆錄供詞而不能明辨是非，聽信旁證卻不去辨別事實真相，以致將無罪的人屈打成招。天下人聽到這件事，一定會非議君主用人不當。老百姓會因此怨恨政府，

各國諸侯也會小看我們晉國。以下臣的罪過，死一萬次也不為過。」文公仍然苦口婆心勸告說：「我聽說剛直不彎的人不能與他交往，方而難圓的人不能與他共存，希望您依著這個道理接受寡人的意見。」李離說：「君主因為愛惜我而損害國法，殺死無罪的人而讓該死的人活著，這兩樣都不利於教育國民，下臣豈敢接受您的宥恕！」文公說：「您知道管仲是如何當臣下的嗎？他忍辱負重任而讓君主施展抱負，行為不端卻讓君主成就霸業。」李離說：「臣下沒有管仲的才幹，卻有辱君上的名聲；不能助力君主實現霸業，卻也不敢繼續毀壞法紀苟且偷生，臣下感謝您的仁德。」說完伏劍自殺。

## 【出處】

晉文公反國，李離為大理，過殺不辜，自繫曰：「臣之罪當死。」文公令之曰：「官有上下，罰有輕重，是下吏之罪也，非子之過也。」李離曰：「臣居官為長，不與下讓位；受祿為多，不與下分利。過聽殺無辜，委下畏死，非義也。臣之罪當死矣。」文公曰：「子必自以為有罪，則寡人亦有過矣。」李離曰：「君量能而授官，臣奉職而任事，臣受印綬之日，君命曰：『必以仁義輔政，寧過於生，無失於殺。』臣受命不稱，壅惠蔽恩，如臣之罪乃當死，君何過之有？且理有法：失生即生，失殺即死，君以臣能聽微決疑，故任臣以理。今離刻深，不顧仁義；信文墨，不察是非；聽他辭，不精事實；掠服無罪，使百姓怨。天下聞之，必議吾君；諸侯聞之，必輕吾國。怨積於百姓，惡揚於天下，權輕於諸侯，如臣之罪，是當重死。」文公曰：「吾聞之也，直而不枉，不可與往；方而不圓，不可與長存，願子以此聽寡人也。」李離曰：「吾以所私害公法，殺無罪而生當死，二者

非所以教於國也，離不敢受命。」文公曰：「子獨不聞管仲之為人臣邪？身辱而君肆，行污而霸成。」李離曰：「臣無管仲之賢，而有辱污之名；無霸王之功，而有射鉤之累。夫無能以臨官，借污以治人，君雖不忍加之於法，臣亦不敢污官亂治以生，臣聞命矣。」遂伏劍而死。（《新序》〈節士〉）

## 言之易，行之難

晉文公要去進攻鄞地，趙衰談了戰勝鄞人的方略，文公用趙衰的辦法拿下了鄞地，要賞賜趙衰。趙衰說：「主公要獎賞起次要作用的人呢，還是獎賞起主要作用的人？獎賞起次要作用的人，那麼士兵們都在；獎賞起主要作用的人，那麼我的辦法是從郤虎那兒聽來的。」文公召見郤虎，說：「我採用趙衰戰勝鄞人的方略，取得了戰爭的勝利，我要獎賞他，他說是從您這兒聽來的，您應該受賞。」郤虎回答說：「談談容易，做起來就困難，臣下不過是說說罷了。」文公說：「您不要推辭。」郤虎不敢堅決推辭，就接受了賞賜。

### 【出處】

晉文公將伐鄞，趙衰言所以勝鄞，文公用之而勝鄞，將賞趙衰。趙衰曰：「君將賞其末乎？賞其本乎？賞其末，則騎乘者存；賞其本，則臣聞之郤虎。」公召郤虎曰：「衰言所以勝鄞，遂勝，將賞之，曰：『蓋聞之子，子當賞。』」郤虎對曰：「言之易，行之難，臣言之者也。」公曰：「子無辭。」郤虎不敢固辭，乃受賞。（《新序》〈雜事四〉）

# 憂累後世

因貪圖小利損失大利，《春秋》上記載有這方面的教訓。晉國的先軫想要建立功勛，就以秦軍經過晉國但未向晉國借路為由，請求攔截秦軍。晉襄公說：「這不行。秦穆公與先王有過盟約，先君剛剛去世，我們就興兵去攻打秦國，這是讓我背叛先君，既破壞了與鄰國的邦交，又喪失了作為孝子的品行啊。」先軫說：「先君去世秦國不來弔唁，也不贈送禮物。領兵經過我國卻不事先打招呼，這是欺侮我們君主孤弱。再說先君的靈柩還沒下葬，他們竟然沒有任何哀悼的意思。」於是堅持出兵。占卜說：「大國的軍隊馬上到來，趕快攔擊它。」晉襄公於是聽任先軫發兵，在殽地攔截秦軍，秦軍連一匹馬一隻車輪也沒有逃脫。晉國自此與秦國結下深仇大恨。兩國經常交戰，屍骨遍野，國家破敗，戰事持續十多年，最終損兵折將，禍延眾臣，連累後人。所以，對好戰的臣子，不能不明察。

## 【出處】

羞小恥以構大怨。貪小利以亡大眾，春秋有其戒，晉先軫是也。先軫欲要功獲名，則以秦不假道之故，請要秦師。襄公曰：「不可，夫秦伯與吾先君有結。先君一日薨，而興師擊之，是孤之負吾先君，敗鄰國之交而失孝子之行也。」先軫曰：「先君薨而不弔贈，是無哀吾喪也；興師徑吾地而不假道，是弱吾孤也；且柩畢尚薄屋，無哀吾

喪也。」興師。卜曰：「大國師將至，請擊之。」則聽先軫興兵，要之殽，擊之，匹馬隻輪無脫者。大結怨構禍於秦。接刃流血，伏屍暴骸，糜爛國家，十有餘年，卒喪其師眾，禍及大夫，憂累後世。故好戰之臣，不可不察也。（《說苑》〈敬慎〉）

# 奉不可失，敵不可縱

　　秦穆公不聽蹇叔的再三勸阻，乘晉國大喪之際出兵滅亡了滑國。先軫說：「秦君不聽蹇叔的勸告，由於貪婪而興師動眾，這是上天賜予我們的機會。給予的機會不能丟失，敵人不能放走。放走敵人，就會發生禍患；違背天意，就會不吉利。一定要進攻秦國軍隊。」欒枝說：「沒有報答秦國的恩惠而進攻它的軍隊，心目中還有死去的國君嗎？」先軫說：「我們有喪事秦國不悲傷，反而攻打我們的同姓國家，他們就是無禮，還講什麼恩惠？我聽說：『一天放走敵人，這是幾代的禍患。』為子孫後代打算，這可以算是對死去國君的交代了吧！」於是聯合姜戎的軍隊，發布出兵的命令。晉襄公把喪服染成黑色，由梁弘駕戰車，萊駒作為車右，在殽地大敗秦軍，俘虜了秦軍的三名指揮官百里孟明視、西乞術和白乙丙，凱旋而歸。君臣們穿著黑色的喪服來安葬晉文公。從此，晉國人開始使用黑色喪服。

## 【出處】

　　晉原軫曰：「秦違蹇叔，而以貪勤民，天奉我也。奉不可失，敵不可縱。縱敵，患生；違天，不祥。必伐秦師！」欒枝曰：「未報秦

施，而伐其師，其為死君乎？」先軫曰：「秦不哀吾喪，而伐吾同姓，秦則無禮，何施之為？吾聞之：『一日縱敵，數世之患也。』謀及子孫，可謂死君乎！」遂發命，遽興姜戎。子墨衰絰，梁弘御戎，萊駒為右。夏四月辛巳，敗秦師於殽，獲百里孟明視、西乞術、白乙丙以歸。遂墨以葬文公，晉於是始墨。（《左傳》〈僖公三十三年〉）

## 使歸就戮

文嬴[19]想營救三位秦軍將領，就對晉襄公說：「他們挑撥兩國國君的關係，我父親抓到他們，非吃他們的肉不可。就讓他們回秦國遭受處罰，以快我父親之意如何？」晉襄公聽從母親的建議，於是放孟明視、西乞術和白乙丙三人回國。

### 【出處】

文嬴請三帥，曰：「彼實構吾二君，寡君若得而食之，不厭，君何辱討焉？使歸就戮於秦，以逞寡君之志，若何？」公許之。（《左傳》〈僖公三十三年〉）

## 敢不自討

先軫得知晉襄公為母親文嬴所騙，釋放孟明視、西乞術和白乙

---

19. 有兩種說法，一說初為懷公園夫人，稱懷嬴，後為文公夫人，稱文嬴；二說秦穆公一次嫁秦女五人與重耳，以文嬴為夫人，其他四人為媵姜，而懷嬴也在其中。

丙等秦軍將領回國，非常生氣地說：「戰士們花力氣在戰場上逮住他們，女人說幾句話就輕易放他們回國，毀掉得之不易的戰果又長敵人志氣，晉國離亡國不遠了！」先軫壓抑不住心頭的憤怒，在襄公面前往地上吐了口唾沫。晉襄公派陽處父追趕孟明視等人，追到黃河邊上，三人已經上船。陽處父解下車左邊的驂馬，以晉襄公的名義贈送他們，誘孟明視一行上岸。孟明視叩頭說：「承蒙君王的恩惠，不用被囚之臣來祭鼓，讓我們回到秦國認罪。寡君如果處死我們，也算死而不朽；如果依從君王的恩惠赦免我們，三年後再來拜謝君王的恩賜。」不久狄人攻打晉國，到達箕地。先軫說：「國君原諒了我的放肆，我自己哪敢原諒自己？」於是脫下頭盔衝入狄軍，力戰而死。狄人送回他的首級，面色如同活著時一樣。

## 【出處】

先軫朝，問秦囚。公曰：「夫人請之，吾舍之矣。」先軫怒，曰：「武夫力而拘諸原，婦人暫而免諸國，墮軍實而長寇仇，亡無日矣！」不顧而唾。公使陽處父追之，及諸河，則在舟中矣。釋左驂，以公命贈孟明。孟明稽首曰：「君之惠，不以累臣釁鼓，使歸就戮於秦，寡君之以為戮，死且不朽。若從君惠而免之，三年將拜君賜。」狄伐晉，及箕。八月戊子，晉侯敗狄於箕。郤缺獲白狄子。先軫曰：「匹夫逞志於君，而無討，敢不自討乎？」免冑入狄師，死焉。狄人歸其元，面如生。（《左傳》〈僖公三十三年〉）

# 君子如怒

秦晉殽地之戰的時候，梁弘為晉襄公駕戰車，萊駒為車右。晉襄公捆綁了秦國的俘虜，讓萊駒揮戈擊殺他們。俘虜大聲喊叫，萊駒竟然將戈掉在地上。狼瞫拾起戰戈擊殺俘虜，抓起萊駒追上晉襄公的戰車，晉襄公於是讓他作為車右。箕地之戰時，先軫不讓狼瞫為車右，而以續簡伯代之。狼瞫很生氣。他的好友說：「為什麼不去死？」狼瞫問他說：「到哪裡去死？」好友說：「我跟你一起發難殺死先軫。」狼瞫不同意說：「《周志》裡說：『以勇犯上，死後不能進入明堂。』不合道義的死不算勇敢，為國捐軀才叫作勇敢。我以勇敢升任車右，因為無勇而被廢黜，當然是合適的。倘若廢黜得當，就是瞭解我了。你等著吧！」到達彭衙，擺開陣勢以後，狼瞫率領部下衝入秦軍隊伍，力戰而死。晉軍隨後跟進，將秦軍打得大敗。君子說：「狼瞫是響噹噹的正人君子。《詩經》中說：『君子如果發怒，動亂將很快遏止。』又說：『文王勃然大怒，於是整頓軍隊。』發怒而不去作亂，而跟著軍隊作戰，這就可謂是君子。」

## 【出處】

二年春，秦孟明視帥師伐晉，以報殽之役。二月，晉侯御之。先且居將中軍，趙衰佐之。王官無地御戎，狐鞫居為右。甲子，及秦師戰於彭衙。秦師敗績。晉人謂秦「拜賜之師」。戰於殽也，晉梁弘御戎，萊駒為右。戰之明日，晉襄公縛秦囚，使萊駒以戈斬之。囚呼，萊駒失戈，狼瞫取戈以斬囚，禽之以從公乘，遂以為右。箕

之役，先軫黜之而立續簡伯。狼瞫怒。其友曰：「盍死之？」瞫曰：「吾未獲死所。」其友曰：「吾與女為難。」瞫曰：「《周志》有之：『勇則害上，不登於明堂。』死而不義，非勇也。共用之謂勇。吾以勇求右，無勇而黜，亦其所也。謂上不我知，黜而宜，乃知我矣。子姑待之。」及彭衙，既陳，以其屬馳秦師，死焉。晉師從之，大敗秦師。君子謂：「狼瞫於是乎君子。《詩》曰：『君子如怒，亂庶遄沮。』[20]又曰：『王赫斯怒，爰整其旅。』[21]怒不作亂，而以從師，可謂君子矣。」（《左傳》〈文公二年〉）

## 貌濟言匱

　　陽處父到衛國訪問，返回晉國時路過寧邑，住宿在寧嬴的旅店裡。寧嬴見陽處父相貌堂堂，舉止不凡，十分欽佩，悄悄對妻子說：「我早就想投奔一位品德高尚的人，今天總算遇到了。」於是告別妻子跟陽處父走了。一路上，陽處父跟寧嬴談話。到了河內溫山，寧嬴就和陽處父分手，折返家中。妻子不解，問他說：「你遇到敬仰的人，卻又不跟隨他，是戀家嗎？」寧嬴回答說：「我看到他的外貌想跟他去，聽到他的言辭後又厭惡他。外貌與性情相符合才能成就大事，互相背離就會出毛病。陽子相貌堂堂，但言辭匱乏，不副其實。陽子用外貌掩蓋了自己的缺點，而且他性情剛愎，自以為才能超群，不本著仁義行事而觸犯他人，就會聚集怨恨，觸犯別人而聚集怨恨，

---

20.「君子如怒，亂庶遄沮」，出自《詩經》〈小雅‧巧言〉。

21.「王赫斯怒，爰整其旅」，出自《詩經》〈大雅‧皇矣〉。

自身又怎麼能夠安定？我擔心跟著他不但不能獲益，反而受牽連遭禍，所以才離開他。」第二年，晉國發生賈季發難事件，陽子果然因此而死。

## 【出處】

陽處父如衛，反，過寧，舍於逆旅寧嬴氏。嬴謂其妻曰：「吾求君子久矣，今乃得之。」舉而從之，陽子道與之語，及山而還。其妻曰：「子得所求而不從之，何其懷也！」曰：「吾見其貌而欲之，聞其言而惡之。夫貌，情之華也；言，貌之機也。身為情，成於中。言，身之文也。言文而發之，合而後行，離則有釁。今陽子之貌濟，其言匱，非其實也。若中不濟，而外強之，其卒將復，中以外易矣。若內外類，而言反之，瀆其信也。夫言以昭信，奉之如機，歷時而發之，胡可瀆也！今陽子之情譓矣，以濟蓋也，且剛而主能，不本而犯，怨之所聚也。吾懼未獲其利而及其難，是故去之。」期年，乃有賈季之難，陽子死之。（《國語》〈晉語五〉）

## 欲立長君

晉襄公去世的時候，太子夷皋尚小。晉國人以晉國多難，應該立年齡大一點的君王為由，提議迎立襄公在秦國的異母弟公子雍為君。趙盾說：「雍溫和善良，年齡也較大，先君又喜愛他。而且他親近秦國，秦國本來是友好鄰國。立善良的人國家就穩固，侍奉年長的人國家就順利，侍奉先君喜歡的人就孝順，與舊日的朋友結交就安定。」

賈季（狐射姑）提出不同意見說：「雍不如他弟弟樂合適。辰嬴被兩位國君寵愛，立她的兒子，百姓一定安心。」趙盾說：「辰嬴卑賤，在九個妃妾中排位最後，她的兒子能有什麼威望？況且她被兩位國君寵愛，這是淫亂。樂作為先君的兒子，不去投靠大國而去陳國這樣的小國，這是孤立。母親淫亂，兒子孤立，沒有威嚴；陳國遠離晉國，得不到援助，又怎麼可以為君呢？」於是趙盾派士會等到秦國迎接公子雍。賈季則派人到陳國召喚公子樂。趙盾廢除了賈季的職位，因為他派人殺了陽處父。

## 【出處】

七年八月，襄公卒。太子夷皋少。晉人以難故，欲立長君。趙盾曰：「立襄公弟雍。好善而長，先君愛之；且近於秦，秦故好也。立善則固，事長則順，奉愛則孝，結舊好則安。」賈季曰：「不如其弟樂。辰嬴嬖於二君，立其子，民必安之。」趙盾曰：「辰嬴賤，班在九人下，其子何震之有！且為二君嬖，淫也。為先君子，不能求大而出在小國，僻也。母淫子僻，無威；陳小而遠，無援。將何可乎！」使士會如秦迎公子雍。賈季亦使人召公子樂於陳。趙盾廢賈季，以其殺陽處父。（《史記》〈晉世家第九〉）

## 言猶在耳

趙盾派先蔑、士會到秦國迎接公子雍。太子的母親繆嬴得知消息，日夜懷抱太子到朝廷號哭說：「先君有什麼罪？他的繼承人有

什麼罪？你們丟棄嫡子卻到外邊找君主，打算把太子放在什麼位置上？」繆嬴出了朝廷，就抱著太子跑到趙盾的住所，叩拜說：「先君把這個孩子囑託給您，曾說過『這孩子成了才，我就是受了您的賜予；不成才，我就怨恨你』。現在先君去世了，話還響在耳邊，您卻要廢掉他，這怎麼行？」趙盾和各位大臣都害怕繆嬴，於是改立太子夷皋，這就是靈公。同時派軍隊抵禦秦國護送公子雍的軍隊。趙盾為主將，在令狐打敗秦軍。先蔑、士會逃到秦國。

## 【出處】

太子母繆嬴日夜抱太子以號泣於朝，曰：「先君何罪？其嗣亦何罪？舍適而外求君，將安置此？」出朝，則抱以適趙盾所，頓首曰：「先君奉此子而屬之子，曰『此子材，吾受其賜；不材，吾怨子』。今君卒，言猶在耳，而棄之，若何？」趙盾與諸大夫皆患繆嬴，且畏誅，乃背所迎而立太子夷皋，是為靈公。發兵以距秦送公子雍者。趙盾為將，往擊秦，敗之令狐。先蔑、隨會亡奔秦。（《史記》〈晉世家第九〉）

## 敵惠敵怨，不在後嗣

魯文公六年（西元前621年）十一月，趙盾處死續簡伯，賈季逃亡到赤狄。趙盾考慮到賈季在晉國功勞高於趙氏，甚得民心，於是派臾駢把他的妻子兒女送去團聚。在夷地閱兵的時候，賈季曾經侮辱過臾駢。臾駢手下的人主張殺死賈季的家眷予以報復。臾駢說：「不

行。我聽說《前志》上有這樣的話:『有惠於人或有怨於人,和他的後代無關』,這才是忠義之道。宣子他老人家對賈季表示禮貌,我因為受到老人家的寵信而報復私怨,這怎麼行呢?倚仗於別人的寵信實施報復,這不是勇敢。怨氣不減又增加仇恨,這不是明智。以私害公,也算不上忠義。捨棄了這三條,拿什麼去侍奉他老人家?」於是把賈季的家眷及器用財貨準備齊全,親自護送到狄國。

## 【出處】

十一月丙寅,晉殺續簡伯。賈季奔狄。宣子使臾駢送其帑。夷之蒐,賈季戮臾駢,臾駢之人欲盡殺賈氏以報焉。臾駢曰:「不可。吾聞《前志》有之曰:『敵惠敵怨,不在後嗣』,忠之道也。夫子禮於賈季,我以其寵報私怨,無乃不可乎?介人之寵,非勇也。損怨益仇,非知也。以私害公,非忠也。釋此三者,何以事夫子?」盡具其帑,與其器用財賄,親帥扞之,送致諸竟。(《左傳》〈文公六年〉)

## 同官為僚

趙盾派先蔑和士會到秦國迎接公子雍。出使之前,荀林父勸阻先蔑說:「夫人和太子都在,反而到外邊迎接國君,一定是行不通的。您不妨以生病為藉口,否則會惹禍上身。」先蔑沒有聽從荀林父的勸告,與士會前往秦國迎接公子雍。後來趙盾改立太子夷皋,發兵擊潰秦國護送公子雍的軍隊。先蔑和士會被迫逃往秦國。荀林父派人把先蔑的妻子兒女和財產全部送往秦國說:「這是因為同僚的情誼。」士

會在秦國待了三年，一直沒有與先蔑見面。

## 【出處】

先蔑之使也，荀林父止之，曰：「夫人、大子猶在，而外求君，此必不行。子以疾辭，若何？不然將及。攝卿以往可也，何必子？同官為寮，吾嘗同寮，敢不盡心乎！」弗聽。為賦《板》之三章。又弗聽。及亡，荀伯盡送其帑及其器用財賄於秦，曰：「為同寮故也。」士會在秦三年，不見士伯。其人曰：「能亡人於國，不能見於此，焉用之？」士季曰：「吾與之同罪，非義之也，將何見焉？」及歸，遂不見。（《左傳》〈文公七年〉）

# 危若累卵

晉靈公準備耗費巨金，建造一座九層高臺，並對左右下令說：「誰敢諫阻，定斬不饒！」荀息上書求見，靈公讓衛士們張弓搭箭伺候兩旁。荀息說：「我不是來進諫的。我只是來跟您表演雜技。」靈公一聽，頓時高興起來：「你有什麼絕活呢？」荀息說：「我能把十二枚棋子壘起來，上面再放置九個雞蛋。」靈公說：「那你現場演示一下吧！」荀息一本正經，專心致志地表演起來。先把十二枚棋子壘在下邊，再把九顆雞蛋壘在上面。靈公身邊的人都屏住呼吸，靈公也緊張得喘不過氣來，連聲說：「好險哪！好險哪！」這時荀息說：「這不算危險，還有比這更險的呢！」靈公說：「快讓我見識見識。」荀息說：「大王要築九層高臺，至少得花三年時間，徵用大量民力，以

致田地荒蕪，生產停頓，國庫空虛。倘若鄰國乘機來襲，我們的國家一定會被攻破，等到山河破碎，即便您置身九層高臺，又能看到些什麼呢？」靈公點頭說：「築臺的後果危若累卵，是我錯了。」於是下令停止築臺。[22]

## 【出處】

　　晉靈公造九層之臺，費用千金，謂左右曰：「敢有諫者斬。」荀息聞之，上書求見。靈公張弩持矢見之。曰：「臣不敢諫也。臣能累十二博棋，加九雞子其上。」公曰：「子為寡人作之。」荀息正顏色，定志意，以棋子置下，加九雞子其上。左右懼慴息，靈公氣息不續。公曰：「危哉，危哉！」荀息曰：「此殆不危也，復有危於此者。」公曰：「願見之。」荀息曰：「九層之臺三年不成，男不耕，女不織，國用空虛，鄰國謀議將興，社稷亡滅，君欲何望？」靈公曰：「寡人之過也乃至於此！」即壞九層臺也。（《史記》〈范雎蔡澤列傳〉）


## 伐備鐘鼓


　　宋國人殺死宋昭公，趙宣子請求晉靈公出兵討伐宋國。靈公說：「這並不是晉國的當務之急。」趙宣子回答說：「最大的是天地關係，其次是君臣關係，這是很明顯的道理。宋國人殺死國君，這是違反天

---

22. 參見《史記》〈范雎蔡澤列傳・正義〉。荀息是晉獻公時重臣，卒於晉獻公二十六年（西元前651年），靈公於西元前六二〇年即位，荀息在三十一年前已去世。

理人倫的事情，一定要遭受上天的懲罰。晉國作為盟主，而不遵從天意實施懲罰，恐怕將惹禍上身。」靈公答應出征。於是在太廟裡發布號令，召集軍吏告誡樂官，命令三軍鐘鼓齊備。趙同問道：「國家有重大戰役，不去安撫民眾卻去準備鐘鼓，這是為什麼呢？」宣子回答說：「大罪討伐它，小罪威嚇它。偷襲、入侵這類事，是欺凌他人。所以討伐要有鐘鼓，以便聲討它的罪行。打仗動用錞於、丁寧兩種樂器，是為了警告他的人民。偷襲和入侵要祕而不宣，是為了讓對方沒有防備。現在宋國人殺死他們的國君，沒有比這更大的罪惡了。大張旗鼓地聲討它，就是要廣為人知。我強調鐘鼓齊備，是為了尊重君道的緣故呀。」於是派人遍告諸侯，一路鳴鐘擊鼓去攻打宋國。

## 【出處】

　　宋人弒昭公，趙宣子請師於靈公以伐宋，公曰：「非晉國之急也。」對曰：「大者天地，其次君臣，所以為明訓也。今宋人弒其君，是反天地而逆民則也，天必誅焉。晉為盟主，而不修天罰，將懼及焉。」公許之。乃發令於太廟，召軍吏而戒樂正，令三軍之鐘鼓必備。趙同曰：「國有大役，不鎮撫民而備鐘鼓，何也？」宣子曰：「大罪伐之，小罪憚之。侵襲之事，陵也。是故伐備鐘鼓，聲其罪也；戰以錞於、丁寧，儆其民也。襲侵密聲，為暫事也。今宋人弒其君，罪莫大焉！明聲之，猶恐其不聞也。吾備鐘鼓，為君故也。」乃使旁告於諸侯，治兵振旅，鳴鐘鼓，以致於宋。（《國語》〈晉語五〉）

# 目動而言肆

　　晉軍在河曲迎戰秦軍，臾駢說：「秦軍不能持久，請高築軍壘鞏
固軍營等著他們。」但趙穿說：「敵人來了不去攻擊，打算等待什麼
呢？」於是私自帶領他的士兵出戰。趙盾怕趙穿被俘，於是指揮晉軍
全線出擊。雙方剛一交戰就彼此退兵。秦軍的使者夜晚前來告誡晉
國軍隊說：「我們兩國國君的將士都還沒有痛快地打一仗，明天咱們
就刀兵相見吧。」臾駢從使者的表情和聲音看出了破綻，對眾人說：
「使者眼神不安而聲音失常，這是害怕我們，秦軍就要逃走了。如果
把他們逼到黃河邊上，一定可以打敗他們。」胥甲、趙穿擋住營門大
聲呼喊說：「死傷的人還沒安頓好就丟棄他們，這不仁慈；不等到約
定的日期而把人逼入險境，這是沒有勇氣。」於是晉軍停止出擊。秦
軍果然於當夜逃走了。

## 【出處】

　　十二月戊午，秦軍掩晉上軍，趙穿追之，不及。反，怒曰：「裹
糧坐甲，固敵是求，敵至不擊，將何俟焉？」軍吏曰：「將有待也。」
穿曰：「我不知謀，將獨出。」乃以其屬出。宣子曰：「秦獲穿也，
獲一卿矣。秦以勝歸，我何以報？」乃皆出戰，交綏。秦行人夜戒
晉師曰：「兩君之士皆未憖也，明日請相見也。」臾駢曰：「使者
目動而言肆，懼我也，將遁矣。薄諸河，必敗之。」胥甲、趙穿當
軍門呼曰：「死傷未收而棄之，不惠也；不待期而薄人於險，無勇
也。」乃止。秦師夜遁。（《左傳》〈文公十二年〉）

# 過而能改，善莫大焉

　　傳說晉靈公生性殘暴，時常藉故殺人。一天，他覺得廚師送上來的熊掌燉得不透，殘忍地當場把廚師處死。兩個宮人奉命把屍體裝在筐裡抬出去，正好被趙盾、士會看見。趙盾和士會感到擔心，準備進諫。士會對趙盾說：「你勸諫如果聽不進去，就沒有人繼續勸諫了。請讓我先去，不聽，你再接著勸諫。」士會進入後前進時行了三次禮，到達屋簷下，晉靈公才轉眼看他，說：「我知錯了，今後一定改正。」士會聽說，就用溫和的態度說：「人非聖賢，誰能沒有過錯呢？知錯能改就好。如果您能接受臣子的勸諫，就是一個好國君。」晉靈公並沒有認識自己的過錯，依然殘暴如故，他反感趙盾屢次勸諫，竟派刺客去暗殺趙盾，趙盾無奈逃走，靈公自己也被趙穿所殺。

## 【出處】

　　晉靈公不君，厚斂以雕牆，從臺上彈人而觀其辟丸也；宰夫胹熊蹯不熟，殺之，置諸畚，使婦人載以過朝。趙盾、士季見其手，問其故，而患之。將諫，士季曰：「諫而不入，則莫之繼也。會請先，不入則子繼之。」三進，及溜，而後視之，曰：「吾知所過矣，將改之。」稽首而對曰：「人誰無過？過而能改，善莫大焉。《詩》曰：『靡不有初，鮮克有終。』夫如是，則能補過者鮮矣。君能有終，則社稷之固也，豈唯群臣賴之。又曰：『袞職有闕，惟仲山甫補之。』能補過也。君能補過，袞不廢矣。」猶不改。宣子驟諫，公患之，使鉏麑賊之。（《左傳》〈宣公二年〉）

# 董狐直筆

　　趙穿在桃園殺死了晉靈公。趙盾尚未走出晉國國境，於是折返回來再度執政。太史董狐記載說：「趙盾弒其君。」並在朝廷上公示。趙盾說：「情況不是這樣。」董狐回答說：「您是正卿，逃亡而沒有走出國境，回來不懲罰兇手，弒君的人不是您是誰？」趙盾哀嘆說：「哎呀！《詩》中說：『因為我的懷念，給自己帶來了麻煩。』說的就是我了。」孔子評價說：「董狐，是古代稱職的史官，秉筆直書而不加隱諱。趙宣子，是古代的好大夫，因為法度而蒙受惡名。太可惜了，要是當時走出國境，就可以避免背上弒君的罪名了。」

## 【出處】

　　乙丑，趙穿攻靈公於桃園。宣子未出山而復。大史書曰：「趙盾弒其君。」以示於朝。宣子曰：「不然。」對曰：「子為正卿，亡不越竟，反不討賊，非子而誰？」宣子曰：「嗚呼，『我之懷矣，自詒伊戚』，其我之謂矣！」孔子曰：「董狐，古之良史也，書法不隱。趙宣子，古之良大夫也，為法受惡。惜也，越竟乃免。」（《左傳》〈宣公二年〉）

# 山有朽壤

　　梁山發生山崩，伯宗應景公之召乘車前往，途中遇見一輛大車翻在路中間。伯宗站起身來要大車讓路，斥責車伕說：「避開我的驛

車。」大車車伕說：「驛車求的是速度快，等我這輛大車移開讓路，反倒慢了，不如從旁邊走快。」伯宗聽了很驚訝，問車伕是哪裡人，車伕答說：「是絳城人。」伯宗問：「在絳城聽到什麼消息嗎？」車伕說：「因為梁山發生了山崩，所以國君以驛車召見伯宗來商量。」伯宗問：「你覺得該怎麼辦才好呢？」車伕回答：「梁山因為土壤鬆了才發生崩塌，又能怎麼辦呢？我國以山川為主，遇到河涸山崩，國君應該穿素服到郊外居住，乘坐沒有彩繪的車子，取消平日的飲酒作樂，以簡策向上天祈禱，國人要哀悼三天，以禮祭山川之神。即便是伯宗也不過如此而已，還能有什麼辦法？」伯宗問他的姓名，車伕不肯講；想請他一起去拜見景公，車伕也不答應。伯宗到了絳城，把車伕的話說給景公聽，景公一一照辦了。

## 【出處】

梁山崩，以傳召伯宗，遇大車當道而覆，立而辟之，曰：「避傳。」對曰：「傳為速也，若俟吾避，則加遲矣，不如捷而行。」伯宗喜，問其居，曰：「絳人也。」伯宗曰：「何聞？」曰：「梁山崩而以傳召伯宗。」伯宗問曰：「乃將若何？」對曰：「山有朽壤而崩，將若何？夫國主山川，故川涸山崩，君為之降服、出次、乘縵、不舉，策於上帝，國三日哭，以禮焉。雖伯宗亦如是而已，其若之何？」問其名，不告；請以見，不許。伯宗及絳，以告，而從之。（《國語》〈晉語五〉）

# 晉伯宗妻

　　伯宗退朝以後，喜氣洋洋地回到家中。妻子問他說：「看你喜形於色的樣子，為什麼呢？」伯宗回答說：「我在朝廷發言，大夫們都稱讚我像陽處父那樣機智善辯。」妻子說：「陽子這個人華而不實，善於談論而無謀略，最終招致殺身之禍。以你比他，哪是什麼好事？」伯宗說：「我設宴請大夫們飲酒，和他們談話，你來聽聽。」妻子說：「好吧。」宴會結束後，妻子說：「那些大夫確實比不上你。但是人們不能容忍才智在自己之上的賢人，多少年來都是這樣。將來你肯定會因此蒙難，還是早點物色能幹的人來保護你的兒子伯州犁吧。」伯宗於是求助於畢陽。等到欒弗忌被害，大夫們妒恨伯宗，將他謀害處死。畢陽於是把伯州犁送到楚國。

## 【出處】

　　伯宗朝，以喜歸。其妻曰：「子貌有喜，何也？」曰：「吾言於朝，諸大夫皆謂我智似陽子。」對曰：「陽子華而不實，主言而無謀，是以難及其身。子何喜焉？」伯宗曰：「吾飲諸大夫酒，而與之語，爾試聽之。」曰：「諾。」既飲，其妻曰：「諸大夫莫子若也。然而民不能戴其上久矣，難必及子乎！盍亟索士整庇州犁焉。」得畢陽。及欒弗忌之難，諸大夫害伯宗，將謀而殺之。畢陽實送州犁於荊。（《國語》〈晉語五〉）

# 何力之有

　　靡笄之戰勝利後，郤獻子拜見晉景公。景公說：「這次勝利是你的功勞啊！」獻子回答說：「郤克以君主的命令號令三軍，三軍將士個個用命，郤克有什麼功勞可言呢？」接著范文子來朝見晉景公。景公說：「這次你功勞不小啊！」文子回答說：「范燮聽命於中軍元帥，以此號令上軍將士，上軍將士浴血奮戰，范燮有什麼功勞可言呢？」欒武子最後朝見晉景公。景公說：「這一次你表現很好啊！」武子回答說：「欒書聽命於上軍主將，以此號令下軍將士，下軍將士遵從命令奮勇殺敵，我欒書有什麼功勞可言呢？」

## 【出處】

　　靡笄之役，郤獻子見，公曰：「子之力也夫！」對曰：「克也以君命命三軍之士，三軍之士用命，克也何力之有焉？」范文子見，公曰：「子之力也夫！」對曰：「燮也受命於中軍，以命上軍之士，上軍之士用命，燮也何力之有焉？」欒武子見，公曰：「子之力也夫！」對曰：「書也受命於上軍，以命下軍之士，下軍之士用命，書也何力之有焉？」（《國語》〈晉語五〉）

# 三軍之心

　　靡笄戰役中，郤獻子為流矢所傷，血流不止，對左右說：「我喘不過氣了。」解張為他駕車，勉勵他說：「三軍將士的注意力，都集

中在我們這輛指揮車上。他們的眼睛緊盯著我們的戰旗，耳朵聆聽著我們的戰鼓。只要不揮舞撤退的旗幟，不敲打退兵的鼓點，將士們就會一往無前。您一定要堅持住，出征前在宗廟裡接受命令，接受了神賜的祭肉，身披盔甲而為國犧牲是軍人的職責。雖然負傷，所幸生命無礙，千萬不可以鬆懈全軍的鬥志。」說完用左手拉緊韁繩，右手猛擂戰鼓。戰馬狂奔不止，晉軍士氣大振，人人奮勇爭先，齊軍因此大敗，被晉軍環繞華不注山追了三圈。

## 【出處】

靡笄之役，郤獻子傷，曰：「余病喙。」張侯御，曰：「三軍之心，在此車也。其耳目在於旗鼓。車無退表，鼓無退聲，軍事集焉。吾子忍之，不可以言病。受命於廟，受脤於社，甲冑而效死，戎之政也。病未若死，只以解志。」乃左並轡，右援枹而鼓之，馬逸不能止，三軍從之。齊師大敗，逐之，三周華不注之山。（《國語》〈晉語五〉）

## 秦客廋辭

范文子很晚才退朝回來，范武子問他：「怎麼回來這麼晚呢？」文子回答說：「有位秦國來的客人在朝中講隱語，大夫們沒有一個能回答的，我說出了其中的三條。」武子發怒說：「大夫們不是不能回答，而是出於對長輩父兄的謙讓。你一個年輕的孩子，卻在朝中三次搶先，風頭蓋過他人。如果不是我在晉國，你早就遭殃了！」說著舉

起手杖責打兒子，把他玄冠上的簪子都打斷了。

【出處】

范文子暮退於朝。武子曰：「何暮也？」對曰：「有秦客廋辭於朝，大夫莫之能對也，吾知三焉。」武子怒曰：「大夫非不能也，讓父兄也。爾童子，而三掩人於朝。吾不在晉國，亡無日矣。」擊之以杖，折委笄。（《國語》〈晉語五〉）

## 范文子後入

鞌笄之戰，郤獻子（郤克）凱旋，范文子最後入城。范武子說：「爕兒呀，你不知道我天天盼望你早點回來嗎？」文子回答說：「軍隊的主帥是郤獻子，打了勝仗，假如我率先歸來，恐怕國內的人都會把注意力集中到我身上，所以我不敢這麼做。」武子滿意地說：「我們的家族可以免禍了。」

【出處】

鞌笄之役，郤獻子師勝而返，范文子後入。武子曰：「爕乎，女亦知吾望爾也乎？」對曰：「夫師，郤子之師也，其事臧。若先，則恐國人之屬耳目於我也，故不敢。」武子曰：「吾知免矣。」（《國語》〈晉語五〉）

# 郤雍視盜

　　晉國有一個叫郤雍的人，能從人的相貌和眉目判斷是否是小偷。晉侯叫他去查看小偷，千百人中不會遺漏一個。晉侯大為高興。告訴趙文子說：「我得到一個人，可以讓全國的小偷都消失，何必用那麼多人呢？」文子說：「您依仗窺伺觀察而抓到小偷，小偷不但清除不盡，而且郤雍一定會死於非命。」不久一群小偷商量說：「我們走投無路的原因，就是這個郤雍。」於是設伏殺死郤雍。晉侯聽說後大為驚駭，立刻召見文子，告訴他說：「果然如你所料。郤雍死了，用什麼方法來對付小偷呢？」文子說：「周朝的諺語說：能看到深淵的游魚不吉祥，能猜測到別人心事有災殃。您要想沒有小偷，最好的辦法是選拔賢能的人並重用他們，如果政治清明，民風淳樸，老百姓有羞恥之心，還有誰去做小偷呢？」於是晉侯任用隨會主持政事，小偷紛紛跑到秦國去了。[23]

## 【出處】

　　晉國苦盜，有郤雍者，能視盜之貌，察其眉睫之間而得其情。晉侯使視盜，千百無遺一焉。晉侯大喜，告趙文子曰：「吾得一人，而一國盜為盡矣，奚用多為？」文子曰：「吾君恃伺察而得盜，盜不盡矣，且郤雍必不得其死焉。」俄而群盜謀曰：「吾所窮者郤雍也。」遂共盜而殘之。晉侯聞而大駭，立召文子而告之曰：「果如子言，郤

23. 趙文子於魯襄公二十五年（西元前548年）時成為晉國執政，時當晉平公在位。隨會於魯宣公十六年（西元前593年）時成為晉國執政。其為政早於趙文子四十五年，兩人應不在同一時代。

郤雍視盜

雍死矣！然取盜何方？」文子曰：「周諺有言：察見淵魚者不祥，智料隱匿者有殃。且君欲無盜，莫若舉賢而任之；使教明於上，化行於下，民有恥心，則何盜之為？」於是用隨會知政，而群盜奔秦焉。（《列子》〈說符〉）

## 干人之怒，必獲毒焉

　　郤獻子出使齊國，齊頃公讓婦女們躲在帳幔後面偷看並譏笑他。[24]郤獻子非常氣憤，回到晉國後就請求發兵攻打齊國。范武子退朝回家，對兒子說：「燮兒呀，我聽說，觸怒別人，必遭報復。看郤子怒氣衝天的樣子，不能在齊國得逞，就會在晉國發洩。如果他不能在晉國掌權，又怎麼能宣洩心中的憤怒呢？我不想因外事而傷內事，所以準備辭職讓位，以滿足郤子的願望。希望你用心跟隨眾卿，努力服從國君的命令，一切都恭敬從事。」於是范武子就告老辭職了。

### 【出處】

　　郤獻子聘於齊，齊頃公使婦人觀而笑之。郤獻子怒，歸，請伐齊。范武子退自朝，曰：「燮乎，吾聞之，干人之怒，必獲毒焉。夫郤子之怒甚矣，不逞於齊，必發諸晉國。不得政，何以逞怒？余將致政焉，以成其怒，無以內易外也。爾勉從二三子，以承君命，唯敬。」乃老。（《國語》〈晉語五〉）

---

24. 郤克是駝背，參見馮夢龍《東周列國志》第五十六回「蕭夫人登臺笑客」。

# 理直氣壯

晉國軍隊駐紮在敖、鄗兩山之間。鄭國派皇戌到晉軍中說:「鄭國服從楚國,是為了保存國家的緣故,對晉國並沒有二心。楚軍屢次得勝,將士都很驕傲。他們從楚國出來很久了,部隊沒有設防。晉軍如果攻擊他們,鄭國軍隊將作為後援,楚軍一定會失敗。」郤子說:「打敗楚軍,征服鄭國,在此一舉,一定要答應皇戌的請求。」欒書說:「楚國自從戰勝庸國以來,他們的國君從未懈怠,訓導官員重視民生,時刻保持憂患意識,告訴將士戒驕戒躁,用若敖、蚡冒篳路藍縷、披荊斬棘的事蹟來激勵國民,告誡說:『百姓的生計在於勤勞,勤勞就不會匱乏。』這就不能說他們驕傲。先大夫子犯說過:『出兵作戰,理直就氣壯,理虧就氣衰。』我們的行為不合道德,又和楚國結怨,我們理屈,楚國理直,就不能說他們氣衰。楚國君主的戰車分為左右二廣,按次序輪值,怎能說楚軍沒有防備呢?子良是鄭國的傑出人物;師叔在楚國地位崇高。師叔到鄭國結盟,子良到楚國為人質,楚國和鄭國關係親近。他們來勸我們作戰,我們得勝就歸服,不勝則投靠楚國,這是用我們的勝負來決定去從!鄭國的話哪能聽從呢?」趙括、趙同說:「領兵而來,就是為了跟敵人作戰的。戰勝強敵,得到屬國,還等待什麼?一定要聽從郤子的話。」荀首說:「趙同、趙括的主意,是自取禍亂之道。」趙莊子說:「欒伯說得對!按他的話做,晉國一定能長保平安。」

晉師在敖、鄗之間。鄭皇戌使如晉師，曰：「鄭之從楚，社稷之故也，未有貳心。楚師驟勝而驕，其師老矣，而不設備，子擊之，鄭師為承，楚師必敗。」彘子曰：「敗楚服鄭，於此在矣，必許之。」欒武子曰：「楚自克庸以來，其君無日不討國人而訓之於民生之不易，禍至之無日，戒懼之不可以怠。在軍，無日不討軍實而申儆之於勝之不可保，紂之百克而卒無後，訓之以若敖、蚡冒篳路藍縷，以啟山林。箴之曰：『民生在勤，勤則不匱。』不可謂驕。先大夫子犯有言曰：『師直為壯，曲為老。』我則不德，而徼怨於楚，我曲楚直，不可謂老。其君之戎，分為二廣，廣有一卒，卒偏之兩。右廣初駕，數及日中，左則受之，以致於昏。內官序當其夜，以待不虞，不可謂無備。子良，鄭之良也。師叔，楚之崇也。師叔入盟，子良在楚，楚、鄭親矣。來勸我戰，我克則來，不克遂往，以我卜也，鄭不可從。」趙括、趙同曰：「率師以來，唯敵是求。克敵得屬，又何俟？必從彘子。」知季曰：「原、屏，咎之徒也。」趙莊子曰：「欒伯善哉，實其言，必長晉國。」（《左傳》〈宣公十二年〉）

## 退思補過

邲之戰晉軍慘敗，回國後，主帥荀林父自請死罪，晉景公想答允他。士貞子勸諫說：「不能這麼做。城濮之戰時晉軍大勝，楚軍留下的糧食好幾天都吃不完，文公還面帶憂色。身邊的人說：『有了喜事而憂愁，是否有了憂事反而喜悅呢？』文公說：『楚國的成得臣

還在，憂患還沒有終結。受困的野獸尚且會掙扎，何況是一國宰相呢？』等到楚國殺死成得臣，文公才喜形於色說：『沒有人同我作對了。』從此之後楚國兩世不能強盛。現在上天已經給了晉國嚴厲的警誡，如果再處死荀林父，等於是增加楚國的勝利成果，晉國可能很久都無法恢復強盛。荀林父侍奉國君，前進時竭盡忠誠，回國後反思補過。保衛國家的棟梁之材，怎麼能輕易殺死呢？他的失敗，就好像日食月食並不能損害日月的光明。」晉景公於是讓荀林父官復原位。

## 【出處】

秋，晉師歸，桓子請死，晉侯欲許之。士貞子諫曰：「不可。城濮之役，晉師三日穀，文公猶有憂色。左右曰：『有喜而憂，如有憂而喜乎？』公曰：『得臣猶在，憂未歇也。困獸猶鬥，況國相乎！』及楚殺子玉，公喜而後可知也，曰：『莫餘毒也已。』是晉再克而楚再敗也。楚是以再世不競。今天或者大警晉也，而又殺林父以重楚勝，其無乃久不競乎？林父之事君也，進思盡忠，退思補過，社稷之衛也，若之何殺之？夫其敗也，如日月之食焉，何損於明？」晉侯使復其位。（《左傳》〈宣公十二年〉）

# 鞭長莫及

楚莊王率楚軍包圍了宋國，宋國人派樂嬰齊到晉國告急求救，晉景公想出兵救援宋國。伯宗因為邲之戰晉軍新敗，不建議出兵，勸阻景公說：「不行。古人說：『鞭子雖長，但觸不到馬肚子。』上天正

在保佑楚國，不能和他們競爭。晉國雖然強大，也不能違背上天的意志啊！俗話說：『高下在心。』河流湖泊能容納污泥濁水，山林草野能暗藏毒蟲猛獸，美玉會藏匿瑕疵，國君能忍受恥辱，這是天下常見的事情。君王還是等等再說吧！」於是晉景公放棄出兵的想法，改派解揚出使宋國，讓宋國不要向楚國投降，告訴宋國人說：「晉國的軍隊已經悉數出發，就要到達了。」

## 【出處】

宋人使樂嬰齊告急於晉。晉侯欲救之。伯宗曰：「不可。古人有言曰：『雖鞭之長，不及馬腹。』天方授楚，未可與爭。雖晉之強，能違天乎？諺曰：『高下在心。』川澤納污，山藪藏疾，瑾瑜匿瑕，國君含垢，天之道也，君其待之。」乃止。使解揚如宋，使無降楚，曰：「晉師悉起，將至矣。」（《左傳》〈宣公十五年〉）


# 厚誣君子


荀罃在楚國的時候，鄭國的商人準備把他藏在袋子裡逃出楚國。已經策劃好了，正準備付諸行動的時候，楚國人把他放了。這個商人後來到晉國去，營待他很好，就像真的救過他似的。鄭國商人說：「我並沒有幫您逃走，哪裡敢享有這份榮譽呢？我是小人，不可以欺騙君子。」鄭國商人於是到齊國去了。

## 【出處】

荀罃之在楚也，鄭賈人有將置諸褚中以出。既謀之，未行，而楚人歸之。賈人如晉，荀罃善視之，如實出己，賈人曰：「吾無其功，敢有其實乎？吾小人，不可以厚誣君子。」遂適齊。（《左傳》〈成公三年〉）

# 三卿為主

楚國的公子申、公子成率領申、息兩地的軍隊救援蔡國，在桑隧抵抗晉軍。趙同、趙括向欒武子請求出戰，欒武子將要批准時，知莊子、范文子和韓獻子勸諫說：「還是不戰為好。我們本來是來救援鄭國的，楚國已經撤兵，現在兩軍又在這兒相遇，如果激怒楚軍，戰爭很難得勝。即便戰勝，也僅僅是打敗楚國兩個縣的軍隊而已，有什麼光榮呢；如果戰而不勝，所受的恥辱就太大了，不如撤軍。」欒武子於是宣布撤軍。當時軍官中想對楚作戰的很多，有人對欒武子說：「聖人與大眾的想法是一致的，所以能獲得成功。為什麼您不聽從大家的意見呢？您是執政大臣，應當考慮部下的意見。您的十一個部下當中，不想作戰的只有三人，想作戰的人佔大多數。《商書》說：『三個人占卜，聽從意見相同的兩個人的。』講的就是少數服從多數。」欒武子說：「同樣是好事，才服從多數。有時候也要聽從有德之人的意見。三卿都主張撤退，聽從他們的意見，有什麼不可以的？」

　　楚公子申、公子成以申、息之師救蔡，御諸桑隧。趙同、趙括欲戰，請於武子，武子將許之。知莊子、范文子、韓獻子諫曰：「不可。吾來救鄭，楚師去我，吾遂至於此，是遷戮也。戮而不已，又怒楚師，戰必不克。雖克，不令。成師以出，而敗楚之二縣，何榮之有焉？若不能敗，為辱已甚，不如還也。」乃遂還。於是，軍帥之欲戰者眾，或謂欒武子曰：「聖人與眾同欲，是以濟事。子蓋從眾？子為大政，將酌於民者也。子之佐十一人，其不欲戰者，三人而已。欲戰者可謂眾矣。《商書》曰：『三人占，從二人。』眾故也。」武子曰：「善鈞，從眾。夫善，眾之主也。三卿為主，可謂眾矣。從之，不亦可乎？」（《左傳》〈成公六年〉）

# 汶陽之田

　　晉景公派遣韓穿來魯國談關於汶水以北田地的事，要魯國把汶水以北之田歸還給齊國。季文子設酒給他餞行，和他私下交談說：「大國處理事務合理適宜，憑這個成為盟主，因此諸侯懷念德行而害怕討伐，沒有二心。說到汶水以北的土地，那原本就是魯國的，後來對齊國用兵，晉國命令齊國把它還給了魯國。現在又命令說歸還給齊國。信用用來推行道義，道義用來完成命令，這是小國所盼望懷念的。缺乏信用，道義無所樹立，四方諸侯，就是一盤散沙。《詩經》上說：『女子毫無過失，男人卻有過錯。男人沒有標準，他的行為前後不一。』七年當中，忽而給予忽而奪走，如此前後不一。一個男人前後

不一尚且喪失配偶，何況是霸主？霸主應該用德，如果前後不一，怎能得到諸侯長久的擁護呢？《詩經》說：『謀略缺乏遠見，因此極力勸諫。』行父害怕晉國因缺乏深謀遠慮而失去諸侯，因此與您私下交流。」

## 【出處】

八年春，晉侯使韓穿來言汶陽之田，歸之於齊。季文子餞之，私焉，曰：「大國制義以為盟主，是以諸侯懷德畏討，無有貳心。謂汶陽之田，敝邑之舊也，而用師於齊，使歸諸敝邑。今有二命曰：『歸諸齊。』信以行義，義以成命，小國所望而懷也。信不可知，義無所立，四方諸侯，其誰不解體？《詩》曰：『女也不爽，士貳其行。士也罔極，二三其德。』[25]七年之中，一與一奪，二三孰甚焉！士之二三，猶喪妃耦，而況霸主？霸主將德是以，而二三之，其何以長有諸侯乎？《詩》曰：『猶之未遠，是用大諫。』[26]行父懼晉之不遠猶而失諸侯也，是以敢私言之。」（《左傳》〈成公八年〉）

# 楚囚對泣

晉景公視察軍用倉庫，見到鍾儀[27]，問人說：「戴著南方的帽子

---

25. 「女也不爽，士貳其行。士也罔極，二三其德」，出自《詩經》〈衛風・氓〉。

26. 「猶之未遠，是用大諫」，出自《詩經》〈大雅・板〉。

27. 鍾儀據說是中國最早見於文史記載的職業琴人，被稱為四德公。王粲在《登樓賦》中對鍾儀大加讚賞。初唐楊炯《和劉長史答十九兄》詩中，把「鍾儀琴」與漢代蘇武的「蘇武節」相提並論：「鍾儀琴未奏，蘇武節猶新」。

而被囚禁的人是誰？」官吏回答說：「是鄭國人所獻的楚國俘虜。」晉景公讓人把他釋放出來，召見並且慰問他。鍾儀再拜叩頭。晉景公問他在楚國世係所從事的職業，他回答說：「是樂官。」晉景公說：「能夠奏樂嗎？」鍾儀回答說：「這是先人的職責，豈敢從事其他的工作呢？」晉景公命令把琴給鍾儀，他彈奏的是南方的音樂。晉景公說：「你們楚國的君王怎樣？」鍾儀回答說：「這不是小人能知道的。」晉景公再三問他，他回答說：「當他做太子的時候，太師、太保侍奉著他，每天早晨向令尹子重請教，晚上向司馬子反請教。別的我就不知道了。」晉景公把見到鍾儀的事告訴了范文子，文子對晉景公說：「這個楚國人說起祖業來如此恭敬，不敢違背。讓他奏樂，他奏的是本國音樂，不忘故國。君侯何不放了他，讓他回去為晉楚友好出力呢？」晉景公於是釋放鍾儀，並備了厚禮讓他帶回祖國，謀求兩國的和平。

## 【出處】

晉侯觀於軍府，見鍾儀，問之曰：「南冠而縶者，誰也？」有司對曰：「鄭人所獻楚囚也。」使稅之，召而弔之。再拜稽首。問其族，對曰：「泠人也。」公曰：「能樂乎？」對曰：「先人之職官也，敢有二事？」使與之琴，操南音。公曰：「君王何如？」對曰：「非小人之所得知也。」固問之，對曰：「其為大子也，師保奉之，以朝於嬰齊而夕於側也。不知其他。」公語范文子，文子曰：「楚囚，君子也。言稱先職，不背本也。樂操土風，不忘舊也。稱大子，抑無私也。名其二卿，尊君也。不背本，仁也。不忘舊，信也。無私，忠也。尊君，敏也。仁以接事，信以守之，忠以成之，敏以行之。事雖

大，必濟。君盍歸之，使合晉、楚之成。」公從之，重為之禮，使歸求成。（《左傳》〈成公九年〉）

## 病入膏肓

　　晉景公夢見一個披著長髮的厲鬼，捶胸跳躍著對他說：「你殺了我的子孫，太不仁義了。我請求為子孫復仇，已經得到了上帝的允許！」厲鬼摧毀宮門、寢門和內室房門向他逼近。景公驚醒後召見桑田的巫人。巫人說：「君王吃不到新收的麥子了！」晉景公病重，向秦國求醫。秦桓公派醫緩為景公治病。醫緩到達之前，景公做了一個夢，夢見疾病變成兩個小孩在自己身體裡說話。一個說：「這次請的醫生醫術高明，會用藥傷害我們，怎麼躲藏好呢？」另一個說：「我們躲在肓之上，膏之下，那是藥力達不到的地方，能拿我們怎麼辦？」醫緩到了，診斷後對景公說：「您的病我治不了。病在肓的上面，膏的下面，灸不能用，針達不到，藥物的力量也達不到了，恕我無能為力。」晉景公讚歎說：「真是好醫生啊！」於是餽贈厚禮讓他回去。六月丙午，晉景公想吃新麥，讓管食物的人獻麥，廚師烹煮。景公令人叫來桑田巫人，把煮熟的新麥給他看，然後殺了他。景公將要進食時，突然肚子發脹去上廁所，結果跌進廁所裡憋死，到底沒吃到新麥。有個小太監天亮前夢見背著晉景公登天，中午時果然背著晉景公從廁所出來，於是就讓他為景公殉葬。

晉侯夢大厲，被髮及地，搏膺而踊，曰：「殺余孫，不義。余得請於帝矣！」壞大門及寢門而入。公懼，入於室。又壞戶。公覺，召桑田巫。巫言如夢。公曰：「何如？」曰：「不食新矣。」公疾病，求醫於秦。秦伯使醫緩為之。未至，公夢疾為二豎子，曰：「彼，良醫也。懼傷我，焉逃之？」其一曰：「居肓之上，膏之下，若我何？」醫至，曰：「疾不可為也。在肓之上，膏之下，攻之不可，達之不及，藥不至焉，不可為也。」公曰：「良醫也。」厚為之禮而歸之。六月丙午，晉侯欲麥，使甸人獻麥，饋人為之。召桑田巫，示而殺之。將食，張，如廁，陷而卒。小臣有晨夢負公以登天，及日中，負晉侯出諸廁。遂以為殉。（《左傳》〈成公十年〉）

# 呂相絕秦

魯成公十三年（西元前578年）夏天，晉厲公派呂相去和秦國斷交，對秦國說：「從前我們先君獻公與穆公友好，同心同德，用盟誓來明確兩國關係，以婚姻來加深兩國感情。上天降禍晉國，文公逃亡齊國，惠公逃亡秦國。獻公不幸去世，穆公不忘舊情，協助我們的惠公回國執政，但隨後卻發動韓原之戰。事後穆公感到後悔，於是成全我們的文公回國為君，這都是穆公的功勞。文公親自戴盔披甲，跋山涉水，經歷艱險，征討東方諸侯國，使虞、夏、商、周的後代都來朝拜秦君，也算是報答秦國的舊恩了。鄭國人侵擾君王的邊疆，我們文公統率諸侯和秦國一起圍攻鄭國。秦國大夫卻不和我們國君商量，擅

自同鄭國訂立盟約。諸侯都痛恨這種做法，要同秦國拚命。文公儘力說服諸侯，秦軍才得以安全回國未受傷害，這就是我國對秦國的大恩大德。文公去世後，穆公不懷好意，蔑視我們的襄公，侵擾我們的殽地，斷絕我們的友好往來，攻打我們的城堡，滅絕我們的同姓滑國，離間我們與兄弟國家的關係，擾亂我們的盟邦，顛覆我們的國家。我們襄公不忘秦君以往的功勞，卻又害怕國家滅亡，所以才有殽地的戰鬥。我們希望穆公寬免我們的罪過，穆公不願意，反而親近楚國來算計我們。老天有眼，楚成王不久喪命，穆公侵犯我國的企圖沒能得逞。穆公和襄公去世，康公和靈公即位。康公是我們先君獻公的外甥，卻也想侵害我們的公室，顛覆我們的國家，擁戴公子雍回國爭位，讓他擾亂我們的邊疆，於是我們才有令狐之戰。康公仍不肯悔改，又入侵我們的河曲，攻打我們的涑川，劫掠我們的王宮，奪走我們的馬匹，因此我們才有河曲之戰。秦國與東方的聯繫中斷，正是康公斷絕與我國友好關係的緣故。等到君王即位之後，我們景公伸長脖子遠望西方說：『恐怕要關照我們了吧！』結果君王還是不肯締結盟好，反而乘狄人禍亂我國之機，入侵我們臨河的縣邑，焚燒我們的箕、郜兩地，搶割毀壞我們的莊稼，屠殺我們的邊民，因此我們才有輔氏之戰。君王也後悔兩國戰爭蔓延，因而想向先君獻公和穆公求福，派遣伯車來命令我們景公說：『我們和你們相互友好，拋棄怨恨，恢復過去的友好，以追念先君的功德。』盟誓還沒有完成，景公就去世了，因此我們的國君才有了令狐盟會。君王又心生不善，背棄盟誓。白狄和秦國同處雍州，是君王的仇敵，卻是我們的姻親。君王賜給我們命令說：『我們和你們一起攻打狄人。』我們國君不敢顧念與白狄的姻親之好，畏懼君王的威嚴，同意了君王攻打狄人的命令。

結果君王反過來對狄人示好，對狄人說：『晉國要攻打你們。』狄人憎恨你們的做法，因此告訴了我們。楚國人同樣憎恨君王的反覆無常，也來告訴我們說：『秦國背叛了令狐的盟約，而來向我們請求結盟。他們向皇天上帝、秦國的三位先公和楚國的三位先王宣誓說：我們雖然和晉國有來往，但我們只關注自己的利益。楚人討厭他們反覆無常，把這些事公開，以懲戒那些用心不專一的人。』諸侯們都聽到了這些話，因此感到痛心疾首，都來和我國親近。現在我率諸侯前來聽命，完全是為了請求盟好。如果君王肯開恩顧念諸侯各國，哀憐寡人，賜我們締結盟誓，這就是寡人的心願，寡人將安撫諸侯各國退走，哪裡敢自求禍亂呢？如果君王不誠心表達善意，寡人不才，恐怕就不能率諸侯退走了，請正告你的部下，讓他們權衡怎樣才對秦國有利。」[28]

## 【出處】

夏四月戊午，晉侯使呂相絕秦，曰：「昔逮我獻公，及穆公相好，戮力同心，申之以盟誓，重之以昏姻。天禍晉國，文公如齊，惠公如秦。無祿，獻公即世，穆公不忘舊德，俾我惠公用能奉祀於晉。又不能成大勳，而為韓之師。亦悔於厥心，用集我文公，是穆之成也。文公躬擐甲冑，跋履山川，踰越險阻，征東之諸侯，虞、夏、商、周之胤，而朝諸秦，則亦既報舊德矣。鄭人怒君之疆場，我文公

---

28. 呂相不愧為晉國著名的外交家，更無愧於頂級才子之名。最令人佩服的是他把並非事實的話說得理直氣壯，滴水不漏。《呂相絕秦》開古代檄文之先河，被清吳楚才、吳調侯選入《古文觀止》。秦國人雖然被罵，竟然也十分折服，後來還依樣畫葫蘆，寫成一篇《詛楚文》攻擊楚懷王。

帥諸侯及秦圍鄭。秦大夫不詢於我寡君，擅及鄭盟。諸侯疾之，將致命於秦。文公恐懼，綏靜諸侯，秦師克還無害，則是我有大造於西也。無祿，文公即世，穆為不弔，蔑死我君，寡我襄公，迭我殽地，奸絕我好，伐我保城，殄滅我費滑，散離我兄弟，撓亂我同盟，傾覆我國家。我襄公未忘君之舊勳，而懼社稷之隕，是以有殽之師。猶願赦罪於穆公，穆公弗聽，而即楚謀我。天誘其衷，成王殞命，穆公是以不克逞志於我。穆、襄即世，康、靈即位。康公，我之自出，又欲闕翦我公室，傾覆我社稷，帥我蝥賊，以來蕩搖我邊疆。我是以有令狐之役。康猶不悛，入我河曲，伐我涑川，俘我王官，翦我羈馬。我是以有河曲之戰。東道之不通，則是康公絕我好也。及君之嗣也，我君景公引領西望曰：『庶撫我乎！』君亦不惠稱盟，利吾有狄難，入我河縣，焚我箕、郜，芟夷我農功，虔劉我邊陲。我是以有輔氏之聚。君亦悔禍之延，而欲徼福於先君獻、穆，使伯車來，命我景公曰：『吾與女同好棄惡，復修舊德，以追念前勳。』言誓未就，景公即世。我寡君是以有令狐之會。君又不祥，背棄盟誓。白狄及君同州，君之仇仇，而我之昏姻也。君來賜命曰：『吾與女伐狄。』寡君不敢顧昏姻，畏君之威，而受命於吏。君有二心於狄，曰：『晉將伐女。』狄應且憎，是用告我。楚人惡君之二三其德也，亦來告我曰：『秦背令狐之盟，而來求盟於我，昭告昊天上帝、秦三公、楚三王曰：余雖與晉出入，余唯利是視。不穀惡其無成德，是用宣之，以懲不壹。』諸侯備聞此言，斯是用痛心疾首，暱就寡人。寡人帥以聽命，唯好是求。君若惠顧諸侯，矜哀寡人，而賜之盟，則寡人之願也。其承寧諸侯以退，豈敢徼亂。君若不施大惠，寡人不佞，其不能以諸侯退矣。敢盡布之執事，俾執事實圖利之！」（《左傳》〈成公十三年〉）

# 不有外患，必有內憂

鄢陵之戰時，欒武子主戰，范文子主張退兵，說：「我聽說，只有德行較高的人才能享受大福，沒有德行而歸服的人多，反而會對自己造成傷害。只有聖人才能做到既無外患，又無內憂，如果我們保留楚國、鄭國以為外患，大臣之間相處和睦，就不會有內憂。如果我們戰勝楚國和鄭國，國君就將會誇耀自己的智慧和武功，疏忽教化而加重賦稅，增加寵臣俸祿，多賜愛妾田地，那麼不奪取諸大夫的田地，又拿什麼來賞賜給寵臣、愛妾呢？大臣們肯交出田地而白白引退的能有幾個？所以說打了敗仗是晉國的福氣，一旦勝利，分配土地的常規就會被打亂，無外患而有內憂，何不退兵回國呢？」欒武子說：「韓原之戰中，惠公被俘不能回國；邲之戰中，三軍潰不成軍；箕之戰時，先軫不能生還覆命。這是晉國的三大恥辱。現在我主持晉國的大政，不能為晉國洗雪恥辱，反而避開蠻夷楚國來加重恥辱，即使有後患，我也顧不得那麼遠了。」范文子再次勸告說：「擇福沒有不揀重的，擇禍沒有不揀輕的。晉國本來有奇恥大辱，與其君臣不和遭諸侯恥笑，何不選擇躲避楚國這一小辱呢。」欒武子固執己見，在鄢陵大勝楚軍。范文子擔憂的情景果然出現了。晉厲公誇耀自己的智慧和武功，忽視教化而加重賦稅，增加寵臣的俸祿，殺死三郤並陳屍於朝，又收取他們的妻妾，將財寶分給自己的寵妻愛妾。國人不滿晉君的所作所為，於是在翼城殺死他，葬在翼城東門外，只用一車四馬陪葬。沒有德行而戰功卓著，歸服的諸侯眾多，這就是晉厲公不得善終的原因。

## 【出處】

　　鄢之役，晉伐鄭，荊救之。欒武子將上軍，范文子將下軍。欒武子欲戰，范文子不欲，曰：「吾聞之，唯厚德者能受多福，無德而服者眾，必自傷也。稱晉之德，諸侯皆叛，國可以少安。唯有諸侯，故擾擾焉，凡諸侯，難之本也。且唯聖人能無外患又無內憂，詎非聖人，不有外患，必有內憂，盍姑釋荊與鄭以為外患乎！諸臣之內相與，必將輯睦。今我戰又勝荊與鄭，吾君將伐智而多力，怠教而重斂，大其私暱而益婦人田，不奪諸大夫田，則焉取以益此？諸臣之委室而徒退者，將與幾人？戰若不勝，則晉國之福也；戰若勝，亂地之秩者也，其產將害大，盍姑無戰乎！」欒武子曰：「昔韓之役，惠公不復舍；邲之役，三軍不振旅；箕之役，先軫不覆命。晉國固有大恥三。今我任晉國之政，不毀晉恥，又以違蠻、夷重之，雖有後患，非吾所知也。」范文子曰：「擇福莫若重，擇禍莫若輕，福無所用輕，禍無所用重，晉國故有大恥，與其君臣不相聽以為諸侯笑也，盍姑以違蠻、夷為恥乎。」欒武子不聽，遂與荊人戰於鄢陵，大勝之。於是乎君伐智而多力，怠教而重斂，大其私暱，殺三郤而屍諸朝，納其室以分婦人，於是乎國人不蠲，遂弒諸翼，葬於翼東門之外，以車一乘。厲公之所以死者，唯無德而功烈多，服者眾也。（《國語》〈晉語六〉）

# 天道無親，唯德是授

　　鄢陵之戰時，楚軍逼近晉軍擺開陣勢，晉軍將士都很擔憂，打算謀劃如何應戰。范匄以公族大夫的身分上前說：「楚軍將營地上的爐灶摧毀，把水井填平，這不就是撤退嗎？」范文子操起戈來追打范匄，說：「國家的存亡出於天意，小孩子懂得什麼？而且並未徵求你的意見，你就胡亂發言，你這是餿主意，我殺了你！」苗賁皇稱道：「范文子真善於逃避災難啊！」郤至採納了范匄的建議，在鄢陵打敗楚軍之後，吃楚軍囤積的軍糧，范文子站在隊伍前面說：「我們的國君年幼，各位大臣缺少才幹，憑什麼福分得到這一戰果呢？我聽說，『天意並不特別親近哪個人，只降福給有德行的人。』我怎麼知道這是上天授福給晉國，還是以此來勸勉楚國呢？國君和各位將士都要警惕啊！德是福的根基，沒有德行而享福太多，就好比地基沒有打好，卻在上面築起高牆，說不定哪一天就會倒塌。」

## 【出處】

　　鄢之役，荊壓晉軍，軍吏患之，將謀。范匄自公族趨過之，曰：「夷灶堙井，非退而何？」范文子執戈逐之，曰：「國之存亡，天命也，童子何知焉？且不及而言，奸也，必為戮。」苗賁皇曰：「善逃難哉！」既退荊師於鄢，將穀，范文子立於戎馬之前，曰：「君幼弱，諸臣不佞，吾何福以及此！吾聞之，『天道無親，唯德是授。』吾庸知天之不授晉且以勸楚乎，君與二三臣其戒之！夫德，福之基也，無德而福隆，猶無基而厚墉也，其壞也無日矣。」（《國語》〈晉語六〉）

# 能內睦而後圖外

鄢陵之戰中，晉國想爭取鄭國的歸附。范文子不同意，說：「我聽說，做人臣的，必須內部團結然後才能圖謀對外，內部不和而圖謀國外，內部就會出現紛爭，還是先想辦法加強國內的團結吧！徵詢一下民意再決定是否出兵，國內就不會有抱怨之聲了。」

## 【出處】

鄢之役，晉人欲爭鄭，范文子不欲，曰：「吾聞之，為人臣者，能內睦而後圖外，不睦內而圖外，必有內爭，盍姑謀睦乎！考訊其阜以出，則怨靖。」（《國語》〈晉語六〉）

# 勇而知禮

鄢陵之戰時，郤至穿著淺紅色的皮軍服，三次追趕楚共王的士兵，見到楚共王的戰車，必定跳下戰車奔走，退出戰鬥行列。楚共王見了，派工尹襄贈給郤至一把弓，傳話說：「當戰鬥正激烈的時候，有一位穿淺紅色軍服的人，是個君子，當他遇見寡人就下車奔走，這不太累了嗎？」郤至身披盔甲接見工尹襄，脫去頭盔聽他傳達楚共王的話，回話說：「貴國君主的外臣郤至，托我們國君的威福，身著盔甲，因此不能下拜接受賢君的問候。為了賢君所委派的使者，謹行三個肅拜之禮。」君子評論說：郤至真是既勇敢又懂得禮儀啊！

## 【出處】

　　鄢之戰，郤至以韎韋之跗注，三逐楚平王卒，見王必下奔退戰。王使工尹襄問之以弓，曰：「方事之殷也，有韎韋之跗注，君子也，屬見不穀而下，無乃傷乎？」郤至甲冑而見客，免冑而聽命，曰：「君之外臣至，以寡君之靈，間蒙甲冑，不敢當拜君命之辱，為使者故，敢三肅之。」君子曰：勇以知禮。（《國語》〈晉語六〉）

## 佻天之功以為己力

　　晉國在鄢陵之戰後派郤至向周王告捷。在朝見周王之前，王叔簡公設酒宴招待郤至，席間賓主談笑甚歡。第二天，郤至會見了邵桓公。邵桓公把會見時的談話內容告訴單襄公說：「王叔簡公稱讚郤至，認為他一定能在晉國掌權，而且掌權後一定能得到諸侯的擁護，因此王叔簡公勸我們為郤至多說好話，以便今後在晉國能有所照應。郤至在見我時說：『楚國有五個失敗的因素，晉國卻不知道利用它，是我主張開戰的。楚國違背與宋國的盟約，這是一；楚王德行欠佳卻以土地賄賂諸侯，這是二；任用司馬子反那樣幼稚懦弱的人為將，這是三；不採納輔臣謀士們的意見，這是四；糾集了蠻夷、鄭國參戰，三國的軍令卻不一致，這是五。晉國有五個取勝的因素：一是與楚國開戰有正當的理由；二是得民心；三是將帥精悍；四是部隊號令嚴明；五是與諸侯關係和睦。晉國有其中任何一個取勝的因素就可以戰勝楚國，可欒書、士燮卻不願開戰，是我敦促他們下達作戰命令的。戰勝楚國，這是我的功勞啊！在這次戰鬥中我三次追逐楚軍，這是

勇；遇上楚君下車快步上前，這是禮；俘獲了鄭伯又放了他，這是仁。如果讓我主持晉國政事的話，楚、越等國一定會稱臣來朝。』我對郤至說：『你確實有才幹。然而晉國提拔官員不會不論位次，我認為晉國的政務恐怕還輪不到你來主持。』他對我說：『有什麼位次？已經去世的荀伯是從下軍佐升任主政的，趙宣子沒有軍功也主持了政事，如今欒伯又從下軍佐升為中軍主帥。就這三個人來說，我的才能已超過他們。我以新軍副將升為正卿而主持政事，有什麼不可以的呢？我一定會想辦法達到目的。』他說的這些話，您以為如何？」單襄公說：「俗話說『刀架在脖子上』，恐怕就是指郤至這種人吧。君子不自我吹噓，並非為了謙讓，而是厭惡這種凌駕於他人之上的行為。想超越他人是人的本性。想凌駕於人，反而會受到嚴厲排斥。所以聖人崇尚禮讓。《詩經》說：『溫文爾雅的君子，以禮求得萬福。』按照禮儀，地位相當應再三謙讓，這是因為聖人知道百姓是不可凌駕其上的。所以統治天下的人必須先得民心，方能安穩，而後才能長保福祿。如今郤至位在七人之下而想超越他們，這是要凌駕於七人之上，那就會招致七人的怨恨。被小百姓怨恨尚且難以忍受，更何況有地位的大臣呢？郤至憑什麼來應付呢？晉國的這次勝利，是上天憎惡楚國，因此讓晉國來警誡他。然而郤至卻貪天之功為己有，這不是太危險了嗎？貪天之功不祥，凌駕他人不義，不祥將被上天遺棄，不義會遭百姓叛離。況且郤至哪裡有三件功勞呢？他所說的仁、禮、勇，都是百姓所為。為正義而捨身稱為勇，遵奉道義而守法稱為禮，積累義舉而立功稱為仁。玷污了仁是佻，玷污了禮是羞，玷污了勇是賊。作戰以消滅敵人為準則，以不戰而使敵人順從正義為上策。所以要用剛毅勇敢來治軍，要用位爵尊卑來治政。違背作戰的準則而擅自釋放

鄭君，這是賊；放棄奮勇的機會而去對楚君行禮，這是羞；背叛了國家的利益而去親近仇敵，這是恌。郤至有這三種恥辱的行為卻想替代在他上位的大臣，離掌權還遠著呢。據我看來，刀已經架在他脖子上了，禍患已離他不遠，恐怕我們的王叔簡公也難以倖免。《泰誓》上說：『百姓所希求的，上天必定依從。』王叔簡公跟郤至攪在一起，能不跟著遭難嗎？」郤至回國後，第二年就被晉厲公殺掉了。

## 【出處】

晉既克楚於鄢，使郤至告慶於周。未將事，王叔簡公飲之酒，交酬好貨皆厚，飲酒宴語相說也。明日，王叔子譽諸朝。郤至見邵桓公，與之語。邵公以告單襄公曰：「王叔子譽溫季，以為必相晉國，相晉國必大得諸侯，勸二三君子必先導焉，可以樹。今夫子見我，以晉國之克也，為己實謀之，曰：『微我，晉不戰矣！楚有五敗，晉不知乘，我則強之。背宋之盟，一也；德薄而以地賂諸侯，二也；棄壯之良而用幼弱，三也；建立卿士而不用其言，四也；夷、鄭從之，三陳而不整，五也。罪不由晉，晉得其民，四軍之帥，旅力方剛，卒伍治整，諸侯與之。是有五勝也：有辭，一也，得民，二也；軍帥強禦，三也；行列治整，四也；諸侯輯睦，五也。有一勝猶足用也，有五勝以伐五敗，而避之者，非人也。不可以不戰。欒、范不欲，我則強之。戰而勝，是吾力也。且夫戰也微謀，吾有三伐；勇而有禮，反之以仁。吾三逐楚軍之卒，勇也；見其君必下而趨，禮也；能獲鄭伯而赦之，仁也。若是而知晉國之政，楚、越必朝。』吾曰：『子則賢矣。抑晉國之舉也，不失其次，吾懼政之未及子也。』謂我曰：『夫何次之有？昔先大夫荀伯自下軍之佐以政，趙宣子未有軍行而以政，

今欒伯自下軍往。是三子也，吾又過於四之無不及。若佐新軍而升為政，不亦可乎？將必求之。』是其言也，君以為奚若？」襄公曰：「人有言曰『兵在其頸』，其郤至之謂乎！君子不自稱也，非以讓也，惡其蓋人也。夫人性，陵上者也，不可蓋也。求蓋人，其抑下滋甚，故聖人貴讓。且諺曰：『獸惡其網，民惡其上。』《書》曰：『民可近也，而不可上也。』《詩》曰：『愷悌君子，求福不回。』[29]在禮，敵必三讓，是則聖人知民之不可加也。故王天下者必先諸民，然後庇焉，則能長利。今郤至在七人之下而欲上之，是求蓋七人也，其亦有七怨。怨在小醜，猶不可堪，而況在侈卿乎？其何以待之？晉之克也，天有惡於楚也，故儆之以晉。而郤至佻天之功以為己力，不亦難乎？佻天不祥，乘人不義，不祥則天棄之，不義則民叛之。且郤至何三伐之有？夫仁、禮、勇，皆民之為也。以義死用謂之勇，奉義順則謂之禮，畜義豐功謂之仁。奸仁為佻，奸禮為羞，奸勇為賊。夫戰，盡敵為上，守和同順義為上。故制戎以果毅，制朝以序成。叛戰而擅舍鄭君，賊也；棄毅行容，羞也；叛國即仇，佻也。有三奸以求替其上，遠於得政矣。以吾觀之，兵在其頸，不可久也，雖吾王叔未能違難。在《太誓》曰：『民之所欲，天必從之。』[30]王叔欲郤至，能勿從乎？」郤至歸，明年死難。及伯輿之獄，王叔陳生奔晉。（《國語》〈周語中〉）

---

29. 「愷悌君子，求福不回」，出自《詩經》〈大雅・旱麓〉。

30. 「民之所欲，天必從之」，出自《尚書》〈周書・泰誓上第一〉。

# 好以眾整

一次，晉國大夫欒鍼出使楚國，令尹子重問他說：「你們晉國人作戰勇武表現在哪裡？」欒鍼回答說：「我們晉國人在戰場上無論遇到什麼情況，都以軍容整肅、好整以暇、從容不迫為勇武。」鄢陵之戰時，欒鍼看見子重的戰車，想起以往說過的話，便向晉厲公請求向子重敬酒，以彰顯晉軍的勇武，厲公答應了。於是派使者拿著酒具，裝滿酒，來到子重的戰車前敬酒說：「欒鍼大夫執矛侍立在國君身邊，不能親自來慰勞您的部下，特派我來代為敬酒。」子重笑著說：「你們那位欒大夫記性真好啊，我幾乎忘記這件事了。」他接過酒一飲而盡，讓使者回去，隨後重新擂鼓開戰。

## 【出處】

欒鍼見子重之旌，請曰：「楚人謂夫旌，子重之麾也。彼其子重也。日臣之使於楚也，子重問晉國之勇。臣對曰：『好以眾整。』曰：『又何如？』臣對曰：『好以暇。』今兩國治戎，行人不使，不可謂整。臨事而食言，不可謂暇。請攝飲焉。」公許之。使行人執榼承飲，造於子重，曰：「寡君乏使，使鍼御持矛，是以不得犒從者，使某攝飲。」子重曰：「夫子嘗與吾言於楚，必是故也，不亦識乎！」受而飲之。免使者而復鼓。（《左傳》〈成公十六年〉）

# 兼國則王

中行獻子（荀偃）準備攻打鄭國。范文子勸阻說：「不能這樣。如果用兵取勝，諸侯各國就會仇恨我國，反而增加國家的憂患。」郤至不解說：「得到鄭國，等於兼併別國，兼併國家就可以稱霸，國家稱霸反而會增加憂患嗎？」范文子說：「稱霸天下，必須有足夠的德行而使四方百姓歸順，才沒有憂患。如果德行不夠卻擁有帝王的戰功，只會徒添煩惱。沒有土地卻想富貴的人，你覺得他能夠安樂嗎？」

## 【出處】

中行獻子將伐鄭，范文子曰：「不可。得志於鄭，諸侯仇我，憂必滋長。」郤至又曰：「得鄭，是兼國也，兼國則王，王者固多憂乎？」文子曰：「王者盛其德而遠人歸，故無憂。今我寡德，而有王者之功，故多憂。今子見無土而欲富者樂乎哉？」（《說苑》〈貴德〉）

# 為我祈死

從鄢陵回國以後，范文子一直憂心忡忡。他對家族裡主持祭祀的宗人和巫祝說：「國君傲慢奢侈卻屢建武功，那些以德行獲勝的人尚且害怕失掉它，更何況傲慢奢侈的缺德之人呢？國君寵幸的人太多，現在獲勝歸來，情況肯定會比從前更加嚴重。私寵過多，必生禍難，我擔心會波及我。凡是我們家族的宗人和巫祝，請你們為我祈禱，讓

我早死，以免活著受罪。」厲公七年夏天，范文子死。冬天，晉國發生禍難，起先是厲公殺三郤，最後厲公也被欒書、中行偃襲殺。

## 【出處】

反自鄢，范文子謂其宗、祝曰：「君驕泰而有烈，夫以德勝者猶懼失之，而況驕泰乎？君多私，今以勝歸，私必昭。昭私，難必作，吾恐及焉。凡吾宗、祝，為我祈死，先難為免。」七年夏，范文子卒。冬，難作，始於三郤，卒於公。（《國語》〈晉語六〉）

# 誅而不盡

晉厲公的時候，六卿的地位很高。胥僮和長魚矯勸諫說：「六卿位高權重，敵國的君主爭相給他們捧場，他們對外結黨營私，對內擾亂國法，對上挾持君主，這樣下去，國家非出大亂不可。」晉厲公說：「的確如此。」於是下令處死三郤。胥僮、長魚矯又勸諫說：「對罪孽相同的人必須剷除乾淨。否則，留下的人懷恨在心，一定會乘機發難。」晉厲公說：「一次就殺死三位大卿，我不忍心再殺人了。」長魚矯說：「您不忍心動手，他們卻不會心慈手軟。」晉厲公沒有聽從二人的勸告。三個月之後，諸卿果然作亂，殺死了厲公。

## 【出處】

晉厲公之時，六卿貴。胥僮、長魚矯諫曰：「大臣貴重，敵主爭事，外市樹黨，下亂國法，上以劫主，而國不危者，未嘗有也。」

公曰：「善。」乃誅三卿。胥僮、長魚矯又諫曰：「夫同罪之人偏誅而不盡，是懷怨而借之間也。」公曰：「吾一朝而夷三卿，予不忍盡也。」長魚矯對曰：「公不忍之，彼將忍公。」公不聽，居三月，諸卿作難，遂殺厲公而分其地。（《韓非子》〈內儲說下六微〉）

# 憂必及君

　　長魚矯殺死三郤之後，又劫持了欒書、中行偃，對晉厲公說：「如果不殺掉這二人，禍患必然殃及國君。」厲公說：「一天之內已經使三卿陳屍示眾，不能再殺了。」長魚矯回答說：「我聽說，禍亂發生在內叫作宄，發生在外叫作奸，制止內亂要用德教，消除外亂要用刑罰。如今掌握國政而發生內亂，不能說是有德。要剷除禍害卻避開暴徒，不能稱刑罰得當。德教和刑罰都沒有建立，內亂外患就會一起發生，小臣脆弱，再也擔當不起了。」於是出奔到狄。三個月之後，晉厲公果然被欒書、中行偃所殺。

## 【出處】

　　長魚矯既殺三郤，乃脅欒、中行而言於公曰：「不殺此二子者，憂必及君。」公曰：「一旦而屍三卿，不可益也。」對曰：「臣聞之，亂在內為宄，在外為奸，御宄以德，御奸以刑。今治政而內亂，不可謂德。除鯁而避強，不可謂刑。德刑不立，奸宄並至，臣脆弱，不能忍俟也。」乃奔狄。三月，厲公弒。（《國語》〈晉語六〉）

# 武人不亂

　　鄢陵戰役中，晉軍俘獲了楚國王子發鉤。欒書對發鉤說：「你對晉厲公說：『郤至曾私下派人勸說楚王，趁齊、魯兩國軍隊還未到達時就和晉國開戰。而且在打仗時，如果不是郤至望見楚王就下車奔走的話，楚王一定逃脫不了。』只要你這樣說，我就設法放你回國。」發鉤把欒書教他的話對晉厲公說了，厲公告訴欒書，欒書說：「我早已聽說了，郤至準備作亂，叫苦成叔故意延緩齊、魯兩國出兵，自己卻勸君王作戰，一旦晉軍戰敗，就迎接孫周回國為君，後來事情沒有成功，就故意放楚王逃走。在戰場上擅自放走楚王，並接受楚王的禮物，這不是犯了大罪嗎？現在您可以派他出使周王室，看他是否私會孫周。」厲公說：「對。」郤至出使之前，欒書派人對孫周說：「郤至將出使周王室，你一定要見見他。」晉厲公派人暗中監視，郤至果然去見了孫周。於是厲公派胥之昧、夷羊五二人去刺殺郤至、郤犨和郤錡。郤錡對郤至說：「晉厲公對我們不講道義，我想率領同族和同黨一起攻打他，即使我們戰敗身死，國君也會陷入危境。這樣可以嗎？」郤至說：「不行。我聽說，勇敢知義的人不發動叛亂，有智慧的人不採用欺詐手段，講仁義的人不結黨營私。如果利用國君的寵幸和俸祿得以致富，憑藉財富邀聚同黨，利用同黨去危害國君，那麼現在國君派人來殺我們已經算晚了。況且眾人又有什麼罪過？同樣是一死，不如聽從國君的命令而死。」所以三郤都不抵抗而死。殺死三郤之後，欒書又殺害了晉厲公，於是迎接孫周回國，立他為新君，是為晉悼公。

　　既戰，獲王子發鉤。欒書謂王子發鉤曰：「子告君曰：『郤致使人勸王戰，及齊、魯之未至也。且夫戰也，微郤至王必不克。』吾歸子。」發鉤告君，君告欒書，欒書曰：「臣固聞之，郤至欲為難，使苦成叔緩齊、魯之師，已勸君戰，戰敗，將納孫周，事不成，故免楚王。然戰而擅舍國君，而受其問，不亦大罪乎？且今君若使之於周，必見孫周。」君曰：「諾。」欒書使人謂孫周曰：「郤至將往，必見之！」郤至聘於周，公使覘之，見孫周。是故使胥之昧與夷羊五刺郤至、苦成叔及郤錡，郤錡謂郤至曰：「君不道於我，我欲以吾宗與吾黨夾而攻之，雖死必敗，君必危，其可乎？」郤至曰：「不可。至聞之，武人不亂，智人不詐，仁人不黨。夫利君之富，富以聚黨，利黨以危君，君之殺我也後矣。且眾何罪，鉤之死也，不若聽君之命。」是故皆自殺。既刺三郤，欒書弒厲公，乃納孫周而立之，實為悼公。
（《國語》〈晉語六〉）


# 願由今日


　　殺害晉厲公以後，欒武子派荀罃、士魴到周都迎接孫周回國繼位。庚午那天，大夫們都到清原迎接新君。孫周對大夫們說：「我羈旅異地，本來沒指望還鄉，現在得到君位，這是天命。大家要擁立賢明的國君，想必就是為了聽從國君的命令。如果只是傀儡，誰也不希罕這個位置。如果諸位確定聽從我的命令，就在今日；如果不能服從

我的命令，可以另請高明。我不能坐擁空名於上，步州蒲[31]的後塵。」欒書等一幫臣子說：「群臣願意侍奉賢君，哪敢不遵從命令。」退下之後，欒書對眾臣說：「新君非舊君可比，諸位當萬分小心啊。」

## 【出處】

既弒厲公，欒武子使智武子、彘恭子如周迎悼公。庚午，大夫逆於清原。公言於諸大夫曰：「孤始願不及此，孤之及此，天也。抑人之有元君，將稟命焉。若稟而棄之，是焚穀也；其稟而不材，是穀不成也。穀之不成，孤之咎也；成而焚之，二三子之虐也。孤欲長處其願，出令將不敢不成，二三子為令之不從，故求元君而訪焉。孤之不元，廢也，其誰怨？元而以虐奉之，二三子之制也。若欲奉元以濟大義，將在今日；若欲暴虐以離百姓，反易民常，亦在今日。圖之進退，願由今日。」大夫對曰：「君鎮撫群臣而大庇蔭之，無乃不堪君訓而陷於大戮，以煩刑、史，辱君之允令，敢不承業。」乃盟而入。辛巳，朝於武宮。定百事，立百官，育門子，選賢良，興舊族，出滯賞，畢故刑，赦囚繫，宥閒罪，薦積德，逮鰥寡，振廢淹，養老幼，恤孤疾，年過七十，公親見之，稱曰王父，敢不承。（《國語》〈晉語七〉）

## 豈敢不戰戰乎

悼公周的祖父捷是晉襄公的兒子，沒能繼位，號稱桓叔，桓叔最

---

31. 州蒲，即晉厲公。

受憐愛。桓叔生下惠伯談，談生下悼公周。周即位時年僅十四歲。悼公說：「祖父、父親都未能繼位而到周避難，客死在周。我認為自己已經被疏遠了，從未盼望能當國君。今天，大夫們不忘文公、襄公的意願而施惠，擁立桓叔的後代。仰仗祖宗和大夫們的威靈，得以繼承晉國的君位，怎麼敢不戰戰兢兢？大夫們也應該輔佐我！」於是驅逐了不忠於國君的七個大臣，修整舊的功業，向百姓施予恩惠，撫卹文公回國時各位功臣的後代。

## 【出處】

悼公周者，其大父捷，晉襄公少子也，不得立，號為桓叔，桓叔最愛。桓叔生惠伯談，談生悼公周。周之立，年十四矣。悼公曰：「大父、父皆不得立而辟難於周，客死焉。寡人自以疏遠，毋幾為君。今大夫不忘文、襄之意而惠立桓叔之後，賴宗廟大夫之靈，得奉晉祀，豈敢不戰戰乎。大夫其亦佐寡人。」於是逐不臣者七人，修舊功，施德惠，收文公入時功臣後。（《史記》〈晉世家〉）

### 不辨菽麥

晉悼公孫周即位的時候年僅十四歲，雖然聰明伶俐，但即位之初，也不過是朝臣控制政權的傀儡而已。然而，以欒書為首的大貴族卻極力吹捧孫周聰慧過人，並貶低孫周年長的哥哥說：「周子的哥哥智力很差，連菽和麥也分不清楚。因此不能立為君主。」「不辨菽麥」後來成為成語，形容愚昧無知，也用以指缺乏農業生產知識，與「四

體不勤，五穀不分」有相似含義。

## 【出處】

辛巳，朝於武宮，逐不臣者七人。周子有兄而無慧，不能辨菽麥，故不可立。（《左傳》〈成公十八年〉）

# 五命固辭

晉悼公任命張老（張孟）為卿，張老辭謝說：「臣不如魏絳。魏絳的才智足以勝任卿這樣的大官，其仁愛有利於國家治理，其勇敢果斷正好用於執法，他以歷代先賢的勵精圖治為榜樣。如果他擔任卿的職位，內政外事都可以確保平安。而且在雞丘之會上，他能嚴格執法，言辭卻很和遜，因此不可以不獎賞。」悼公五次任命張老為卿，他都堅決推辭，於是便讓他出任中軍司馬，任命魏絳為新軍副帥。

## 【出處】

悼公使張老為卿，辭曰：「臣不如魏絳。夫絳之智能治大官，其仁可以利公室不忘，其勇不疚於刑，其學不廢先人之職。若在卿位，外內必平。且雞丘之會，其官不犯而辭順，不可不賞也。」公五命之，固辭，乃使為司馬。使魏絳佐新軍。（《國語》〈晉語七〉）

# 善頌善禱

晉國趙文子的新居落成，晉國的大夫都去參加落成典禮。張老致辭說：「這高大的新居多麼漂亮呀！這燦爛的新居多麼漂亮呀！從此以後，主人就可以在這裡祭祀奏樂，在這裡居喪哭泣，在這裡和僚友及族人聚會宴飲了。」文子回答說：「我能在這裡祭祀奏樂，在這裡居喪哭泣，在這裡和僚友及族人聚會宴飲，這表明我將善終，有資格進入九原的祖墳。」說完後就朝北面再拜叩頭表示感謝。懂禮的君子說，他們一個善於讚美，一個善於祈福。

## 【出處】

晉獻文子成室，晉大夫發焉。張老曰：「美哉輪焉！美哉奐焉！歌於斯，哭於斯，聚國族於斯。」文子曰：「武也得歌於斯，哭於斯，聚國族於斯，是全要領以從先大夫於九原也。」北面再拜稽首。君子謂之善頌善禱。（《禮記》〈檀弓下〉）

# 不敢居高位

韓獻子年老辭位，晉悼公讓公族穆子繼任卿位在朝中掌管政事。穆子推辭說：「厲公被殺時，我身為公族大夫卻不能以身殉難。我聽說：『沒有功勞的人，不可居於高位。』我的智慧不足以匡正國君，使他免遭殺身之禍。論仁義不能勸誡君王施行德政，論勇氣不能以身殉國，怎敢再入朝為官辱沒韓氏宗族呢？請允許我辭退。」一再推辭

不肯就任。悼公說：「雖然不能以身殉國，能謙讓也是美德。」就讓他出任公族大夫。

## 【出處】

　　韓獻子老，使公族穆子受事於朝。辭曰：「厲公之亂，無忌備公族，不能死。臣聞之曰：『無功庸者，不敢居高位。』今無忌，智不能匡君，使至於難，仁不能救，勇不能死，敢辱君朝以忝韓宗，請退也。」固辭不立。悼公聞之，曰：「難雖不能死君而能讓，不可不賞也。」使掌公族大夫。（《國語》〈晉語七〉）

# 德義之樂

　　晉悼公與司馬侯一起登上高臺眺望，悼公讚歎說：「美麗的景色真令人快樂啊！」司馬侯說：「居高臨下觀景當然快樂，然而，德義的快樂卻談不上。」悼公問道：「什麼叫德義的快樂？」司馬侯回答說：「諸侯的所作所為，每天都呈現在國君眼前，擇其善行而傚法，擇其惡行而鑑戒，這就是德義之樂。」悼公問道：「誰在這方面比較精通？」司馬侯回答說：「叔向熟悉歷史書籍。」於是悼公召見叔向，讓他做太子彪的老師。

## 【出處】

　　悼公與司馬侯升臺而望曰：「樂夫！」對曰：「臨下之樂則樂矣，德義之樂則未也。」公曰：「何謂德義？」對曰：「諸侯之為，日在

君側，以其善行，以其惡戒，可謂德義矣。」公曰：「孰能？」對曰：「羊舌肸習於春秋。」乃召叔向使傅太子彪。（《國語》〈晉語七〉）

## 其君實甚也

　　晉悼公對師曠說：「衛國人趕走他們的國君，不也太過分了嗎？」師曠回答說：「也許是他們的國君太過分了。好的國君會獎勵善良而懲罰邪惡，親民如子，撫養百姓好像兒女，像天地一樣包容他們。百姓尊奉君主，敬愛如父母，敬仰之如日月，恭敬如神靈，敬畏如雷霆，怎麼可能趕他走呢？國君是神明的體現，也是老百姓的希望所在。如果讓老百姓生活困頓，神靈失去祭祀，百姓絕望，社稷無主，哪裡還用得著他？自然而然要趕他走了。」

### 【出處】

　　衛國逐獻公，晉悼公謂師曠曰：「衛人出其君，不亦甚乎？」對曰：「或者其君實甚也。夫天生民而立之君，使司牧之，無使失性。良君將賞善而除民患，愛民如子，蓋之如天，容之若地；民奉其君，愛之如父母，仰之如日月，敬之如神明，畏之若雷霆。夫君，神之主也，而民之望也。天之愛民甚矣，豈使一人肆於民上，以縱其淫，而棄天地之性乎？必不然矣。若困民之性，乏神之祀，百姓絕望，社稷無主，將焉用之？不去何為？」公曰：「善。」（《新序》〈雜事一〉）

# 無偏無黨

祁奚因年事已高請求退休，晉悼公問誰可以接替他，祁奚推薦解狐。悼公說：「解狐與你不是有過節嗎？」祁奚說：「君主是問誰可以接替我，不是問誰是我的仇人。」晉悼公的任命尚未下達，解狐就死了。晉悼公讓祁奚繼續推薦，祁奚說：「祁午也可以勝任。」悼公說：「祁午不是你的兒子嗎？」祁奚說：「您是問誰可以勝任這個位置，不是問誰是我的兒子。」這時羊舌職死了，晉悼公又問祁奚：「誰可以接替他？」祁奚回答說：「羊舌赤可以勝任。」於是晉悼公以祁午為中軍尉，羊舌赤為副職。君子評價說：「祁奚向朝廷推薦人才能做到唯德是舉，知人善任。舉薦仇人而不諂媚，推薦親子而不自私，推舉副手而不結黨。《商書》說：『不偏私不結黨，君王之道浩浩蕩蕩。』說的就是祁奚啊。解狐得到推薦，祁午得到安排，羊舌赤得到官位，因為他的退休成全了三件美事。《詩經》中說：『因為他自身品德高尚，推舉的人才能和他相似。』祁奚就是這樣的人。」

## 【出處】

祁奚請老，晉侯問嗣焉。稱解狐，其仇也，將立之而卒。又問焉，對曰：「午也可。」於是羊舌職死矣，晉侯曰：「孰可以代之？」對曰：「赤也可。」於是使祁午為中軍尉，羊舌赤佐之。君子謂：「祁奚於是能舉善矣。稱其仇，不為諂。立其子，不為比。舉其偏，不為黨。《商書》曰：『無偏無黨，王道蕩蕩。』其祁奚之謂矣！解狐得舉，祁午得位，伯華得官，建一官而三物成，能舉善也夫！唯善，故

能舉其類。《詩》云：『惟其有之，是以似之。』[32]祁奚有焉。」（《左傳》〈襄公三年〉）

# 三分四軍

荀偃和知罃聯合諸侯的軍隊一起攻打鄭國。鄭國派人求和。荀偃說：「包圍鄭國，等待楚國人救援到達，和他們正面作戰，不這樣就沒有真正的歸順。」知罃說：「答應鄭國結盟然後退兵，用這樣的辦法引誘楚國人進攻鄭國。等楚軍趕來，我們就主動後撤。一旦楚軍迫使鄭國屈服後南返，我們再揮師入鄭。我們可以把四個軍一分為三，加上諸侯的精銳部隊，每次以三分之一的兵力出擊，對我們來說並不感到困乏，而楚軍就不能持久了，必定疲勞不堪。這樣比硬碰硬要好，暴露屍骨以圖一時之快，還疲勞得不行。君子用智，小人用力，這是先王的訓示。」於是採用知罃的方法，楚軍果然疲憊不堪，無力北上抗爭。

## 【出處】

甲戌，師於汜，令於諸侯曰：「修器備，盛餱糧，歸老幼，居疾於虎牢，肆眚，圍鄭。」鄭人恐，乃行成。中行獻子曰：「遂圍之，以待楚人之救也而與之戰。不然，無成。」知武子曰：「許之盟而還師，以敝楚人。吾三分四軍，與諸侯之銳以逆來者，於我未病，楚不能矣，猶愈於戰。暴骨以逞，不可以爭。大勞未艾。君子勞心，小人

---

32.「惟其有之，是以似之」，出自《詩經》〈小雅・裳裳者華〉。

勞力，先王之制也。」諸侯皆不欲戰，乃許鄭成。十一月己亥，同盟於戲，鄭服也。（《左傳》〈襄公九年〉）

# 唯余馬首是瞻

魯襄公十四年（西元前559年）夏季，晉悼公讓荀偃統率諸侯大軍進攻秦國，軍隊渡過涇水駐紮下來。秦國人在涇水上游下毒，諸侯軍隊很多人中毒而死，因而士氣不振。荀偃原以為可以將秦景公嚇倒，但秦軍得知聯軍軍心渙散，並不膽怯。荀偃無奈只得下達命令準備戰鬥，對副將們說：「雞叫套車，填井平灶，作戰的時候，你們只看著我的馬首而行動，主將奔向哪裡，你們就奔向哪裡。」副手們認為荀偃的命令太過驕橫，決定不遵從。欒黶說：「晉國的命令從來沒有這樣的。我的馬頭可要往東呢。」於是掉頭回國。下軍跟隨他回去。左史對魏莊子說：「不等中行伯了嗎？」魏莊子說：「他老人家命令我們跟從主將，欒黶是我的主將，我跟從他，也就是聽從他老人家的話。」荀偃得知消息後說：「我的命令確實有誤，後悔哪裡還來得及，多留下人馬只能被秦國俘虜。」於是下令全軍撤退。晉國人稱這次戰役為「遷延之役」。唯馬首是瞻，本意指根據馬頭的方向決定進退。作為成語，被引申為追隨某人行動，唯其命令是從。

## 【出處】

夏，諸侯之大夫從晉侯伐秦，以報櫟之役也。晉侯待於竟，使六卿帥諸侯之師以進。及涇，不濟。叔向見叔孫穆子。穆子賦〈匏有苦

葉〉[33]。叔向退而具舟，魯人、莒人先濟。鄭子蟜見衛北宮懿子曰：
「與人而不固，取惡莫甚焉！若社稷何？」懿子說。二子見諸侯之師
而勸之濟，濟涇而次。秦人毒涇上流，師人多死。鄭司馬子蟜帥鄭師
以進，師皆從之，至於棫林，不獲成焉。荀偃令曰：「雞鳴而駕，塞
井夷灶，唯余馬首是瞻！」欒黶曰：「晉國之命，未是有也。余馬首
欲東。」乃歸。下軍從之。左史謂魏莊子曰：「不待中行伯乎？」莊
子曰：「夫子命從帥。欒伯，吾帥也，吾將從之。從帥，所以待夫子
也。」伯游曰：「吾令實過，悔之何及，多遺秦禽。」乃命大還。晉
人謂之遷延之役。（《左傳》〈襄公十四年〉）

# 賓至如歸

　　子產陪同鄭簡公到晉國，晉平公沒有及時接見。子產派人將晉國
賓館的圍牆全部拆毀後把車馬開進去。士文伯責備他說：「我國為保
證諸侯來賓的安全，所以修了賓館，築了高牆。現在你們把牆拆了，
來賓的安全由誰負責？」子產回答說：「我們鄭國小，所以要按時前
來進貢。這次貴國國君沒有時間接見我們，我們帶來的禮物既不敢冒
昧獻上，又不敢讓這些禮物日曬夜露。我聽說晉文公做盟主的時候，
宮室矮小，沒有可供觀望的臺榭，而把接待諸侯的賓館修得又高又
大，賓館好像現在君王的寢宮一樣。對賓館內的庫房、馬廄都加以修
繕，司空及時整修道路，泥瓦工按時粉刷牆壁，諸侯的賓客來了，甸
人點起火把，僕人巡邏宮館。車馬有一定的處所，賓客的隨從有人替

---

33.〈匏有苦葉〉是《詩經》〈邶風〉中的一篇。

賓至如歸

代服役，管理車子的管理員為車軸加油，打掃的人、牧羊人、養馬的人各自做分內的事情。各部官吏各自陳列他的禮品。文公不讓賓客耽擱，也沒有因為這樣而荒廢賓主的公事。和賓客憂樂相同，有事就加以安撫，對賓客所不知道的加以教導，不周到的加以體諒。賓客來到晉國就像在自己家裡一樣，還有什麼災患？不怕搶劫偷盜，也不擔心乾燥潮濕。現在銅鞮山的宮室綿延幾里，而諸侯住在像奴隸住的屋子裡，門口進不去車子，又不能翻牆而入。盜賊公開行動，而傳染病又不能防止。賓客覲見諸侯沒有確定的時間，君王接見的命令也不知道什麼時候才能發布。如果還不拆毀圍牆，這就沒有地方收藏財禮，反而要加重罪過了。謹敢問執事，對我們將有什麼指示？雖然君王有魯國的喪事，但這同樣也是敝國的憂慮。如果能夠奉上財禮，我們願把圍牆修好了再走。這是君王的恩惠，豈敢害怕修牆的辛勤勞動？」士文伯回去向晉平公報告。平公自知理虧，便向子產認錯道歉，並立刻下令動工，重修賓館。

## 【出處】

　　子產相鄭伯以如晉，晉侯以我喪故，未之見也。子產使盡壞其館之垣而納車馬焉。士文伯讓之，曰：「敝邑以政刑之不修，寇盜充斥，無若諸侯之屬辱在寡君者何，是以令吏人完客所館，高其閈閎，厚其牆垣，以無憂客使。今吾子壞之，雖從者能戒，其若異客何？以敝邑之為盟主，繕完葺牆，以待賓客，若皆毀之，其何以共命？寡君使匄請命。」對曰：「以敝邑褊小，介於大國，誅求無時，是以不敢寧居，悉索敝賦，以來會時事。逢執事之不閒，而未得見，又不獲聞命，未知見時，不敢輸幣，亦不敢暴露。其輸之，則君之府實也，非

薦陳之，不敢輸也。其暴露之，則恐燥濕之不時而朽蠹，以重敝邑之罪。僑聞文公之為盟主也，宮室卑庳，無觀臺榭，以崇大諸侯之館。館如公寢，庫廄繕修，司空以時平易道路，圬人以時塓館宮室。諸侯賓至，甸設庭燎，僕人巡宮，車馬有所，賓從有代，巾車脂轄，隸人牧圉，各瞻其事，百官之屬，各展其物。公不留賓，而亦無廢事，憂樂同之，事則巡之，教其不知，而恤其不足。賓至如歸，無寧災患，不畏寇盜，而亦不患燥濕。今銅鞮之宮數里，而諸侯舍於隸人。門不容車，而不可踰越。盜賊公行，而天癘不戒。賓見無時，命不可知。若又勿壞，是無所藏幣，以重罪也。敢請執事，將何所命之？雖君之有魯喪，亦敝邑之憂也。若獲薦幣，修垣而行，君之惠也，敢憚勤勞？」文伯覆命，趙文子曰：「信！我實不德，而以隸人之垣以贏諸侯，是吾罪也。」使士文伯謝不敏焉。晉侯見鄭伯，有加禮，厚其宴好而歸之。乃築諸侯之館。（《左傳》〈襄公三十一年〉）

# 晉弓工妻

　　弓工的妻子是晉國繁人的女兒。[34]平公的時候，丈夫奉命造弓，費時三年而成。平公開弓試箭，連一層竹甲也沒有穿透。平公生氣，要拿造弓者問斬。弓工的妻子請求拜見君王說：「繁人的女兒，弓人的妻子，希望拜見君上。」弓人的妻子對平公說：「君主知道從前劉公的事蹟嗎？羊牛踐踏了葭葦[35]，他都為百姓感到心痛，能夠恩及草

---

34.《太平御覽》卷三四七引此文，綦毋邃註：「繁人，官名。」

35. 葭葦即蘆葦。

木，自然不會濫殺無辜。秦穆公時，有人偷殺他的駿馬吃肉，他不僅不怪罪，反而給他們酒喝。楚莊王的臣下曾經在酒宴上拉扯他妃子的衣裙，妃子拔下他頭盔上的纓穗向莊王告狀，莊王卻讓所有在座的臣子拔掉纓穗繼續痛飲。這三位君主的仁德天下皆知，美名傳揚至今。從前帝堯居處非常儉樸，還認為建造房屋的人太過辛苦，住的人太過安逸。我丈夫為製作這張弓，可以說千辛萬苦。他從泰山的山凹處取材，一天要經過三陰三曬。而後又取用燕地的牛角、荊楚的鹿筋，以及河魚的膠。這四樣東西，都是天下最佳的選擇，而君王卻不能以它射穿一層竹甲，明明是君王射術不精，卻反而要殺我的丈夫，這不是太荒謬了嗎？我聽說射箭的要訣，在於左手穩定，右手依附。右手發箭時，左手紋絲不動，這才是射箭之道啊。」於是平公按照她說的方法來射箭，一箭就射穿了七層竹甲。平公立即釋放了弓工，並賞賜他黃金三鎰。

## 【出處】

弓工妻者，晉繁人之女也。當平公之時，使其夫為弓，三年乃成。平公引弓而射，不穿一札。平公怒，將殺弓人。弓人之妻請見曰：「繁人之子，弓人之妻也。願有謁於君。」平公見之，妻曰：「君聞昔者公劉之行乎？羊牛踐葭葦，惻然為民痛之。恩及草木，豈欲殺不辜者乎！秦穆公有盜食其駿馬之肉，反飲之以酒。楚莊王臣援其夫人之衣而絕纓，與飲大樂。此三君者，仁著於天下，卒享其報，名垂至今。昔帝堯茅茨不剪，采椽不斲，上階三等，猶以為為之者勞，居之者逸也。今妾之夫治造此弓，其為之亦勞。其幹生於太山之阿，一日三睹陰，三睹陽，傅以燕牛之角，纏以荊麋之筋，糊以河魚之膠。

此四者皆天下之妙選也，而君不能以穿一札，是君之不能射也，而反欲殺妾之夫，不亦謬乎？妾聞射之道，左手如拒石，右手如附枝，右手發之，左手不知，此蓋射之道也。」平公以其言為儀而射，穿七札，繁人之夫立得出，而賜金三鎰。（《列女傳》〈辯通傳〉）

## 折衝樽俎[36]

　　晉平公打算進攻齊國，便派大夫范昭去觀察齊國的政治動態。齊景公設宴招待，酒喝到痛快的時候，范昭藉著酒勁向齊景公說：「大王，請您給我您的酒杯來喝酒吧。」齊景公對左右的人說：「把酒倒在寡人的酒杯裡拿去。」范昭接過一飲而盡。當范昭喝完杯中的酒正想斟酒時，晏子立即撤掉景公酒杯，仍用范昭的酒杯斟酒。范昭假裝喝醉了，不高興地跳起舞來，並對齊國太師說：「能為我演奏一支成周樂曲嗎？我將隨樂而起舞。」太師回答說：「盲臣未曾學過。」范昭無趣地離開筵席後，齊景公責備臣下說：「晉國是個大國，派人來觀察我國政局，如今你們觸怒了大國的使臣，這可怎麼辦呢？」晏子理直氣壯地說：「范昭並不是不懂禮法，他是故意羞辱我國，所以我不能服從您的命令，用您的酒杯給他斟酒。」太師接著說：「成周之樂是天子享用的樂曲，只有國君才能隨之起舞。范昭不過是晉國大臣，卻想用天子的樂曲伴舞，所以我不能為他演奏。」范昭回到晉國後，向晉平公報告說：「不可以向齊國進攻。我想羞辱他們的國君，

---

36. 折衝：戰車進退。樽俎：古代盛酒食的器具。原指諸侯國在宴席上制勝對方，後泛指在外交談判上克敵制勝。

結果被晏子看穿了；想冒犯他們的禮法，又被太師識破了。」孔子聽到這件事後讚歎說：「不越出筵席之間，而能抵禦千里之外敵人的進攻，晏子正是這樣的人。」

## 【出處】

晉平公欲伐齊，使范昭往觀焉。景公賜之酒，酣，范昭曰：「願請君之樽酌。」公曰：「酌寡人之樽，進之於客。」范昭已飲，晏子曰：「撤樽更之。」樽觶肯矣，范昭佯醉，不悅而起舞，謂太師曰：「能為我調成周之樂乎？吾為子舞之。」太師曰：「冥臣不習。」范昭趨而出。景公謂晏子曰：「晉，大國也，使人來，將觀吾政也。今子怒大國之使者，將奈何？」晏子曰：「夫范昭之為人，非陋而不識禮也，且欲試吾君臣，故絕之也。」景公謂太師曰：「子何以不為客調成周之樂乎？」太師對曰：「夫成周之樂，天子之樂也。若調之，必人主舞之。今范昭，人臣也，而欲舞天子之樂，臣故不為也。」范昭歸，以告平公，曰：「齊未可伐也。臣欲試其君，而晏子識之，臣欲犯其禮，而太師知之。」仲尼聞之曰：「夫不出於樽俎之間，而知千里之外，其晏子之謂也，可謂折衝矣，而太師其與焉。」（《新序》〈雜事一〉）

## 平公好樂

晉平公喜好音樂，在國內廣徵賦稅，卻不修整城邑，宣稱誰敢進

諫就處死誰。人們都很憂慮。有個名叫咎犯[37]的人，去見守門官說：「我聽說君主愛好音樂，特以樂技求見。」晉平公答應接見。咎犯進宮後，晉平公讓人擺出鐘磬竽瑟等樂器讓他演奏，咎犯回答說：「我不會奏樂，但我擅長隱語。」平公於是叫來十二名隱官。咎犯說：「我願冒死進獻薄技。」晉平公說：「好吧！」咎犯伸出左臂，並屈五指。平公問眾隱官說：「這是什麼意思？」眾隱官都搖頭說：「不知道。」晉平公生氣地說：「都回到座位上去。」於是讓咎犯解釋。咎犯伸出手指說：「其一，是說君主遊玩之處到處雕龍畫鳳，而城池卻得不到修整；其二，是說君主宮殿裡梁柱都披錦帶繡，但讀書人和百姓卻連粗布短衣也穿不上；其三，是說玩雜耍的矮人樂師美酒喝不完，而出生入死的勇士們卻忍受饑渴；其四，是說百姓面有饑色，但君主馬廄裡卻菽粟滿倉；其五，是說君主身邊的臣子不敢進諫，下面臣子的意見也無法上達。」晉平公說：「講得好。」於是撤去鐘鼓，廢除聲樂，和咎犯一起商討治理國家之策。

## 【出處】

晉平公好樂，多其賦斂，不治城郭，曰：「敢有諫者死。」國人憂之，有咎犯者，見門大夫曰：「臣聞主君好樂，故以樂見。」門大夫入言曰：「晉人咎犯也，欲以樂見。」平公曰：「內之。」止坐殿上，則出鐘磬竽瑟。坐有頃。平公曰：「客子為樂。」咎犯對曰：「臣不能為樂，臣善隱。」平公召隱士十二人。咎犯曰：「隱臣竊願昧死御。」平公曰：「諾。」咎犯申其左臂而詘五指，平公問於隱官，曰：

---

37. 此咎犯必不為晉文公舅父，當另有其人，或疑為師曠。

「占之為何？」隱官皆曰：「不知。」平公曰：「歸之。」咎犯則申其一指曰：「是一也，便游赭畫，不峻城闕。二也，柱梁衣繡，士民無褐。三也，侏儒有餘酒，而死士渴。四也，民有饑色，而馬有粟秩。五也，近臣不敢諫，遠臣不得達。」平公曰：「善。」乃屏鐘鼓，除竽瑟，遂與咎犯參治國。（《說苑》〈正諫〉）

# 杜蕢揚觶

　　智悼子死了，尚未入葬，晉平公就喝起酒來，並以師曠、李調作陪，擊鐘奏樂。杜蕢從外面進來，聽到鐘聲，就問侍衛說：「國君在哪裡？」回答說：「在正寢。」杜蕢就急匆匆往正寢走去，一步兩個臺階地登上堂，倒了一杯酒說：「曠，把這杯酒喝下去！」又倒了一杯酒說：「調，把這杯酒喝下去！」然後又倒了一杯酒，面向北坐著自己喝了，然後下堂，快步走了出去。平公喊住他，命他進來說：「蕢，剛才我以為你要存心啟發我，所以沒和你說話。現在我要問你：你為什麼要命令師曠喝酒呢？」杜蕢說：「子日和卯日是國君忌諱的日子，不敢奏樂，以示警惕。現在智悼子停柩在堂，這比國君忌諱的子卯之日更加要緊，怎麼能夠飲酒奏樂呢？師曠身為掌樂的大師，不把這層道理向您報告，所以罰他喝酒。」平公又問：「為什麼命令李調喝酒呢？」杜蕢答道：「李調是您寵愛的臣子，本該規勸君過，卻貪於吃喝，全然不顧國君的失禮，所以罰他喝酒。」平公又問：「那你為什麼要罰自己喝酒呢？」杜蕢回答說：「我是為您服務的宰夫，提供膳饈才是我的本分，現在竟敢越職諫諍國君的過失，所

以也應當自罰一杯。」平公說：「寡人也有過失，倒杯酒來，也罰我一杯。」於是杜蕢將酒杯洗過，倒了一杯酒，舉起來遞給平公。平公飲畢，對左右侍從說：「即使我死以後，也不要扔掉這只酒杯。」從此之後，凡是向所有人獻過酒後，再舉起酒杯遞給國君的動作，就叫作「杜舉」。

## 【出處】

知悼子卒，未葬；平公飲酒，師曠、李調侍，鼓鐘。杜蕢自外來，聞鐘聲，曰：「安在？」曰：「在寢。」杜蕢入寢，歷階而升，酌，曰：「曠飲斯。」又酌，曰：「調飲斯。」又酌，堂上北面坐飲之。降，趨而出。平公呼而進之，曰：「蕢，曩者爾心或開予，是以不予爾言。爾飲曠何也？」曰：「子卯不樂。知悼子在堂，斯其為子卯也大矣。曠也大師也，不以詔，是以飲之也。」「爾飲調何也？」曰：「調也，君之褻臣也，為一飲一食，忘君之疾，是以飲之也。」「爾飲何也？」曰：「蕢也宰夫也，非刀匕是供，又敢與知防，是以飲之也。」平公曰：「寡人亦有過焉，酌而飲寡人。」杜蕢洗而揚觶。公謂侍者曰：「如我死，則必無廢斯爵也。」至於今，既畢獻，斯揚觶，謂之杜舉。（《禮記》〈檀弓下〉）

## 平公罷臺

晉平公派叔向訪問吳國，吳國人用裝飾豪華的大船迎接他，船左五百人，船右五百人，有的穿著豹皮繡衣，有的穿著狐皮錦衣。

叔向回國後向晉平公匯報。平公說：「吳國快要滅亡了吧！如此看重舟船，把老百姓放在什麼位置呢？」叔向回答說：「君王您修築馳底高臺，上可以陳兵千人，下可以陳列鐘鼓，諸侯知道後，也會說：『晉國如此看重高臺，又把老百姓放在什麼位置呢？』您與吳主，也只是各自看重的對象不同罷了。」晉平公聽了，於是下令停止建造馳底高臺。

## 【出處】

晉平公使叔向聘於吳，吳人拭舟以逆之。左五百人，右五百人；有繡衣而豹裘者，有錦衣而狐裘者。叔向歸以告平公，平公曰：「吳其亡乎！奚以敬舟？奚以敬民？」叔向對曰：「君為馳底之臺，上可發千兵？下可以陳鐘鼓？諸侯聞君者，亦曰：『奚以敬臺，奚以敬民？』所敬各異也。」於是平公乃罷臺。（《說苑》〈正諫〉）

## 其國之亂

公子札遊歷晉國，剛進入晉國邊界，就抒發感嘆說：「唉，這個國家的政治太殘暴了！」進入晉國都城，又感嘆說：「唉，這個國家的民力已經困乏！」等拜過晉君，又站在朝廷感嘆說：「唉，這個國家太混亂了！」跟隨公子札的隨從問他：「先生進入晉國的時間不長，為什麼能如此斷言呢？」季札說：「是這樣。我進入晉國境內，看到田野荒蕪，雜草叢生，因此知道晉國政治殘暴，民生凋敝。後來進入晉國都城，看見新修建的房屋非常簡陋，以往修建的房屋則很壯

觀；新築的城牆低矮，遠不如以前的高大，因此知道晉國民力困乏。我觀察朝堂，發現晉君長著眼睛卻不過問下情，大臣個個能言善辯，卻不去勸誡國君，由此知道晉國國政的混亂。」

## 【出處】

延陵季子游於晉，入其境，曰：「嘻，暴哉國乎！」入其都，曰：「嘻，力屈哉國乎！」立其朝，曰：「嘻，亂哉國乎！」從者曰：「夫子之入晉境未久也，何其名之不疑也？」延陵季子曰：「然，吾入其境，田畝荒穢而不休，雜增崇高，吾是以知其國之暴也。吾入其都，新室惡而故室美，新牆卑而故牆高，吾是以知其民力之屈也。吾立其朝，君能視而不下問，其臣善伐而不上諫，吾是以知其國之亂也。」（《說苑》〈政理〉）

## 三過而不顧

晉平公製作了一輛輕便的獵車，插上彩繪的龍旗，掛上犀角象牙等飾品，並以翠羽裝飾車蓋。車子造好後，標明價值千鎰，停放在宮殿門口，令群臣觀賞。田差三次經過卻不屑一顧。晉平公非常生氣，斥責田差說：「你三次經過而不屑一顧，是什麼意思？」田差回應說：「我聽說，跟天子要討論天下大事，跟諸侯要討論國家大事，跟大夫要討論為官之道，跟士子要探討學問，跟農夫要討論耕作，跟婦女要討論紡織。夏桀因奢侈亡國，商紂因荒淫失敗，我因此不敢看您的寶貝車子。」晉平公點頭說：「你說得對。」於是令人撤掉獵車。

【出處】

　　晉平公為馳逐之車，龍旌眾色，掛之以犀象，錯之以羽芝。車成，題金千鎰，立之於殿下，令群臣得觀焉。田差三過而不一顧，平公作色大怒，問田差：「爾三過而不一顧，何為也？」田差對曰：「臣聞說天子者以天下，說諸侯者以國，說大夫者以官，說士者以事，說農夫者以食，說婦姑者以織。桀以奢亡，紂以淫敗。是以不敢顧也。」平公曰：「善。」乃命左右曰：「去車！」（《說苑》〈反質〉）

# 腹背之毳

　　晉平公泛舟西河，船至中流，仰天感嘆說：「啊！要是能與天下賢士共享此樂，該多好啊！」船公固桑向平公進言說：「您說錯了。利劍產於越地，明珠出自江漢，美玉生在崑山，這三件珍寶都沒長腳，如今卻歸您所有。如果您真的愛惜人才，天下賢士豪傑自然會投到門下。」平公反駁固桑說：「固桑啊，我門下現有食客三千多人，早飯不夠，我晚上就去收租；晚飯不足，我清晨就去催糧。你怎能說我不重視人才呢？」固桑回答說：「大雁穿雲破霧，直上九天，靠的是雙翼的羽莖。至於腹背的絨毛，多一把或少一把都無關緊要，並不會影響它的飛翔。不知您的食客是雙翼的羽莖呢？還是腹背的絨毛？」平公一時語塞，無言以對。

【出處】

　　晉平公浮西河。中流而嘆曰：「嗟乎！安得賢士與共此樂者！」

船人固桑進對曰：「君言過矣。夫劍產於越，珠產江漢，玉產崑山，此三寶者，皆無足而至，今君苟好士，則賢士至矣。」平公曰：「固桑，來！吾門下食客者三千餘人，朝食不足，暮收市租，暮食不足，朝收市租，吾尚可謂不好士乎？」固桑對曰：「今夫鴻鵠高飛衝天，然其所恃者六翮耳。夫腹下之毳，背上之毛，增去一把，飛不為高下。不知君之食客，六翮耶？將腹背之毛毳也？」平公默然而不應焉。（《新序》〈雜事一〉）

## 黃熊入於寢門

　　鄭簡公派子產到晉國訪問，晉平公有病，讓韓宣子出面接待。子產問起平公的病情，韓宣子說：「國君已病得很久了，上下天地神靈，沒有不祈求禱告的，病一直沒好。現在夢見黃熊進入寢宮，也不知是人煞還是厲鬼？」子產說：「國君如此英明，又有您執政，哪會有什麼惡鬼？我聽說，從前鯀違抗舜的命令，在羽山被殺，變成黃熊，進入羽淵。這就是夏朝郊祭的來由，夏商周三代都舉行類似的儀式。鬼神到達的地方，都是要承繼與他身分相同的靈位。因此天子祭上帝，公侯祭百神，從卿以下祭祀不超過本族。現在周王室日漸卑弱，晉國實際在代它行使職權。大概是未舉行夏朝的郊祭吧？」韓宣子將子產的話轉告晉平公，於是安排舉行夏朝的郊祭，讓董伯扮作受祭的人。五天之後，平公的病就痊癒了。平公接見子產，並賜給他莒鼎。

## 【出處】

　　鄭簡公使公孫成子來聘於晉。平公有疾，韓宣子贊，授館客。客問君疾，對曰：「君之疾久矣，上下神祇，無不遍諭也，而無除。今夢黃熊入於寢門，不知人鬼耶？意厲鬼也？」子產曰：「君之明，子為政，其何厲之有？僑聞之，昔鯀違帝命，殛之於羽山，化為黃熊，以入於羽淵。是為夏郊，三代舉之。夫鬼神之所及，非其族類，則紹其同位。是故天子祠上帝，公侯祠百神，自卿以下，不過其族。今周室少卑，晉實繼之。其或者未舉夏郊也？」宣子以告。祀夏郊，董伯為尸，五日瘳。公見子產，賜之莒鼎。（《說苑》〈辨物〉）

## 不節不時

　　醫和為晉平公看病，認為他的病是過度親近女色所致。平公問他說：「女人不能親近嗎？」醫和回答說：「必須要有節制。先王以音樂來節制百事，所以有五聲的節奏和快慢，本末互相調節，達到聲音和諧。五聲達至和諧時，就不能再彈了。否則將出現繁複的手法和靡靡之音，使人意亂神迷，忘卻平正和諧，因此君子是不聽的。任何事物都是一樣，到達一定的度就要停止，否則就會出問題。君子接近妻室，也需要以禮來節制。天有六種氣候，派生為五種口味，表現為五種顏色，應驗為五種聲音。凡是過了頭就會發生六種疾病。六種氣候就叫作陰、晴、風、雨、夜、晝，分為四段時間，順序為五聲的節奏，過了頭就是災禍：陰沒有節制是寒病，陽沒有節制是熱病，風沒有節制病在四肢，雨沒有節制是腹病，夜生活沒有節制必然迷惑，白

天沒有節制會有心疾。女人，屬於陽事但時間通常在夜裡，對女人沒有節制就會發生內熱蠱惑的疾病。現在您喜歡女色不分晝夜毫無節制，身體能不出問題嗎？」

## 【出處】

晉侯求醫於秦。秦伯使醫和視之，曰：「疾不可為也。是謂：『近女室，疾如蠱。非鬼非食，惑以喪志。良臣將死，天命不祐。』」公曰：「女不可近乎？」對曰：「節之。先王之樂，所以節百事也，故有五節，遲速本末以相及，中聲以降，五降之後，不容彈矣。於是有煩手淫聲，慆堙心耳，乃忘平和，君子弗聽也。物亦如之，至於煩，乃舍也已，無以生疾。君子之近琴瑟，以儀節也，非以慆心也。天有六氣，降生五味，發為五色，徵為五聲，淫生六疾。六氣曰陰、陽、風、雨、晦、明也。分為四時，序為五節，過則為災。陰淫寒疾，陽淫熱疾，風淫末疾，雨淫腹疾，晦淫惑疾，明淫心疾。女，陽物而晦時，淫則生內熱惑蠱之疾。今君不節不時，能無及此乎？」（《左傳》〈昭西元年〉）

## 遠男而近女

晉平公在秦國求醫，秦景公派醫和給他看病。醫和診斷後出來對趙孟說：「病不能治了。是因為疏遠男人而親近女色，受迷惑生了蠱病。不是鬼神作祟，也不是飲食不當，是為女色所惑而沉溺喪志。身邊沒有良臣，上天不肯保佑。即便國君不死，也將失去盟主的地

位。」趙文子感到不解,對醫和說:「我和諸位卿大夫輔佐國君成為諸侯的盟主,到如今已經八年,國內沒有暴亂邪惡,諸侯同心同德,你憑什麼說『良臣不在身邊,上天不肯保佑』呢?」醫和回答說:「我說的是從今往後的情況。我聽說:『直不輔曲,明不規暗,大樹不生長在又高又險要的地方,松柏不生長在低窪潮濕之處。』你不能勸諫君主遠離女色,以致於他身染沉痾,又不知引身而退。雄霸盟壇八年你認為已很驕傲,這哪裡是霸業長久的理念呢?」文子很驚奇:「當醫生的也懂得治國的道理嗎?」醫和回答說:「高明的醫生懂得治國的道理,一般的醫生只懂得治病救人。」趙孟說:「什麼叫作蠱?」醫和回答說:「這是沉迷惑亂所引起的。從字面上講,蟲皿為蠱。稻穀中的飛蟲也屬於蠱。在《周易》裡,女人迷惑男人,大風吹落山木都稱為蠱。這都是同類事物。現今君王不分晝夜地親近女人,這就如同不享用嘉穀而去吃蠱蟲,不生蠱病才怪。」文子說:「那平公還能活多久呢?」醫和回答說:「如果諸侯服從,最多能活三年,諸侯不服,最多不會超過十年,超過這個限度,就是晉國的災難。」這一年,趙文子死了,諸侯紛紛背叛晉國;十年以後,平公死去。

## 【出處】

平公有疾,秦景公使醫和視之,出曰:「不可為也。是謂遠男而近女,惑以生蠱;非鬼非食,惑以喪志。良臣不生,天命不祐。若君不死,必失諸侯。」趙文子聞之曰:「武從二三子以佐君為諸侯盟主,於今八年矣,內無苛慝,諸侯不二,子胡曰『良臣不生,天命不祐?』」對曰:「自今之謂。和聞之曰:『直不輔曲,明不規暗,拱木不生危,松柏不生埤。』吾子不能諫惑,使至於生疾,又不自退而

寵其政，八年之謂多矣，何以能久！」文子曰：「醫及國家乎？」對曰：「上醫醫國，其次疾人，固醫官也。」文子曰：「子稱蠱，何實生之？」對曰：「蠱之慝，穀之飛實生之。物莫伏於蠱，莫嘉於穀，穀興蠱伏而章明者也。故食穀者，晝選男德以象穀明，宵靜女德以伏蠱慝，今君一之，是不饗穀而食蠱也，是不昭穀明而皿蠱也。夫文，『蟲』『皿』為『蠱』，吾是以云。」文子曰：「君其幾何？」對曰：「若諸侯服不過三年，不服不過十年，過是，晉之殃也。」是歲也，趙文子卒，諸侯叛晉，十年，平公薨。（《國語》〈晉語八〉）

## 善人在患，弗救不祥

　　在鄭國虢地會盟時，魯國人自食其言。楚國的令尹公子圍提出要將魯國的叔孫穆子處死。晉國大夫樂王鮒乘機向叔孫穆子索取財貨，穆子不給。趙文子對叔孫穆子說：「楚國的令尹子圍為人剛愎自用，好自尊寵，萬一跟你過不去，肯定無法躲避。你為什麼不逃走呢？」叔孫穆子回答說：「我奉國君的命令來參加會盟，作為魯國使者，沒參加會盟就逃走了，魯國免不了要受討伐。如果我因魯國背盟食言被殺，對魯國的誅伐也就到此為止了。要殺就殺吧。如果是因為自身的過錯被殺，確實難堪，如果是受他人的牽累而死，倒也無妨。如果能使國君平安、國家有利，生與死都是一樣的。」趙文子主張向楚國求情，樂王鮒說：「諸侯締結盟約還沒散會，魯國就違背它，締結盟約還有什麼意義？既不能出兵討伐魯國，又要赦免魯國參加會盟的使者，那晉國還做什麼盟主？叔孫豹必須死。」文子說：「有人不惜一

死保衛國家利益，這樣的人難道可以不加愛護嗎？如果都像叔孫豹那樣維護國家利益，大國就不會喪失威嚴，小國也不會遭受欺侮。按這個道理去治理國家、教導百姓，國家就可以立於不敗之地。我聽說：『好人有難，不救不吉；惡人在位，不除不祥。』因此，一定要赦免叔孫豹。」趙武子親自出面向楚國說情，終於赦免了叔孫豹。

## 【出處】

　　虢之會，魯人食言，楚令尹圍將以魯叔孫穆子為戮，樂王鮒求貨焉不予。趙文子謂叔孫曰：「夫楚令尹有欲於楚，少懦於諸侯。諸侯之故，求治之，不求致也。其為人也，剛而尚寵，若及，必不避也。子盍逃之？不幸，必及於子。」對曰：「豹也受命於君，以從諸侯之盟，為社稷也。若魯有罪，而受盟者逃，必不免，是吾出而危之也。若為諸侯戮者，魯誅盡矣，必不加師，請為戮也。夫戮出於身實難，自他及之何害？苟可以安君利國，美惡一心也。」文子將請之於楚，樂王鮒曰：「諸侯有盟未退，而魯背之，安用齊盟？縱不能討，又免其受盟者，晉何以為盟主矣，必殺叔孫豹。」文子曰：「有人不難以死安利其國，可無愛乎！若皆恤國如是，則大不喪威，而小不見陵矣。若是道也果，可以教訓，何敗國之有！吾聞之曰：『善人在患，弗救不祥；惡人在位，不去亦不祥。』必免叔孫。」固請於楚而免之。（《國語》〈晉語八〉）

# 平公說新聲

晉平公喜歡一種新樂曲。師曠評論說：「晉國恐怕要沒落了吧！君王已經出現明顯的衰亡徵兆了。要通過各地民歌的交流，使德行傳播到廣闊遙遠的地方。宣揚德行來推廣音樂，教化各地使音樂到達遠方，使萬物都受到音樂的感化，作詩來歌詠它，制禮來節制它。德行傳播到四方，使勞作遵照時節，舉動符合禮節，因此遠方的人來歸服，近處的人不遷徙。」

## 【出處】

平公說新聲，師曠曰：「公室其將卑乎！君之明兆於衰矣。夫樂以開山川之風也，以耀德於廣遠也。風德以廣之，風山川以遠之，風物以聽之，修詩以詠之，修禮以節之。夫德廣遠而有時節，是以遠服而邇不遷。」（《國語》〈晉語八〉）

# 音莫悲於清角

晉平公在施夷之臺招待衛靈公，酒喝到高興的時候，靈公站起來說：「我剛得到一首新曲子，請諸位鑑賞一下如何？」平公聽說有新曲子，頓時來了興致。靈公讓師涓持琴上臺，坐在師曠旁邊演奏。剛彈了一小段，師曠伸手按住琴絃說：「不要彈了，這是亡國之音啊！」平公覺得奇怪，問師曠說：「有什麼問題嗎？」師曠說：「該曲為商紂王時代的師延所作。武王伐紂的時候，師延東逃到濮水投河自盡，

師涓一定是從濮水之濱得到曲子的。這個曲子屬於亡國的靡靡之音，所以不能彈奏。」平公對師涓說：「我很喜歡這首曲子，你就彈完吧。」師涓於是將曲子完整地演奏了一遍。平公問師曠說：「這叫什麼曲調？」師曠說：「是清商調。」平公說：「清商調是最悲涼的曲調嗎？」師曠說：「比不上清徵調。」平公問：「清徵調能彈來聽聽嗎？」師曠說：「不能。古代聽清徵調的，都是德行高深的君主。您的德薄，還不夠格。」平公說：「你知道我喜歡音樂，就讓我試聽一次吧，也讓大家一飽耳福。」師曠不得已，於是接過琴來彈奏。彈第一段時，就見有十六隻黑色的仙鶴從南方飛來，停在廊門頂上；彈第二段時，就見群鶴排列成行，振翅欲飛；彈第三段時，只見群鶴引頸而鳴，展翅飛舞，鶴聲與樂聲相和，響徹天際。平公欣喜若狂，在座的人都大呼過癮。平公舉起酒杯祝師曠長壽，問他說：「還有比清徵更悲涼的音樂嗎？」師曠回答說：「清角調又勝過清徵調。」平公頓時來了興致：「能彈來聽聽嗎？」師曠說：「不能。過去黃帝駕象車、驅蛟龍，以諸神為伴，在泰山與鬼神聚會，作成清角調。以您淺薄的德行，絕對承受不起，對國家也有害無益。」平公說：「我老了，就這麼點愛好。你不要再吊我的胃口了，只管演奏，不必顧忌。」師曠被逼無奈，只得援琴而奏。琴聲剛起，就見一團黑雲從西北方蓊然升起；再奏時，就見大風驟起，飄潑大雨跟隨而至。狂風暴雨貫臺而過，撕裂帳幕，掀翻廊瓦，毀壞食器。在座的人棄席而逃，平公滿面驚恐，嚇得趴在廊屋之間，渾身直打哆嗦。師曠停止演奏，霎時雲開霧散，一切平復如初。不久，平公癱瘓了。晉國遭遇大旱，土地荒蕪了三年。

## 【出處】

　　晉平公觴之於施夷之臺。酒酣，靈公起。公曰：「有新聲，願請以示。」平公曰：「善。」乃召師涓，令坐師曠之旁，援琴鼓之。未終，師曠撫止之，曰：「此亡國之聲，不可遂也。」平公曰：「此道奚出？」師曠曰：「此師延之所作，與紂為靡靡之樂也。及武王伐紂，師延東走，至於濮水而自投，故聞此聲者，必於濮水之上。先聞此聲者，其國必削，不可遂。」平公曰：「寡人所好者，音也，子其使遂之。」師涓鼓究之。平公問師曠曰：「此所謂何聲也？」師曠曰：「此所謂清商也。」公曰：「清商固最悲乎？」師曠曰：「不如清徵。」公曰：「清徵可得而聞乎？」師曠曰：「不可。古之聽清徵者，皆有德義之君也。今吾君德薄，不足以聽。」平公曰：「寡人之所好者，音也。願試聽之。」師曠不得已，援琴而鼓。一奏之，有玄鶴二八，道南方來，集於郎門之垝。再奏之，而列。三奏之，延頸而鳴，舒翼而舞。音中宮商之聲，聲聞於天。平公大說，坐者皆喜。平公提觴而起為師曠壽，反坐而問曰：「音莫悲於清徵乎？」師曠曰：「不如清角。」平公曰：「清角可得而聞乎？」師曠曰：「不可。昔者黃帝合鬼神於泰山之上，駕象車而六蛟龍，畢方並轄，蚩尤居前，風伯進掃，雨師灑道，虎狼在前，鬼神在後，騰蛇伏地，鳳皇覆上，大合鬼神，作為清角。今主君德薄，不足聽之。聽之，將恐有敗。」平公曰：「寡人老矣，所好者音也，願遂聽之。」師曠不得已而鼓之。一奏而有玄雲從西北方起；再奏之，大風至，大雨隨之，裂帷幕，破俎豆，隳廊瓦。坐者散走，平公恐懼，伏於廊室之間。晉國大旱，赤地三年。平公之身遂癃病。（《韓非子》〈十過〉）

# 多難以固其國

　　楚靈王派椒舉到晉國尋求霸權支持，晉平公不想給楚國面子。司馬侯說：「晉國和楚國的霸業只有靠上天的幫助，而不是彼此可以爭奪的。」晉平公說：「晉國爭霸有三大優勢，國家地勢險要、多產馬匹、天災人禍少，齊國、楚國哪能與我們相比？」司馬侯回答說：「仗著地勢險要和盛產馬匹而對鄰國的多難幸災樂禍，這是三大危險。四嶽、三塗、陽城、太室、荊山、中南，都是九州中的險要之處，它們並不屬於一姓所有。冀州北部也盛產馬匹，卻沒有強盛的國家。倚仗地勢險要和馬匹來鞏固國防，古代也沒有先例。聖明之君都是以重視德行來溝通上天與民間，沒聽說仰仗地形險要和馬匹的。鄰國有難，沒什麼好幸災樂禍的。既有多難興邦，也有無難失國。齊國曾經發生仲孫的禍難而桓公稱霸，到今天齊國還仰賴他的餘蔭。晉國因里克、丕鄭之難而文公回國，成為諸侯的盟主。衛國、邢國倒是沒出亂子，敵人一樣滅它。殷紂王淫亂暴虐，文王仁慈和藹。殷朝因此滅亡，周朝因此興起，豈在於對諸侯的爭奪？」晉平公於是答應了椒舉的要求。

## 【出處】

　　晉侯欲勿許。司馬侯曰：「不可。楚王方侈，天或者欲逞其心，以厚其毒而降之罰，未可知也。其使能終，亦未可知也。晉、楚唯天所相，不可與爭。君其許之，而修德以待其歸。若歸於德，吾猶將事之，況諸侯乎？若適淫虐，楚將棄之，吾又誰與爭？」公曰：「晉有

三不殆，其何敵之有？國險而多馬，齊、楚多難。有是三者，何鄉而不濟？」對曰：「恃險與馬，而虞鄰國之難，是三殆也。四嶽、三塗、陽城、大室、荊山、中南，九州之險也，是不一姓。冀之北土，馬之所生，無興國焉。恃險與馬，不可以為固也，從古以然。是以先王務修德音以亨神人，不聞其務險與馬也。鄰國之難，不可虞也。或多難以固其國，啟其疆土；或無難以喪其國，失其守宇。若何虞難？齊有仲孫之難而獲桓公，至今賴之。晉有里、丕之難而獲文公，是以為盟主。衛、邢無難，敵亦喪之。故人之難，不可虞也。恃此三者，而不修政德，亡於不暇，又何能濟？君其許之！紂作淫虐，文王惠和，殷是以隕，周是以興，夫豈爭諸侯？」乃許楚使。使叔向對曰：「寡君有社稷之事，是以不獲春秋時見。諸侯，君實有之，何辱命焉？」椒舉遂請昏，晉侯許之。（《左傳》〈昭公四年〉）

## 叔齊知禮

　　魯昭公訪問晉國，從郊外慰勞一直到贈送禮品，很講究禮節。晉平公對女叔齊說：「魯侯很懂禮啊。」女叔齊回答說：「魯侯哪裡懂禮？」晉平公說：「為什麼這麼說？從郊外慰勞一直到贈送禮品，樣樣都合乎禮節啊？」女叔齊回答說：「這只是一般的禮儀，不是真正意義上的禮。禮是用來捍衛國家、推行政令、贏得民眾的。現在的魯國，政令歸於私家而大權旁落，子家羈有賢才卻得不到重用。違反大國盟約，欺侮虐待小國。乘人之危卻不知自己也深陷危機。公室一分為四，老百姓靠三家大夫生活。民心不在國君，國君不考慮後果。作

為國君，已經麻煩纏身，不去思考解除憂患，卻專注於儀式的細枝末葉。說他懂禮，不也是差距太遠了嗎？」君子說：「女叔齊懂得禮的含義。」

## 【出處】

公如晉，自郊勞至于贈賄，無失禮。晉侯謂女叔齊曰：「魯侯不亦善於禮乎？」對曰：「魯侯焉知禮？」公曰：「何為？自郊勞至于贈賄，禮無違者，何故不知？」對曰：「是儀也，不可謂禮。禮所以守其國，行其政令，無失其民者也。今政令在家，不能取也。有子家羈，弗能用也。奸大國之盟，陵虐小國。利人之難，不知其私。公室四分，民食於他。思莫在公，不圖其終。為國君，難將及身，不恤其所。禮之本末，將於此乎在，而屑屑焉習儀以亟。言善於禮，不亦遠乎？」君子謂：「叔侯於是乎知禮。」（《左傳》〈昭公五年〉）

## 以善人為則

韓宣子到楚國訪問，楚國人不出來迎接。楚國的公子棄疾到晉國訪問，晉平公也想怠慢他。叔向說：「楚國人邪僻，我們正直，為什麼要學邪僻？《詩經》中說，『你的教導，老百姓會去傚傚。』根據我們自己的原則辦事，哪裡用得著學習別人的邪僻？《書》中說，『以聖人為準則』。普通人做好事，百姓還以他為榜樣，何況國君呢？」晉平公聽了很高興，於是派人迎接公子棄疾。

韓宣子之適楚也，楚人弗逆。公子棄疾及晉竟，晉侯將亦弗逆。叔向曰：「楚辟我衷，若何效辟？《詩》曰：『爾之教矣，民胥效矣。』[38]從我而已，焉用效人之辟？《書》曰：『聖作則。』無寧以善人為則，而則人之辟乎？匹夫為善，民猶則之，況國君乎？」晉侯說，乃逆之。（《左傳》〈昭公六年〉）

## 石言於晉

魯昭公八年（西元前534年）春，晉平公聽人說在魏榆有塊石頭會說話，便問師曠說：「石頭怎麼能說話呢？」師曠回答說：「石頭不能說話，大概是以為憑藉吧。否則的話，就是老百姓聽錯了。下臣聽說，違背農時，老百姓就會誹謗生怨，這時不能說話的東西就可能發聲。現在宮室高大奢侈，百姓財力枯竭，生命難保，怨恨誹謗撲面而來，石頭說話，不也很正常嗎？」當時晉平公正在建造虒祁之宮，叔向說：「子野的話真是君子的肺腑之言。君子的話，誠實而有印證，所以怨恨遠離他的身體；小人的話，虛偽而無證據，所以會招來怨恨和災禍。《詩經》中說，『不會說話多苦惱，口齒笨拙舌頭繞，可嘆自己白辛勞；會說話是多麼好，漂亮話語水滔滔，樂得安閒自逍遙。』說的就是這個吧！這座宮殿落成，諸侯必然背叛，國君必有災殃，師曠先生已經知道了。」自虒祁宮建成不到三年，晉平公果然去世。

---

38.「爾之教矣，民胥效矣」，出自《詩經》〈小雅·角弓〉。

## 【出處】

八年春，石言於晉魏榆。晉侯問於師曠曰：「石何故言？」對曰：「石不能言，或馮焉。不然，民聽濫也。抑臣又聞之曰：『做事不時，怨讟動於民，則有非言之物而言。』今宮室崇侈，民力凋盡，怨讟並作，莫保其性。石言，不亦宜乎？」於是晉侯方築虒祁之宮。叔向曰：「子野之言，君子哉！君子之言，信而有徵，故怨遠於其身。小人之言，僭而無徵，故怨咎及之。《詩》曰：『哀哉不能言，匪舌是出，唯躬是瘁。哿矣能言，巧言如流，俾躬處休。』[39]其是之謂乎？是宮也成，諸侯必叛，君必有咎，夫子知之矣。」（《左傳》〈昭公八年〉）

## 拔本塞源

成周甘地人與晉國閻地大夫閻嘉為閻地一塊地盤發生爭執。晉國正卿韓起指使大夫梁丙、張趯從陰戎借兵，攻打了周王室的潁地。周景王非常生氣，派大夫詹桓伯到晉國指責韓起說：「當初周王封自己的弟弟為諸侯，為的是拱衛王室。如今你們卻把王室當帽子一樣隨便亂扔，還勾結戎人攻打我們，虧得我王還尊你為『伯父』。戎人佔有中原，這是誰的罪責？后稷締造了天下，現在為戎人割據，不也很難讓人接受嗎？伯父考慮一下，我們對於伯父來說，猶如衣服之有帽子，樹木流水之有本源，百姓之有謀主。伯父如果撕毀了帽子，拔掉

---

39. 「哀哉不能言，匪舌是出，維躬是瘁。哿矣能言，巧言如流，俾躬處休」，出自《詩經》〈小雅・雨無正〉。

樹木，塞斷水源，專斷並拋棄謀主，即使是戎狄，他們心裡哪裡還會有我這天子？」韓起過意不去，適逢成周有人去世，韓起就派人去王室弔唁，順便把閻地的田地和攻打潁地時的俘虜還給周王室。周天子見晉國給了面子，於是把甘地的大夫襄抓起來送往晉國。韓起索性好人做到底，又把襄大夫恭恭敬敬地送回了周王室。「拔本塞源」後來成為一句成語，比喻從根本上防患除害，後也泛指從根本上著手解決問題。

## 【出處】

　　周甘人與晉閻嘉爭閻田。晉梁丙、張趯率陰戎伐潁。王使詹桓伯辭於晉，曰：「我自夏以后稷，魏、駘、芮、岐、畢，吾西土也。及武王克商，蒲姑、商奄，吾東土也。巴、濮、楚、鄧，吾南土也。肅慎、燕、亳，吾北土也。吾何邇封之有？文、武、成、康之建母弟，以蕃屏周，亦其廢隊是為，豈如弁髦而因以敝之？先王居檮杌於四裔，以禦螭魅，故允姓之奸，居於瓜州。伯父惠公歸自秦，而誘以來，使逼我諸姬，入我郊甸，則戎焉取之。戎有中國，誰之咎也？后稷封殖天下，今戎制之，不亦難乎？伯父圖之。我在伯父，猶衣服之有冠冕，木水之有本原，民人之有謀主也。伯父若裂冠毀冕，拔本塞原，專棄謀主，雖戎狄其何有餘一人？」叔向謂宣子曰：「文之伯也，豈能改物？翼戴天子而加之以共。自文以來，世有衰德而暴滅宗周，以宣示其侈，諸侯之貳，不亦宜乎？且王辭直，子其圖之。」宣子說。王有姻喪，使趙成如周弔，且致閻田與襚，反潁俘。王亦使賓滑執甘大夫襄以說於晉，晉人禮而歸之。（《左傳》〈昭公九年〉）

# 單子其將死

單成公在戚地會見韓宣子，視線向下，說話遲緩。叔向看見後說：「單子可能活不長了。朝覲有規定的程序，會見有相應的場所，穿著打扮講究儀表。會見和朝覲時講話，應該使在座的人都聽到，思路清晰而有條理，目光正視，精神集中。以言語來發布命令，用儀表來表明態度，做不到就有欠缺。現在單子作為天子的百官之長，在盟會上宣布天子的命令，目光呆滯，聲音軟綿無力，一步之外就無法聽到，容顏疲乏，表達的觀點也不甚明了。不與人互動就不能引起共鳴，表達不清楚怎麼叫人聽從？他已經失去了身體的精氣神。」

## 【出處】

單子會韓宣子於戚，視下言徐。叔向曰：「單子其將死乎！朝有著定，會有表，衣有襘，帶有結。會朝之言，必聞於表著之位，所以昭事序也。視不過結、襘之中，所以道容貌也。言以命之，容貌以明之，失則有闕。今單子為王官伯，而命事於會，視不登帶，言不過步，貌不道容，而言不昭矣。不道，不共；不昭，不從。無守氣矣。」（《左傳》〈昭公十一年〉）

## 無與同好，誰與同惡

子干返回楚國，韓宣子問叔向說：「子干能成為國君嗎？」叔向搖頭說：「很難。」韓宣子說：「大家都憎惡舊主而盼立新人，就像

做買賣一樣互有需求，有什麼難的？」叔向回答說：「不能與人同好，誰會與你同惡？獲得君位有五大難點：一是有顯貴的身分而沒有賢人輔佐；二是身邊有賢人但缺乏內應；三是有內應而缺乏謀略；四是有謀略但缺乏民眾支持；五是有民眾支持自己卻沒有德行。子干在晉國十三年，晉國、楚國跟從他的人，沒聽說有什麼知名之士，可以說沒有賢人；族人被滅，親人背叛，應該是沒有內應；沒認真考慮就輕舉妄動，可以說沒有謀略；在外邊客居十幾年，在國內也沒有群眾基礎；流亡在外沒什麼人懷念，證明他也沒什麼德行。楚王雖然暴虐無忌，但要人們克服以上五條難處殺死舊君擁立子干，誰來助他成功？能得到楚國君位的，估計是公子棄疾吧。統治著陳、蔡兩地，方城山以北都歸屬於他。治理有術，民心無怨，神明保佑他，國民信賴他。而且羋姓如果發生動亂，繼位的往往是小兒子，這是楚國的慣例。有神靈保佑，是其一；有百姓擁戴，是其二；有德行，是其三；受寵而顯貴，是其四；所居地位符合常例，是其五。以這五條優勢去克服五道難關，誰能傷害他？子干的官職，最高不過右尹。他本是共王的庶子，按照神明的預示，也遠離玉璧。的確沒有立為國君的理由啊。」韓宣子說：「齊桓公、晉文公的情況也是這樣的嗎？」叔向回答說：「當然。齊桓公是衛姬的兒子，僖公寵愛他，有鮑叔牙、賓須無、隰朋為輔佐，有莒國、衛國為外援，有國氏、高氏為內應。接受善意的規勸就像流水一樣快而自然。不貪財貨，不縱私欲，樂善好施。因為這些而享有國家，不也是很自然的事情嗎？至於我們的先君文公，他是狐季姬的兒子，很得獻公寵愛。專注好學，十七歲的時候又得到五個賢才的輔佐。有先大夫子余（趙衰）、子犯為心腹，有魏犨、賈佗為左右手，有齊、宋、秦、楚為外援，有欒氏、郤氏、狐

氏、先氏為內應，逃亡在外十九年，但始終意志堅定。惠公、懷公丟棄百姓，百姓都嚮往文公。獻公沒有別的親人，百姓沒有別的希望。上天要選擇文公，誰能夠取代他？子干與這兩位國君完全不同。共王還有受寵的兒子，國內還有高深莫測的君主。沒有對百姓施捨恩惠，在國外也缺乏援助，離開晉國沒人送行，回到楚國沒人迎接，憑什麼享有楚國？」

## 【出處】

　　子干歸，韓宣子問於叔向曰：「子干其濟乎？」對曰：「難。」宣子曰：「同惡相求，如市賈焉，何難？」對曰：「無與同好，誰與同惡？取國有五難：有寵而無人，一也；有人而無主，二也；有主而無謀，三也；有謀而無民，四也；有民而無德，五也。子干在晉十三年矣，晉、楚之從，不聞達者，可謂無人。族盡親叛，可謂無主。無釁而動，可謂無謀。為羈終世，可謂無民。亡無愛徵，可謂無德。王虐而不忌，楚君子干，涉五難以弒舊君，誰能濟之？有楚國者，其棄疾乎！君陳、蔡，城外屬焉。苟慝不作，盜賊伏隱，私欲不違，民無怨心。先神命之。國民信之，羋姓有亂，必季實立，楚之常也。獲神，一也；有民，二也；令德，三也；寵貴，四也；居常，五也。有五利以去五難，誰能害之？子干之官，則右尹也。數其貴寵，則庶子也。以神所命，則又遠之。其貴亡矣，其寵棄矣，民無懷焉，國無與焉，將何以立？」宣子曰：「齊桓、晉文，不亦是乎？」對曰：「齊桓，衛姬之子也，有寵於僖。有鮑叔牙、賓須無、隰朋以為輔佐，有莒、衛以為外主，有國、高以為內主。從善如流，下善齊肅，不藏賄，不從欲，施捨不倦，求善不厭，是以有國，不亦宜乎？我先君文

公，狐季姬之子也，有寵於獻。好學而不貳，生十七年，有士五人。有先大夫子余、子犯以為腹心，有魏犨、賈佗以為股肱，有齊、宋、秦、楚以為外主，有欒、郤、狐、先以為內主。亡十九年，守志彌篤。惠、懷棄民，民從而與之。獻無異親，民無異望，天方相晉，將何以代文？此二君者，異於子干。共有寵子，國有奧主。無施於民，無援於外，去晉而不送，歸楚而不逆，何以冀國？」（《左傳》〈昭公十三年〉）

## 三奸同罪

　　士景伯出使楚國期間，叔魚（羊舌鮒）代他審理案件。邢侯和雍子爭奪田地。雍子把女兒嫁給叔魚。叔魚偏袒雍子，顛倒是非，宣判雍子勝訴。邢侯一怒之下，殺死羊舌鮒和雍子。韓宣子招來羊舌鮒的哥哥羊舌肸（叔向），請教如何處理這件棘手的案件。羊舌肸說：「三個人都應定為死罪。現在只要『施生戮死』，即殺掉活著的邢侯，戮屍已死的羊舌鮒與雍子就可以了。」韓宣子問：「法律依據呢？」羊舌肸說：「雍子明知自己貪佔他人土地，卻用賄賂的方法『買直』，羊舌鮒『鬻獄』徇私，邢侯『專殺』，三人犯罪的嚴重程度相同。己惡而掠美為『昏』，貪以敗官為『墨』，殺人不忌為『賊』。《夏書》皋陶之刑中的『昏、墨、賊，殺』就是依據。」羊舌鮒貪贓枉法，被定為「墨」罪，棄屍於市，成為正史記載的最早被處死的貪官。「貪

墨」「貪官污墨」由此而來。[40]

## 【出處】

士景伯如楚，叔魚為贊理。邢侯與雍子爭田，雍子納其女於叔魚以求直。及斷獄之日，叔魚抑邢侯，邢侯殺叔魚與雍子於朝。韓宣子患之，叔向曰：「三奸同罪，請殺其生者而戮其死者。」宣子曰：「若何？」對曰：「鮒也鬻獄，雍子賈之以其子，邢侯非其官也而干之。夫以回鬻國之中，與絕親以買直，與非司寇而擅殺，其罪一也。」邢侯聞之，逃。遂施邢侯氏，而屍叔魚與雍子於市。（《國語》〈晉語九〉）

## 數典忘祖

晉國的荀躒前往周，參加穆后的葬禮，以籍談為副使。安葬完畢，除去喪服，周景王設宴款待荀躒一行。景王以魯國進貢的壺敬酒，問荀躒說：「諸侯都有禮物進獻，怎麼唯獨晉國沒有呢？」荀躒讓籍談回答。籍談說：「諸侯受封的時候，都從王室接受了珍貴的明器，用來鎮撫國家，因此有禮器回報天子。晉國居處偏僻，遠離王室，與戎狄相鄰，天子的福澤難以到達，對付戎人都來不及，哪有什麼禮器奉獻呢？」周景王說：「您是忘記了歷史吧？唐叔是成王的同

---

40. 孔子稱讚叔向「治國制刑，不隱於親」，懲貪誅墨，「以正刑書，晉不為頗」，斥羊舌鮒集「賄也」「詐也」「貪也」三惡於一身，死有餘辜。參見《孔子家語》〈正論解〉。

胞兄弟，怎麼可能沒得到賞賜呢？密須的名鼓和大輅車，是文王用來檢閱軍隊的；闕鞏的鎧甲，是武王用以攻克商朝的。這不是當年唐叔接受的禮物嗎？後來襄王賜予文公大輅、戎輅之車，斧鉞、以黑黍釀造的香酒，紅色的弓和勇士，文公憑藉這些餽贈保有南陽的田土，安撫和征伐東方諸國，怎麼能說王室沒有賞賜呢？天子的福佑應該載於策書，讓子孫後代牢記。您的高祖孫伯黶曾經掌管晉國典籍，主持國家的重大儀式，所以稱為籍氏。等到辛有的二兒子董到了晉國，才以董氏為史官。您身為司典的後代，怎麼竟然連這些都忘記了？」籍談面紅耳赤，無言以對。客人退下後，周景王感嘆說：「籍談的後代恐怕不能享有祿位吧，司職典籍，竟然忘記了祖宗！」

## 【出處】

　　十二月，晉荀躒如周，葬穆后，籍談為介。既葬，除喪，以文伯宴，樽以魯壺。王曰：「伯氏，諸侯皆有以鎮撫王室，晉獨無有，何也？」文伯揖籍談，對曰：「諸侯之封也，皆受明器於王室，以鎮撫其社稷，故能薦彝器於王。晉居深山，戎狄之與鄰，而遠於王室。王靈不及，拜戎不暇，其何以獻器？」王曰：「叔氏，而忘諸乎？叔父唐叔，成王之母弟也，其反無分乎？密須之鼓，與其大路，文所以大蒐也。闕鞏之甲，武所以克商也。唐叔受之以處參虛，匡有戎狄。其後襄之二路，鏚鉞、秬鬯，彤弓、虎賁，文公受之，以有南陽之田，撫征東夏，非分而何？夫有勳而不廢，有績而載，奉之以土田，撫之以彝器，旌之以車服，明之以文章，子孫不忘，所謂福也。福祚之不登，叔父焉在？且昔而高祖孫伯黶，司晉之典籍，以為大政，故曰籍氏。及辛有之二子董之晉，於是乎有董史。女，司典之後也，何故忘

之？」籍談不能對。賓出，王曰：「籍父其無後乎！數典而忘其祖。」
（《左傳》〈昭公十五年〉）

# 廣開耳目，以察萬方

晉平公問師曠說：「怎樣才能做一個好君主呢？」師曠回答說：
「應該清心寡慾，無為而治；勤政愛民，任用賢才；廣開言路，體察
民情；不拘泥於世俗偏見，不受身邊親信的影響；有遠見卓識和獨立
見解，通過考核官吏政績來駕馭臣下。能做到這些，就是聖明的君主
了。」晉平公點頭說：「很好！」

## 【出處】

晉平公問於師曠曰：「人君之道如何？」對曰：「人君之道，清
淨無為；務在博愛，趨在任賢；廣開耳目，以察萬方；不固溺於流
俗，不拘繫於左右，廓然遠見，踔然獨立，屢省考績，以臨臣下。此
人君之操也。」平公曰：「善！」（《說苑》〈君道〉）

# 三年不達

晉平公問師曠說：「你覺得咎犯和趙衰，哪個更為賢明？」師曠
說：「陽處父想做晉文公的臣子，通過咎犯引薦，三年都沒受重用；
後來通過趙衰引薦，三天就受到重用。不能識別人才，談不上有才
智；能識別人才而不舉薦，就是對朝廷不忠；想要舉薦又怕擔當責

任，是沒勇氣；舉薦賢才得不到重用，是君主不賢明。」

## 【出處】

晉平公問於師曠曰：「咎犯與趙衰孰賢？」對曰：「陽處父欲臣文公，因咎犯三年不達，因趙衰三日而達。智不知其士眾，不智也；知而不言，不忠也；欲言之而不敢，無勇也；言之而不聽，不賢也。」（《說苑》〈善說〉）

# 炳燭之明

晉平公問師曠說：「我已經七十歲了，想要學習，恐怕已經晚了。」師曠說：「不晚，可以點著蠟燭學習啊。」平公不高興說：「哪有做臣子的戲弄君主的？」師曠說：「盲臣豈敢戲弄君主？我聽說：少年時好學，就像初升的太陽；壯年時好學，就像正午的陽光；老年時好學，就像點燃蠟燭發出的光亮。點燃蠟燭發出的光亮，與在昏暗中行走相比，哪個更強呢？」晉平公高興地稱讚說：「講得好啊！」

## 【出處】

晉平公問於師曠曰：「吾年七十，欲學，恐已暮矣。」師曠曰：「暮何不炳燭乎？」平公曰：「安有為人臣而戲其君乎？」師曠曰：「盲臣安敢戲其君乎？臣聞之：少而好學，如日出之陽；壯而好學，如日中之光；老而好學，如炳燭之明。炳燭之明，孰與昧行乎？」平公曰：「善哉！」（《說苑》〈建本〉）

# 天下有五墨墨

　　晉平公與師曠閒坐聊天，平公說：「你是天生的瞎眼，你的世界一團漆黑啊。」師曠說：「天下有五種黑暗的東西，每一樣都比我眼前更黑。」平公說：「什麼意思呢？」師曠說：「臣子們通過賄賂獲得名譽，百姓蒙冤無處申訴，而君主卻毫無感覺，這是第一黑。忠臣不受重用，受重用的寵臣不忠於國家，缺乏才幹的人身居要職，品德惡劣的人壓制賢者，而君主卻觀察不到，這是第二黑。奸臣瞞上欺下，損公肥私，弄得國庫空虛，憑藉自己的小聰明掩蓋罪惡，賢人遭排擠驅逐，奸邪之徒青雲直上，而君主卻置若罔聞，這是第三黑。國貧民疲，上下不和，而君主卻喜好搜刮錢財、征伐好戰，貪得無厭、阿諛逢迎之徒環繞身邊，而君主卻自以為是，這是第四黑。聖賢之道拋棄一旁，政策法令難以貫徹，上梁不正下梁歪，民心不穩，而君主卻懵懂無知，這是第五黑。國家有這五種黑暗而君主卻恍然不覺，亡國是必然的。我一個盲人，眼睛看不見東西，對國家有什麼害處呢？」

## 【出處】

　　晉平公閒居，師曠侍坐。平公曰：「子生無目朕，甚矣，子之墨墨也。」師曠對曰：「天下有五墨墨，而臣不得與一焉。」平公曰：「何謂也？」師曠曰：「群臣行賂以采名譽，百姓侵冤無所告訴，而君不悟，此一墨墨也。忠臣不用，用臣不忠，下才處高，不肖臨賢，而君不悟，此二墨墨也。奸臣欺詐，空虛府庫，以其少才，覆塞其

惡，賢人逐，奸邪貴，而君不悟，此三墨墨也。國貧民罷，上下不和，而好財用兵，嗜欲無厭，諂諛之人，容容在旁，而君不悟，此四墨墨也。至道不明，法令不行，吏民不正，百姓不安，而君不悟，此五墨墨也。國有五墨墨而不危者，未之有也。臣之墨墨，小墨墨耳，何害乎國家哉！」（《新序》〈雜事一〉）

## 君必惠民而已

齊景公出訪晉國，晉平公設宴招待，師曠作陪。齊景公向師曠請教如何治理國家，問他說：「您有什麼教誨嗎？」師曠說：「您一定要施惠於民。」酒喝到一半的時候，景公又提出同樣的問題，師曠仍然說：「只要施惠於民就可以了。」宴請結束，師曠送景公回賓館休息，景公再次向師曠請教如何治理國家。師曠堅持說：「施惠於民，就這四個字。」景公回到住處，反覆掂量，酒還沒醒，就明白了師曠的意思：兩個弟弟公子尾和公子夏富貴堪比王室，又很得民心，這是危及君位的事情。現在叫我施惠於民，大概是要我和兩個弟弟爭奪民心吧？景公回到齊國後，發放米倉的糧食資助貧困民眾，提出財庫的餘錢賞給孤寡人家，允許未曾臨幸的宮女出宮嫁人。兩年之後，公子夏出逃楚國，公子尾逃往晉國。

## 【出處】

齊景公之晉，從平公飲，師曠侍坐。始坐，景公問政於師曠曰：「太師將奚以教寡人？」師曠曰：「君必惠民而已。」中坐，酒

酣，將出，又復問政於師曠曰：「太師奚以教寡人？」曰：「君必惠民已矣。」景公出之舍，師曠送之，又問政於師曠，師曠曰：「君必惠民而已矣。」景公歸，思，未醒，而得師曠之所謂。「公子尾、公子夏者，景公之二弟也，甚得齊民，家富貴而民說之，擬於公室，此危吾位者也，今謂我惠民者，使我與二弟爭民邪？」於是反國發廩粟以賦眾貧，散府餘財以賜孤寡，倉無陳粟，府無餘財，宮婦不御者出嫁之，七十受祿米，鬻德惠施於民也，已與二弟爭。居二年，二弟出走，公子夏逃楚，公子尾走晉。（《韓非子》〈外儲說右上〉）

## 不心競而力爭

　　秦景公派他的弟弟針到晉國訂立盟約，叔向命令把行人子員召來。行人子朱說：「子朱也在這裡。」叔向仍說：「召子員來。」子朱提醒說：「是我當班值日。」叔向不為所動：「我想讓子員來接待賓客。」子朱發怒說：「我和子員都是君王的臣子，官爵職位一樣，為什麼要貶斥我呢？」說完執劍上前。叔向說：「秦、晉兩國邦交不和已經很久了，今天的結盟來之不易，盟約達成後子孫後代可以盡享和平好處。不成功的話，三軍將士將曝骨沙場。子員在這種場合應對得體，公而忘私，而你卻隨意多變。一個以奸詐之術侍奉國君的人，我就不信對付不了你。」說著提起衣襟上前應戰。眾人將兩人拉開了。平公聽說這件事後，感嘆說：「晉國應該要大治吧！臣下爭論的都是國家大事啊。」師曠在一旁，不以為然地說：「我認為公室的地位將

要衰落，因為兩位大臣未曾鬥智，而是角力。」

## 【出處】

秦景公使其弟針來求成，叔向命召行人子員。行人子朱曰：「朱也在此。」叔向曰：「召子員。」子朱曰：「朱也當御。」叔向曰：「胖也欲子員之對客也。」子朱怒曰：「皆君之臣也，班爵同，何以黜朱也？」撫劍就之。叔向曰：「秦、晉不和久矣，今日之事幸而集，子孫饗之。不集，三軍之士暴骨。夫子員導賓主之言無私，子常易之。奸以事君者，吾所能御也。」拂衣從之，人救之。平公聞之曰：「晉其庶乎！吾臣之所爭者大。」師曠侍，曰：「公室懼卑，其臣不心競而力爭。」（《國語》〈晉語八〉）

## 非君人者之言

晉平公和群臣一起喝酒。喝得痛快的時候，平公感嘆說：「沒有比做君主更快樂的事情了，只有他的話沒人敢於違背。」師曠在一旁陪坐，操起琴就扔了過去。平公扯起衣衫躲避，琴撞到牆上，摔斷了琴絃。平公問師曠：「太師撞誰呢？」師曠說：「剛才有小人在您旁邊說話，所以拿琴砸他。」平公說：「剛才是我說話呀。」師曠說：「不會吧？這不是君主該講的話啊。」近侍請求處罰師曠，平公搖頭說：「算了，就以此作為我的鑑戒吧。」韓非子評論此事說：晉平公和師曠的做法均不妥當。認為君主言行不妥，可以勸諫，如果君主不聽，可以選擇離開；拿琴去砸君主的身體，就是大逆不道，喪失了為

非君人者之言

臣的禮節，即便最嚴厲的父親也不會這樣對待兒子。臣下做了大逆不道的事情，平公不予懲罰，反而高興地聽從，這就喪失了做君主的原則。

【出處】

晉平公與群臣飲，飲酣，乃喟然嘆曰：「莫樂為人君！惟其言而莫之違。」師曠侍坐於前，援琴撞之，公披衽而避，琴壞於壁。公曰：「太師誰撞？」師曠曰：「今者有小人言於側者，故撞之。」公曰：「寡人也。」師曠曰：「啞！是非君人者之言也。」左右請除之。公曰：「釋之，以為寡人戒。」（《韓非子》〈難一〉）

## 平公射鷃

晉平公射鷃雀，沒有射死，派豎襄去捕捉，也沒有捉到。平公大怒，把豎襄抓起來準備處死。叔向聽說後，對平公說：「君主一定要殺死他。從前我們的先君唐叔在徒林射犀牛，一箭斃命，而後用犀牛皮做了一副大鎧甲，所以受封於晉。現在您繼承先君唐叔的王位，射鷃雀不死，派人捕捉也不能如願，這不是在張揚君主的恥辱嗎？君主趕快殺死他，千萬不要讓這件事傳出去啊。」平公面露愧色，隨即赦免了豎襄。

【出處】

平公射鷃，不死，使豎襄搏之，失。公怒，拘將殺之。叔向聞

之，夕，君告之。叔向曰：「君必殺之。昔吾先君唐叔射兕於徒林，
殪，以為大甲，以封於晉。今君嗣吾先君唐叔，射鶊不死，搏之不
得，是揚吾君之恥者也。君其必速殺之，勿令遠聞。」君忸怩，乃趣
赦之。（《國語》〈晉語八〉）

## 三 自誣者死

　　晉平公外出打獵，看見一隻幼虎趴在地上不動，回宮後對師曠
說：「我聽說，成就霸業的君主外出，猛獸見了就會趴伏不敢動彈。
今天我出門打獵，看見幼虎趴伏不動，這不正是猛獸嗎？」師曠說：
「喜鵲啄食刺蝟，刺蝟吃駿蟻，駿蟻吃豹，豹吃駮，駮吃老虎。駮的
形狀好像駮馬。今天國君外出，一定是乘坐駮馬駕駛的輦車吧？」平
公點頭說：「是的。」師曠說：「我聽說，自我欺騙一次的人會遭受
窘困，兩次會受屈辱，三次就會死亡。今天幼虎所以趴伏不動，是因
為懼怕駮馬，君主為什麼要自我欺騙呢？」過了些日子，平公出朝，
有隻鳥環繞著他不肯離開。平公回宮後對師曠說：「我聽說，成就霸
業的君主，鳳凰會降臨他身邊。今天出朝，有隻鳥環繞我，整個早上
都不離去，這不正是鳳凰嗎？」師曠說：「東方有種鳥名叫諫珂，這
種鳥身上有花紋，腳爪是紅的，它厭惡鳥類而喜歡狐狸。今天君主一
定是穿了狐皮衣服出朝的吧？」平公點頭說：「對啊。」師曠說：「君
主這是第二次自我欺騙了。」晉平公聽了，心裡很不高興。又過了些
日子，晉平公在虒祁的高臺上置辦酒宴，讓郎中馬章在臺階上鋪設蒺
藜，而後召見師曠。師曠穿著鞋子上堂。平公說：「哪有為臣的穿著

鞋子進入國君廳堂的呢？」師曠只好脫鞋，蒺藜扎傷了腳；伏下身來，蒺藜又扎傷了膝蓋。師曠仰天嘆息。平公上前拉起他說：「今天跟老頭開個玩笑，何必如此憂傷呢？」師曠說：「我怎能不憂傷。肉上長了蟲子，肉就會被蟲子吃掉，木頭生出蠹蟲，就會被蟲子蛀毀。人若自我作怪，就會禍及自身。五鼎這樣的祭器，不會去煮野菜；堂堂國君的朝堂，又怎能長出蒺藜？」平公說：「事已至此，該怎麼辦呢？」師曠說：「妖孽已在跟前，沒有辦法。到下個月第八天，最好整飭百官，扶立太子，君主的大限到了。」到了下月初八早上，平公對師曠說：「老頭子把今天定為我的死期，我現在不是很好嗎？」師曠悶悶不樂請求回家。到家不久，就傳來平公去世的消息。

## 【出處】

晉平公出畋，見乳虎伏而不動，顧謂師曠曰：「吾聞之也，霸王之主出，則猛獸伏不敢起。今者寡人出，見乳虎伏而不動，此其猛獸乎？」師曠曰：「鵲食蝟，蝟食駿蟻，駿蟻食豹，豹食駁，駁食虎。夫駁之狀有似駁馬，今者君之出，必驂駁馬而出畋乎？」公曰：「然。」師曠曰：「臣聞之，一自誣者窮，再自誣者辱，三自誣者死。今夫虎所以不動者，為駁馬也，固非主君之德義也，君奈何一自誣乎？」平公異日出朝，有鳥環平公不去，平公顧謂師曠曰：「吾聞之也，霸王之主，鳳下之；今者出朝有鳥環寡人，終朝不去，是其鳳鳥乎？」師曠曰：「東方有鳥名諫珂，其為鳥也，文身而朱足，憎鳥而愛狐。今者吾君必衣狐裘，以出朝乎？」平公曰：「然。」師曠曰：「臣已嘗言之矣，一自誣者窮，再自誣者辱，三自誣者死。今鳥為狐裘之故，非吾君之德義也，君奈何而再自誣乎？」平公不悅。異日置

酒虒祁之臺，使郎中馬章布蒺藜於階上，令人召師曠。師曠至，履而上堂。平公曰：「安有人臣履而上人主堂者乎？」師曠解履刺足，伏刺膝，仰天而嘆。公起引之曰：「今者與瞍戲，瞍遽憂乎？」對曰：「憂。夫肉自生蟲，而還自食也；木自生蠹，而還自刻也；人自興妖，而還自賊也。五鼎之具不當生藜藋，人主堂廟不當生蒺藜。」平公曰：「今為之奈何？」師曠曰：「妖已在前，無可奈何。入來月八日，修百官，立太子，君將死矣。」至來月八日得旦，謂師曠曰：「瞍以今日為期，寡人如何？」師曠不樂，謁歸。歸未幾而平公死。乃知師曠神明矣。（《說苑》〈辨物〉）

## 忠不可暴

　　諸侯國的大夫們在宋國會盟，楚國的令尹子木想偷襲晉軍，說：「如果消滅晉軍，殺死趙武，晉國的實力就削弱了。」趙武聽說後，問叔向該如何應對。叔向回答說：「你擔心什麼呢？忠義不可強暴，誠信不可侵犯。具有忠信的人，德行深厚，根基穩固，是難以輕易撼動的。現在我們忠心耿耿為諸侯打算，讓大家看到我們的誠信，楚國迎接諸侯時也是這麼說的。如果盟會期間楚國人偷襲我們，就說明他們違背忠義，失去誠信。楚國人失去諸侯的信賴，對我們有什麼害處呢？即便楚國人偷襲得逞，列國諸侯也會背叛他們，你又何必畏懼為國捐軀呢？如果犧牲能換取晉國的盟主地位，不也是死得其所嗎？」於是趙武安排晉軍以藩籬為營，牽引戰車駐紮在水草便利的地方，早晚都不設防。楚國人畏懼晉軍的忠信，不敢輕舉妄動。從此之後直到

晉平公去世，楚國再也沒有挑起戰事。

## 【出處】

諸侯之大夫盟於宋，楚令尹子木欲襲晉軍，曰：「若盡晉師而殺趙武，則晉可弱也。」文子聞之，謂叔向曰：「若之何？」叔向曰：「子何患焉。忠不可暴，信不可犯，忠自中，而信自身，其為德也深矣，其為本也固矣，故不可拥也。今我以忠謀諸侯，而以信覆之，荊之逆諸侯也亦云，是以在此。若襲我，是自背其信而塞其忠也。信反必斃，忠塞無用，安能害我？且夫合諸侯以為不信，諸侯何望焉。為此行也，荊敗我，諸侯必叛之，子何愛於死，死而可以固晉國之盟主，何懼焉？」是行也，以藩為軍，攀輦即利而舍，候遮捍衛不行，楚人不敢謀，畏晉之信也。自是沒平公無楚患。（《國語》〈晉語八〉）

## 安命安存

晉平公在春季修築亭臺，叔向進諫說：「這樣做不合適。古代的聖王注重推行德政，寬政而不隨便驅使百姓。選擇春季修築亭臺，就會耽誤農時；不推行德政，民心不會歸順；刑罰過於嚴厲，老百姓就會不安。驅使內心不服的民眾，役使焦躁不安的百姓，而且又耽誤農時，這是非常沉重的壓榨。不去養育百姓反而苛剝壓榨，怎能做到長治久安、被後世稱譽為明君呢？」晉平公覺得有理，於是下令停止修築亭臺。

晉平公春築臺，叔向曰：「不可。古者聖王貴德而務施，緩刑辟而趨民時。今春築臺，是奪民時也。夫德不施則民不歸，刑不緩則百姓愁。使不歸之民，役愁怨之百姓，而又奪其時，是重竭也。夫牧百姓，養育之而重竭之，豈所以安命安存，而稱為人君於後世哉！」平公曰：「善！」乃罷臺役。（《說苑》〈貴德〉）

## 患之大者

晉平公問叔向說：「年成饑荒百姓多病，狄人又攻打我國，該如何應對呢？」叔向回答說：「年成饑荒，明年就會恢復正常。疾病瘟疫，也不會長久。狄人的進攻更不值得擔心。」晉平公說：「還有更大的憂患嗎？」叔向回答說：「大臣貪戀厚祿不敢直言進諫，身邊左右的侍臣怕得罪國君不敢講真話，想陞官發財的官吏極力拉攏討好君主身邊的寵臣，君主卻毫不知情，這才是真正的大患。」平公說：「講得好！」於是下令說：「想要進諫的人不得隱瞞不報，身邊左右的侍臣不得與官吏不正常往來，否則治罪。」

## 【出處】

晉平公問叔向曰：「歲饑民疫，翟人攻我，我將若何？」對曰：「歲饑，來年而反矣；疾疫，將止矣；翟人，不足患也。」公曰：「患有大於此者乎？」對曰：「夫大臣重祿而不極諫，近臣畏罪而不敢言，左右顧寵於小官而君不知。此誠患之大者也。」公曰：「善。」

於是令國中曰：「欲有諫者為隱，左右言及國吏，罪。」（《說苑》〈善說〉）

# 私仇不入公門

中牟沒有縣令，晉平公問趙武說：「中牟是我國的戰略要地，邯鄲的重鎮。我想選派一個勝任的縣令，你覺得派誰好呢？」趙武說：「邢伯子可以。」平公說：「他不是你的仇人嗎？」趙武說：「私仇不關公事。」平公又問說：「內府的主管，你覺得誰比較合適？」趙武說：「我兒子就行。」因此有人說：「外舉不避仇，內舉不避子。」趙武在任上總共推薦了四十六人，到他死後，這些人都來出席他的葬禮，證明他的確是出於公心，知人善任。

## 【出處】

中牟無令。晉平公問趙武曰：「中牟，吾國之股肱，邯鄲之肩髀，寡人欲得其良令也，誰使而可？」武曰：「邢伯子可。」公曰：「非子之仇也？」曰：「私仇不入公門。」公又問曰：「中府之令，誰使而可？」曰：「臣子可。」故曰：「外舉不避仇，內舉不避子。」趙武所薦四十六人，及武死，各就賓位，其無私德若此也。（《韓非子》〈外儲說左下〉）

# 以聚斂為良

趙文子問叔向說：「晉國的六卿，哪一家先滅亡呢？」叔向回答說：「大概是中行氏吧。」文子說：「為什麼他家先亡呢？」叔向說：「中行氏治理國家，把苛刻當明察，把欺詐當賢能，把嚴酷當忠厚，把投機取巧當高明，以善於搜刮為才幹。這就好像從四個方向用力拉一張皮，大是拉大了，但也是讓獸皮破裂的辦法，所以我說他們家會最先滅亡。」

## 【出處】

趙文子問於叔向曰：「晉六將軍，孰先亡乎？」對曰：「其中行氏乎！」文子曰：「何故先亡？」對曰：「中行氏之為政也，以苛為察，以欺為明，以刻為忠，以計多為善，以聚斂為良。譬之其猶鞹革者也，大則大矣，裂之道也，當先亡。」（《新序》〈雜事一〉）

# 吾誰與歸

趙文子與叔向經過九原[41]。文子說：「如果死者可以復生，你最願意和誰在一起呢？」叔向回答說：「我想應該是陽子（陽處父）吧。」文子說：「陽子處事廉潔正直，卻不得善終，他的智慧無可稱道。」叔向說：「那應該是文公的舅舅子犯了！」文子說：「子犯以

---

41.九原：春秋時晉國卿大夫墓地，後泛指墓地，亦指九泉、黃泉。

自身利益高於國君的利益，其仁義不值得稱道。應該是隨武子（范會）吧！他謙虛待人，交友有道，侍奉國君不結朋黨，唯賢是舉，從不阿諛奉承。」

## 【出處】

趙文子與叔向游於九原，曰：「死者若可作也，吾誰與歸？」叔向曰：「其陽子乎！」文子曰：「夫陽子行廉直於晉國，不免其身，其知不足稱也。」叔向曰：「其舅犯乎！」文子曰：「夫舅犯見利而不顧其君，其仁不足稱也。其隨武子乎！納諫不忘其師，言身不失其友，事君不援而進，不阿而退。」（《國語》〈晉語八〉）

## 在德不在先歃

諸侯在宋國舉行會盟，楚方代表堅決要求領先歃血盟誓。叔向對趙文子說：「霸主的威勢，最主要在於德行，而不在盟誓的先後。如果你能以忠信輔佐國君，急諸侯所難，即便歃血在後，列國諸侯一樣會擁戴你；如果違背德行，靠使錢送禮辦事，即便領先歃血盟誓，列國諸侯也會拋棄你，又何必在意盟誓的先後呢？以前周成王在岐山之陽與諸侯會盟，楚國被視為是荊蠻，只負責放置苞茅，設立望表，與鮮卑人一起看守火堆，沒資格參與盟會。可現在他們竟然能與晉國輪流主持諸侯盟會，這是楚國人德行積累的結果。你要努力修德，不必在意歃血的先後。只有努力修德，才能令楚國敬服啊。」於是讓楚國代表領先歃血盟誓。

【出處】

宋之盟，楚人固請先歃。叔向謂趙文子曰：「夫霸王之勢，在德不在先歃，子若能以忠信贊君，而裨諸侯之闕，歃雖在後，諸侯將載之，何爭於先？若違於德而以賄成事，今雖先歃，諸侯將棄之，何欲於先？昔成王盟諸侯於岐陽，楚為荊蠻，置茅蕝，設望表，與鮮卑守燎，故不與盟。今將與狎主諸侯之盟，唯有德也，子務德無爭先，務德，所以服楚也。」乃先楚人。（《國語》〈晉語八〉）

## 叔向之讒

叔向陷害周人萇弘，偽造了一封書信，信中以萇弘的口吻對叔向說：「你代我告訴晉君，和他的約定時機已經到了，為什麼還不快點派兵來攻打呢？」叔向假裝把書信掉在周君的朝廷上，隨後匆匆回國。天子以為萇弘出賣周朝，於是將萇弘處死。

【出處】

叔向之讒萇弘也，為書曰：「萇弘謂叔向曰：『子為我謂晉君，所與君期者，時可矣，何不亟以兵來？』」因佯遺其書周君之庭而急去行，周以萇弘為賣周也，乃誅萇弘而殺之。（《韓非子》〈內儲說下六微第三十一〉）

# 人道惡滿而好謙

　　韓平子（韓須）問叔向說：「剛與柔相比，哪一個更堅固？」叔向回答說：「我八十歲了，牙齒都快掉光了，可舌頭還在。老子說：『天下最柔軟的，能夠在天下最堅硬的地方馳騁縱橫。』又說：『人活著時身體柔軟，死後身體就變得僵硬，萬物草木也是一樣，活著時柔軟，死後枯槁。由此看來，柔弱的事物屬於有生命力的一類，剛強的事物屬於死亡一類。』有生命力的事物即便毀損了也能復活；屬於死亡的事物破敗後則加速滅亡。我由此認為柔軟比剛強更為堅固。」韓平子說：「說得好，那你的行為將依從什麼呢？」叔向說：「當然是柔軟了。」韓平子問：「柔軟的恐怕容易脆裂吧？」叔向說：「柔軟的事物即便扭曲也不會折斷，即使很鋒利也不會缺損，怎麼會脆裂呢？上天的規律是微弱者取勝，無論打仗還是利益爭奪，都是堅守柔弱的勝出。根據《易經》的說法，無論天上地下，人間神界，滿招損，謙受益是普遍規律。胸懷著謙虛不足的柔弱，天、地、人、鬼神四者都會幫助他，又怎麼會不能實現自己的志願呢？」韓平子稱讚說：「講得好！」

## 【出處】

　　韓平子問於叔向曰：「剛與柔孰堅？」對曰：「臣年八十矣，齒再墮而舌尚存。老聃有言曰：『天下之至柔，馳騁乎天下之至堅。』又曰：『人之生也柔弱，其死也剛強；萬物草木之生也柔脆，其死也枯槁。因此觀之，柔弱者生之徒也，剛強者死之徒也。』夫生者毀而

必復，死者破而愈亡，吾是以知柔之堅於剛也。」平子曰：「善哉！然則子之行何從？」叔向曰：「臣亦柔耳，何以剛為？」平子曰：「柔無乃脆乎？」叔向曰：「柔者紐而不折，廉而不缺，何為脆也？天之道微者勝，是以兩軍相加，而柔者克之；兩仇爭利，而弱者得焉。易曰：『天道虧滿而益謙，地道變滿而流謙，鬼神害滿而福謙，人道惡滿而好謙。』夫懷謙不足之柔弱，而四道者助之，則安往而不得其志乎？」平子曰：「善。」（《說苑》〈敬慎〉）

## 救人之患

叔向的弟弟羊舌虎與欒盈友善。欒盈在晉國犯法，晉國人殺死羊舌虎，並將叔向收入官府為奴。祁奚說：「小人將得高官，不加勸阻就是不義；君子身在患難，不去拯救就不吉祥。」於是去見范宣子並勸諫他說：「我聽說善於治國的人，賞不過度，罰不濫用。獎賞過度，恐怕會使小人得利；濫施刑罰，可能禍及君子。如果不幸出現過失，寧肯賞賜失誤讓小人得利，也不可濫施懲罰而禍及君子。所以唐堯殺鯀於羽山又任用他的兒子禹；西周時殺管叔、蔡叔而任用周公輔佐天子，都是不濫用刑罰的例子。」范宣子於是命令獄吏放出叔向。不是甘冒風險不辭辛勞和屈辱就能救人於危難。祁奚只是向范宣子說了說先王的德政，就使叔向成功獲救，要不怎麼能說祁奚是高人呢？

## 【出處】

叔向之弟羊舌虎善欒逞。逞有罪於晉，晉誅羊舌虎，叔向為之

奴。既而，祁奚曰：「吾聞小人得位，不爭不義，君子在憂，不救不祥。」乃往見范桓子而說之曰：「聞善為國者，賞不過，刑不濫。賞過則懼及淫人，刑濫則懼及君子。與不幸而過，寧過而賞淫人，無過而刑君子。故堯之刑也，殛鯀於羽山而用禹；周之刑也，僇管、蔡而相周公：不濫刑也。」桓子乃命吏出叔向。救人之患者，行危苦而不避煩辱，猶不能免；今祁奚論先王之德，而叔向得免焉，學豈可已哉！（《說苑》〈善說〉）

## 祿以食爵

秦后子來晉國做官，隨從的車輛有一千乘。楚公子干來晉國做官，隨從的車輛僅有五乘。叔向任太傅，掌管俸祿，韓宣子請教這兩位公子的俸祿，叔向說：「大國之卿，可以享受五百頃田賦的俸祿，上大夫可以享受一百頃田賦的俸祿。兩位公子都是上大夫，享受一百頃田賦的俸祿就可以了。」宣子說：「秦公子富有，需要與楚公子干授予同等的俸祿嗎？」叔向回答說：「按職務設立爵位，按爵位高低享受俸祿，使功德與俸祿相稱，怎麼能因為富有就給以厚祿呢？國都絳城的富商，只能乘坐皮革裝飾的木製馬車往來於鬧市，這是因為他們並沒有什麼功德。憑他們的財富，足以乘坐黃金寶玉裝飾的馬車，穿著刺繡花紋的華服，攜帶厚重的財禮與諸侯交往。但這些人並不能從朝廷得到任何俸祿，只因為他們對民眾並沒什麼大的貢獻。況且，秦國、楚國是地位相等的國家，怎麼能因為看似富有而有所偏袒呢？」

秦后子來仕，其車千乘。楚公子干來仕，其車五乘。叔向為太傅，實賦祿，韓宣子問二公子之祿焉，對曰：「大國之卿，一旅之田，上大夫，一卒之田。夫二公子者，上大夫也，皆一卒可也。」宣子曰：「秦公子富，若之何其鈞之？」對曰：「夫爵以建事，祿以食爵，德以賦之，功庸以稱之，若之何以富賦祿也！夫絳之富商，韋藩木楗以過於朝，唯其功庸少也，而能金玉其車，文錯其服，能行諸侯之賄，而無尋尺之祿，無大績於民故也。且秦、楚匹也，若之何其回於富也。」乃均其祿。（《國語》〈晉語八〉）

# 君子比而不別

叔向見到司馬侯的兒子，摟著他哭了，對左右說：「自從你父親死後，再也沒有和我通力協作侍奉國君的人了。以前我們互相配合，沒有辦不成的事。」籍偃在一邊問道：「君子也相互接近的嗎？」叔向回答說：「君子並肩合作，但不為朋黨。同德同心，相互支持，專心為朝廷做事，這叫作『比』；拉攏同黨，營私舞弊，將國家利益撇在一邊，這叫作『別』。」

【出處】

叔向見司馬侯之子，撫而泣之，曰：「自此其父之死，吾蔑與比而事君矣！昔者此其父始之，我終之，我始之，夫子終之，無不可。」籍偃在側，曰：「君子有比乎？」叔向曰：「君子比而不別。

比德以贊事，比也引黨以封己，利己而忘君，別也。」(《國語》〈晉語八〉)

# 君臣俱有力

晉平公問叔向說：「從前齊桓公九合諸侯，一匡天下，到底靠的是臣子的力量，還是君主的力量？」叔向回答說：「管仲善於裁剪，賓胥無善於縫紉，隰朋善於鑲邊，衣服做成了，君主拿起來穿上，這是臣子的力量，君主出了什麼力呢？」師曠伏在琴上大笑。平公說：「太師笑什麼呢？」師曠回答說：「我笑叔向回答君主的話。大凡做臣子的，就好比廚師調好了五味送給君主吃。君主不吃，誰敢強迫他呢？讓我打個比方吧：君主好比土地，臣子好比草木，一定是土地肥沃，草木才能茂盛，這是君主的力量，臣子出了什麼力呢？」有人說，叔向、師曠的說法都較片面。九合諸侯，一匡天下，如此偉大的事業，不單是君主的力量，也不單是臣子的力量。過去宮之奇在虞國，僖負羈在曹國，兩位臣子都很賢能，可是虞、曹卻滅亡了，這是因為有好的臣子卻沒有好的君主。再如蹇叔，在虞國時虞國滅亡，到秦國後秦國稱霸，這並非蹇叔在虞國笨拙，到秦國後就變聰明了，而是取決於有沒有好的君主。所以叔向只強調臣子的力量是不對的。過去桓公宮中有兩處集市，婦女住所有二百處，桓公披頭散髮去玩弄婦女。得到管仲，成為五霸之首；失去管仲，因豎刁擅權而自身死亡，蛆蟲爬出門外也得不到安葬。如果不是臣子的力量，就說不上因管仲而稱霸；如果只強調君主的力量，就談不到因豎刁而生亂。過去晉文

公愛戀齊女而不想回國，狐偃極力勸諫才使他返回晉國。所以齊桓公因管仲而九合諸侯，晉文公因狐偃而稱霸天下，師曠只強調君主的力量也不對。春秋五霸所以能揚名天下，無一不是君臣共同努力的結果。

## 【出處】

晉平公問叔向曰：「昔者齊桓公九合諸侯，一匡天下，不識臣之力也？君之力也？」叔向對曰：「管仲善制割，賓胥無善削縫，隰朋善純緣，衣成，君舉而服之。亦臣之力也，君何力之有？」師曠伏琴而笑之。公曰：「太師奚笑也？」師曠對曰：「臣笑叔向之對君也。凡為人臣者，猶炮宰和五味而進之君。君弗食，孰敢強之也？臣請譬之：君者，壤地也；臣者，草木也。必壤地美，然後草木碩大。亦君之力，臣何力之有？」或曰：叔向、師曠之對，皆偏辭也。夫一匡天下，九合諸侯，美之大者也，非專君之力也，又非專臣之力也。昔者宮之奇在虞，僖負羈在曹，二臣之智，言中事，發中功，虞、曹俱亡者，何也？此有其臣而無其君者也。且蹇叔處干而干亡，處秦而秦霸，非蹇叔愚於干而智於秦也，此有君與無臣也。向曰「臣之力也」不然矣。昔者桓公宮中二市，婦閭二百，被髮而御婦人，得管仲，為五伯長，失管仲得豎刁，而身死，蟲流出屍不葬。以為非臣之力也，且不以管仲為霸；以為君之力也，且不以豎刁為亂。昔者晉文公慕於齊女而亡歸，咎犯極諫，故使反晉國。故桓公以管仲合，文公以舅犯霸，而師曠曰「君之力也」，又不然矣。凡五霸所以能成功名於天下者，必君臣俱有力焉。故曰：叔向、師曠之對，皆偏辭也。（《韓非子》〈難二第三十七〉）

# 叔向御坐

　　叔向與晉平公坐著談事，坐的時間久了，平公雙腳麻木幾乎抽筋，仍然坐得很端正。國人聽說後，都稱讚說：「叔向真是個賢人，平公非常尊敬他，腿都抽筋了仍然坐得端端正正。」當時晉國的臣僚中，一半以上都對叔向很仰慕。

## 【出處】

　　叔向御坐，平公請事，公腓痛足痺轉筋而不敢壞坐。晉國聞之，皆曰：「叔向賢者，平公禮之，轉筋而不敢壞坐。」晉國之辭仕托、慕叔向者，國之錘矣。（《韓非子》〈外儲說左上第三十二〉）

# 齊師其遁

　　晉軍與齊軍作戰，得知齊靈公將登上巫山觀望敵情，晉國人於是派司馬排除山林河澤的險阻，即使是軍隊達不到的地方，也一定樹起大旗並且稀疏地布置軍陣。讓戰車左邊坐上真人而右邊放上偽裝的人，用大旗為前導，戰車後面拖上木柴跟著走，騰起高高的揚塵。齊靈公以為晉軍兵強馬壯，心中恐懼。到了夜裡，齊軍就逃走了。天亮後，師曠對晉平公說：「對方營地裡鳥叫得很歡，齊軍可能已經逃走了。」邢伯告訴中行獻子說：「戰馬發出別離的悲鳴，齊軍恐怕逃走了。」叔向也來報告晉平公說：「城頭上有烏鴉，齊軍可能逃走了。」《孫子兵法》中說：鳥集中的地方，敵人的陣地可能空虛，鳥飛起的

地方，可能有敵人埋伏，大抵就是從師曠的判斷中得到的啟發。

## 【出處】

　　齊侯登巫山以望晉師。晉人使司馬斥山澤之險，雖所不至，必旆而疏陳之。使乘車者左實右偽，以旆先，輿曳柴而從之。齊侯見之，畏其眾也，乃脫歸。丙寅晦，齊師夜遁。師曠告晉侯曰：「鳥烏之聲樂，齊師其遁。」邢伯告中行伯曰：「有班馬之聲，齊師其遁。」叔向告晉侯曰：「城上有烏，齊師其遁。」（《左傳》〈襄公十八年〉）

# 天生民，令有辨

　　晉國太史屠余看見晉國政治混亂，又見晉平公驕橫不講仁義道德，就帶上晉國的圖冊曆法回到洛陽周王室。周威公召見他時問他：「天下的國家哪一個先滅亡？」屠余回答說：「晉國先亡。」周威公問他理由，他回答說：「我不敢向晉公坦言進諫，就用天降災、日月星辰的運行很不正常來暗示晉平公。晉平公卻說：『這又能怎麼樣？』我又用國內許多事情不合道義，百姓怨聲載道來啟示他，他卻說『這有什麼妨害？』又用鄰國不信服，賢才良士不興盛來啟發他，他卻說：『這有什麼損害？』他不知道為什麼國家能生存，為什麼會滅亡，所以我說晉國會先滅亡。」過了三年，晉國真的滅亡了。周威公再次召見屠余問他：「哪一國在晉國之後滅亡？」屠余回答說：「中山國在晉國之後滅亡。」周威公問他緣由，他說：「上天降生了人，讓他們互相有區別。有區別，是人類社會的原則，這也是人不同於禽

獸麋鹿的地方，是用來建立君臣上下關係的依據。中山國的習俗，把白天當黑夜，夜以繼日，男女依偎親近，當然就不能休養生息。在歡樂中放蕩淫亂，唱歌喜好悲哀之聲，他們的君主卻不知道痛恨，這就是亡國的歌聲，所以我說中山國將在晉國之後滅亡。」過了兩年，中山國真的滅亡了。周威公又召見屠余並問他說：「哪一國在中山國之後滅亡呢？」屠余不回答。周威公堅持請他回答。屠余這才說：「您的國家將在中山國之後滅亡。」周威公感到恐懼，尋求國內德高望重的人，得到錡疇、田邑並禮待他們。又以史理、趙巽二人為諫臣，廢除苛刻的法令三十九件。然後周威公召見屠余。屠余說：「也許您這一代國家還能得以保存。我聽說國家興盛，上天會送給他賢人，並給他直言極諫的人；國家將要滅亡時，上天給他搗亂的人和善於阿諛奉迎的人。」周威公死後，九個月不能下葬，他的西周就此分為東周和西周兩個小國。因此有道德的人所說的話，不能不重視。

## 【出處】

晉太史屠余見晉國之亂，見晉平公之驕而無德義也，以其國法歸周。周威公見而問焉，曰：「天下之國，其孰先亡？」對曰：「晉先亡。」威公問其說。對曰：「臣不敢直言，示晉公以天妖，日月星辰之行多不當。曰：『是何能然？』示以人事多不義，百姓多怨。曰：『是何傷？』示以鄰國不服，賢良不興。曰：『是何害？』是不知所以存，所以亡。故臣曰晉先亡。」居三年，晉果亡。威公又見屠余而問焉。曰：「孰次之？」對曰：「中山次之。」威公問其故。對曰：「天生民，令有辨，有辨，人之義也。所以異於禽獸麋鹿也，君臣上下所以立也。中山之俗，以晝為夜，以夜繼日，男女切踦，固無休

息，淫昏康樂，歌謳好悲。其主弗知惡，此亡國之風也。臣故曰中山次之。」居二年，中山果亡。威公又見屠余而問曰：「孰次之？」屠余不對，威公固請。屠余曰：「君次之。」威公懼，求國之長者，得錡疇、田邑而禮之，又得史理、趙巽以為諫臣，去苛令三十九物。以告屠余，屠余曰：「其尚終君之身。臣聞國之興也，天遺之賢人，與之極諫之士；國之亡也，天與之亂人與善諛者。」威公薨，九月不得葬。周乃分為二。故有道者言不可不重也。（《說苑》〈權謀〉）

# 欲為繫援

　　董叔將要娶范獻子的妹妹范祁為妻，叔向說：「范家富有，你覺得這門親事合適嗎？」董叔回答說：「我正想借婚姻關係來攀附范氏家族呢。」婚後某一天，范祁向范獻子訴說：「董叔不尊敬我。」獻子就把董叔抓來，吊在院子裡的槐樹上。正巧叔向經過，董叔說：「快幫我去求求情吧。」叔向說：「你想求得與范家聯姻，已經求上了；想藉助婚姻攀附范家，也已攀上了。你想得到的都已得到，還有什麼可請求的呢？」

## 【出處】

　　董叔將娶於范氏，叔向曰：「范氏富，盍已乎！」曰：「欲為繫援焉。」他日，董祁愬於范獻子曰：「不吾敬也。」獻子執而紡於庭之槐，叔向過之，曰：「子盍為我請乎？」叔向曰：「求繫，既繫矣；求援，既援矣。欲而得之，又何請焉？」（《國語》〈晉語九〉）

# 三世事家

　　欒盈出奔楚國，執政的范宣子下令欒氏的家臣不得隨從，隨從出奔者一律處死，陳屍示眾。欒氏的家臣辛俞追隨欒盈出奔，被官吏抓住。平公問他說：「已經有明文禁令，為什麼要觸犯它？」辛俞回答說：「我並沒有觸犯國家的禁令。規定說：『不要跟從欒氏，而要跟從國君』。但我也聽說：『三代為大夫的家臣，侍奉大夫如同國君；兩代以下，侍奉大夫如同主人。』侍奉國君應無懼生死，侍奉主人要勤勉盡責，這是朝廷的明文規定。從我祖父起，我家跟隨欒氏已經三代，因此不敢不把欒氏當國君看待。如今朝廷說『不隨從國君者殺無赦』，我豈敢畏死而背叛欒氏呢？」平公很欣賞辛俞的人品，再三勸阻他不要跟隨欒氏出走，並用厚禮來籠絡他，辛俞辭謝說：「我已經表白過了，意志堅定，言行一致，才能侍奉君主。如果接受您的賞賜，等於違背了我先前說過的話。我剛剛向您表白了志向，還未退下就違背它，那還憑什麼來侍奉君主呢？」平公知道不可能留下辛俞，於是放他走了。

## 【出處】

　　欒懷子之出，執政使欒子之臣勿從，從欒氏者為大戮施。欒氏之臣辛俞行，吏執之，獻諸公。公曰：「國有大令，何故犯之？」對曰：「臣順之也，豈敢犯之？執政曰『無從欒氏而從君』，是明令必從君也。臣聞之曰：『三世事家，君之；再世以下，主之。』事君以死，事主以勤，君之明令也。自臣之祖，以無大援於晉國，世隸於欒

氏，於今三世矣，臣故不敢不君。今執政曰『不從君者為大戮』，臣敢忘其死而叛其君，以煩司寇。」公說，固止之，不可，厚賂之。辭曰：「臣嘗陳辭矣，心以守志，辭以行之，所以事君也。若受君賜，是墮其前言。君問而陳辭，未退而逆之，何以事君？」君知其不可得也，乃遣之。（《國語》〈晉語八〉）

## 多輔而少拂

　　韓武子[42]出獵，已經將獵物驅趕到一起了，打獵的車隊也已經合圍了，這時傳來噩耗說：「晉公去世了。」武子對欒懷子說：「你知道我喜歡打獵，現在獵物已攆到一起了，打獵的車隊也已經合圍，我可以打完獵後再去弔唁嗎？」懷子回答說：「范氏的滅亡，是因為輔佐的人雖多，直言敢諫的人卻很少。現在我是您的輔佐，矗是直言敢諫的人。你何不徵求一下矗的意見呢？」武子說：「你已經勸諫我了，又何必再去問矗呢？」於是停止打獵趕往弔唁。

## 【出處】

　　韓武子田，獸已聚矣，田車合矣，傳來告曰：「晉公薨。」武子謂欒懷子曰：「子亦知吾好田獵也，獸已聚矣，田車合矣，吾可以卒獵而後弔乎？」懷子對曰：「范氏之亡也，多輔而少拂，今臣於君，

---

42. 歷史上有兩個韓武子，一個名為韓萬，晉獻公時代人；一個名為韓啟章，戰國時代人。即便是韓啟章也與欒盈相距一百四十多年，可見此篇所載人和事與史實不符。

輔也；晶於君，拂也，君胡不問於晶也？」武子曰：「盈，而欲拂我乎？而拂我矣，何必晶哉？」遂輟田。（《說苑》〈君道〉）

## 實直而博

范宣子與和大夫為田地邊界發生爭執，一直無法解決。宣子想攻打他，問了很多大夫，都沒有好的解決辦法。叔向對宣子說：「為什麼不去徵詢訾祏的意見呢？訾祏為人正直且知識淵博，正直就能夠公正地明辨是非，知識淵博就能夠左右比照，況且他又是您的老家臣。」宣子於是找訾祏徵求意見。訾祏回答說：「從前隰叔子躲避周難到晉國，生下子輿當了法官，整肅朝政，朝廷沒有奸佞的官員；當司空時，治理國家，業績始終不俗。傳到范武子，輔佐文公、襄公稱霸諸侯，諸侯沒有二心。等做了卿，又輔佐成公、景公，領軍時也沒有敗績。及至作為成公的軍師，官居太傅，端正刑法，編輯法典，國內沒有奸猾之民，後人可以遵從傚法，因此受封隨、范二邑。到范文子時，促成晉楚會盟，擴大兄弟國家的範圍，使各國之間相安無事，因此受封郇、櫟二邑。現在您承襲了先輩的職位，朝中沒有奸詐的行為，國內沒有邪惡的刁民，四方安居樂業，國無內憂外患，您仰賴三位先輩的功勞享受高官厚祿，國家太平無事，您卻和一個大夫過不去。如果君王加寵於您，您以什麼來治理國家呢？」宣子聽了很高興，於是多給和大夫田地與他和好。

## 【出處】

　　范宣子與和大夫爭田，久而無成。宣子欲攻之，問於伯華。伯華曰：「外有軍，內有事。赤也，外事也，不敢侵官。且吾子之心有出焉，可徵訊也。」問於孫林甫，孫林甫曰：「旅人，所以事子也，唯事是待。」問於張老，張老曰：「老也以軍事承子，非戎，則非吾所知也。」問於祁奚，祁奚曰：「公族之不恭，公室之有回，內事之邪，大夫之貪，是吾罪也。若以君官從子之私，懼子之應且憎也。」問於籍偃，籍偃曰：「偃也以斧鉞從於張孟，日聽命焉，若夫子之命也，何二之有？釋夫子而舉，是反吾子也。」問於叔魚，叔魚曰：「待吾為子殺之。」叔向聞之，見宣子曰：「聞子與和未寧，遍問於大夫，又無決，盍訪之訾祏。訾祏實直而博，直能端辨之，博能上下比之，且吾子之家老也。吾聞國家有大事，必順於典刑，而訪咨於喬老，而後行之。」司馬侯見，曰：「吾聞子有和之怒，吾以為不信。諸侯皆有二心，是之不憂，而怒和大夫，非子之任也。」祁午見，曰：「晉為諸侯盟主，子為正卿，若能靖端諸侯，使服聽命於晉，晉國其誰不為子從，何必和？盍密和，和大以平小乎！」宣子問於訾祏，訾祏對曰：「昔隰叔子違周難於晉國，生子輿為理，以正於朝，朝無奸官；為司空，以正於國，國無敗績。世及武子，佐文、襄為諸侯，諸侯無二心。及為卿，以輔成、景，軍無敗政。及為成師，居太傅，端刑法，緝訓典，國無奸民，後之人可則，是以受隨、范。及文子成晉、荊之盟，豐兄弟之國，使無有間隙，是以受郇、櫟。今吾子嗣位，於朝無奸行，於國無邪民，於是無四方之患，而無外內之憂，賴三子之功而饗其祿位。今既無事矣，而非和，於是加寵，將何治為？」宣子說，乃益和田而與之和。（《國語》〈晉語八〉）

# 死而不朽

魯襄公二十四年（西元前549年）春，穆叔到了晉國，范宣子迎接他，詢問他說：「古人說『死而不朽』是什麼意思？」穆叔沒有回答。范宣子說：「從前匄的祖先，自虞舜以上是陶唐氏，在夏朝是御龍氏，在商朝是豕韋氏，在周朝是唐杜氏，晉國主持諸侯盟會時是范氏，這可以稱得上死而不朽嗎？」穆叔說：「在我看來，這叫作世祿，而不是不朽。我們魯國有一位先大夫叫臧文仲，他死之後，他的話世代不廢，所謂不朽，說的就是這個吧！我聽說：『最高的是樹立德行，其次是樹立功業，再次是樹立言論。』這些都不會因為人的去世而廢棄，所以才叫作不朽。像您所說的保有姓氏，守住宗廟，世世代代不絕祭祀，哪個國家都有這種情況。這只是享有厚祿，不能說是不朽。」

## 【出處】

二十四年春，穆叔如晉。范宣子逆之，問焉，曰：「古人有言曰，『死而不朽』，何謂也？」穆叔未對。宣子曰：「昔匄之祖，自虞以上，為陶唐氏，在夏為御龍氏，在商為豕韋氏，在周為唐杜氏，晉主夏盟為范氏，其是之謂乎？」穆叔曰：「以豹所聞，此之謂世祿，非不朽也。魯有先大夫曰臧文仲，既沒，其言立。其是之謂乎！豹聞之，大上有立德，其次有立功，其次有立言，雖久不廢，此之謂不朽。若夫保姓受氏，以守宗祊，世不絕祀，無國無之。祿之大者，不可謂不朽。」（《左傳》〈襄公二十四年〉）

# 可以免身

　　訾祏死後，范宣子對范獻子說：「范鞅呀，以前有訾祏做我的謀臣，朝廷和家族的事都跟他商量。你自我判斷能力差，也沒人幫你謀劃，真替你擔心啊。」獻子說：「我平時處事盡量做到恭敬仔細，不圖省事安逸，虛心學習，注意禮節，在堅持原則的前提下與同事們和睦相處，有事一起商量，既不投其所好，也不自以為是，尤其重視長者的意見。」宣子滿意地說：「這樣我就不用擔心了。」

## 【出處】

　　訾祏死，范宣子謂獻子曰：「鞅乎！昔者吾有訾祏也，吾朝夕顧焉，以相晉國，且為吾家。今吾觀女也，專則不能，謀則無與也，將若之何？」對曰：「鞅也，居處恭，不敢安易，敬學而好仁，和於政而好其道，謀於眾不以賣好，私志雖衷，不敢謂是也，必長者之由。」宣子曰：「可以免身。」（《國語》〈晉語八〉）

# 宣子憂貧

　　叔向去見韓宣子，宣子正為家境窘迫而擔憂，叔向卻向他表示祝賀。韓宣子說：「我有正卿之名，卻不能享受正卿的福利待遇，無法與眾卿大夫平等交往。我正為此鬱悶，你卻向我道賀，為什麼呢？」

叔向回答說：「從前欒武子的俸祿不及上大夫[43]，家裡連祭祀用的禮器也不齊備，可是他注重推進德政，遵循法制，因而聲名遠播列國，諸侯親近，戎狄歸服，依靠他的德行治理晉國，執行法令沒有弊病，所以倖免於難。但他的兒子桓子卻驕傲奢侈，貪得無厭，恣意妄為，借貸牟利，收受賄賂，本該遭受懲罰，卻因仰賴父德的庇蔭，勉強得以善終。懷子想挽救家族的聲望，發揚武子的美德，卻受到父親桓子的牽累，被迫逃亡楚國。還有郤昭子，家產幾乎達到晉國王室的一半，家人都在軍隊中擔任要職。依仗富有和寵榮，他在晉國驕橫跋扈，結果落得陳屍朝廷的下場，其宗族也在絳城被滅絕。假若不是這樣，郤氏八人中，就有五人為大夫，三人為卿，可以說是備受寵幸，一旦被滅，沒有誰來同情他們，最主要就是他們德行很差。如今你像欒武子一樣清貧，我認為你也具備他那些美德，所以向你道賀。如果你不注重自己的品德修養，整天想著自己的財富不如人家，我連哀悼還來不及，又有什麼可祝賀的呢？」韓宣子下拜叩頭，感激道：「我韓起心生邪念之際，幸虧您及時提醒。不僅我韓起感激您，從我先祖桓叔以下的子孫，世世代代都要感謝您的恩賜。」

## 【出處】

　　叔向見韓宣子，宣子憂貧，叔向賀之，宣子曰：「吾有卿之名，而無其實，無以從二三子，吾是以憂，子賀我何故？」對曰：「昔欒武子無一卒之田，其宮不備其宗器，宣其德行，順其憲則，使越於諸侯，諸侯親之，戎、狄懷之，以正晉國，行刑不疚，以免於難。及桓

---

43.上大夫可以享受一百頃田賦的俸祿，即所謂「一卒之田」。

子驕泰奢侈，貪欲無藝，略則行志，假貸居賄，宜及於難，而賴武之德，以沒其身。及懷子改桓之行，而修武之德，可以免於難，而離桓之罪，以亡於楚。夫郤昭子，其富半公室，其家半三軍，恃其富寵，以泰於國，其身屍於朝，其宗滅於絳。不然，夫八郤，五大夫三卿，其寵大矣，一朝而滅，莫之哀也，唯無德也。今吾子有欒武子之貧，吾以為能其德矣，是以賀。若不憂德之不建，而患貨之不足，將弔不暇，何賀之有？」宣子拜稽首焉，曰：「起也將亡，賴子存之，非起也敢專承之，其自桓叔以下嘉吾子之賜。」（《國語》〈晉語八〉）

# 一祝不勝萬詛

中行寅大難當頭，召見掌管祭祀的太祝責問他說：「你為我祈禱，敬奉的三牲是否不夠肥美，齋戒的心境是否不夠虔誠，以致激怒鬼神，使中行家族處於滅亡的境地。你為什麼這麼做？」太祝簡回答說：「當年我們的先君中行穆子，僅有十乘普通的車子，但他並不嫌少，每天只擔憂自己的德行仁義不足。如今您擁有豪車百乘，卻不去考慮自己德義淺薄，還嫌豪車不多。要知道濫造豪車遊船，必然加重百姓的稅賦；賦稅徭役過重，必然招致百姓的怨恨和責罵。您難道真以為向上天祈禱就能造福家族嗎？民怨沸騰，人心背離就會滅亡。我一人為您祝福，可舉國上下都在詛咒您。一人的祈禱哪抵得上萬眾怨恨，中行家族滅亡不是很自然的事嗎？」中行寅感到慚愧，頓時無言。

中行寅將亡，乃召其太祝，而欲加罪焉，曰：「子為我祝，犧牲不肥澤耶？且齋戒不敬耶？使吾國亡，何哉？」祝簡對曰：「昔者，吾先君中行穆子皮車十乘，不憂其薄也，憂德義之不足也。今主君有革車百乘，不憂德義之薄也，唯患車之不足也。夫舟車飾則賦斂厚，賦斂厚則民怨謗詛矣。且君苟以為祝有益於國乎？則詛亦將為損。世亡矣，一人祝之，一國詛之，一祝不勝萬詛，國亡不亦宜乎？祝其何罪？」中行子乃慚。（《新序》〈雜事一〉）

# 文子出亡

中行文子出逃，路過縣城，跟隨他出逃的人說：「這裡的縣官是您的舊友，何不去他家歇歇腳，等待一下隨後的車子？」文子說：「過去我喜愛音樂，此人就送給我響琴；我喜歡玉飾，此人就送給我玉環；這實際上是在助長我的過失。想方設法討好我的人，我怕他也會拿我去討好別人。」於是繞道而去。這個縣官果然截住中行文子隨後的車輛，送給自己的君主。

【出處】

晉中行文子出亡，過於縣邑。從者曰：「此嗇夫，公之故人。公奚不休舍，且待後車？」文子曰：「吾嘗好音，此人遺我鳴琴；吾好佩，此人遺我玉環；是振我過者也。以求容於我者，吾恐其以我求容於人也。」乃去之。果收文子後車二乘而獻之其君矣。（《韓非子》〈說林下〉）

# 人不可以不學

范獻子到魯國訪問，提到具山和敖山，魯國人用兩山的鄉名來回答。獻子說：「難道不叫作具山和敖山嗎？」魯人回答說：「那是我們先君魯獻公、魯武公的名諱啊。」獻子回國後，談起出使魯國，感慨地說：「人不能不學習啊。我到魯國就犯了二位先君的名諱，惹人家笑話。一個人有學問，就好像樹木上長滿枝葉。大樹長滿枝葉，就可以讓人遮陽乘涼，君子好學，獲益就更多了。」

## 【出處】

范獻子聘於魯，問具山、敖山，魯人以其鄉對。獻子曰：「不為具，敖乎？」對曰：「先君獻、武之諱也。」獻子歸，遍戒其所知曰：「人不可以不學。吾適魯而名其二諱，為笑焉，唯不學也。人之有學也，猶木之有枝葉也。木有枝葉，猶庇蔭人，而況君子之學乎？」（《國語》〈晉語九〉）

# 天經地義

晉頃公召集各國諸侯的代表在黑壤會盟，商討如何平息周王室的王位之爭。參加商討的有晉國的趙鞅、鄭國的游吉、宋國的樂大心等。會上，晉國的趙鞅向鄭國的游吉請教什麼叫「禮」。游吉回答說：「我國的子產在世時曾經說過，禮就是天之經、地之義，也就是老天規定的原則、大地施行的正理。它是百姓行動的依據，不能改

變，也不容懷疑。」趙鞅對游吉的回答很滿意，表示一定要牢記這個道理。後來，趙鞅率領各諸侯國的軍隊，幫助敬王恢復王位，結束了周王室的王位之爭。成語「天經地義」用以形容天地間經久不變的常道，或理所當然、不能改變的道理。

## 【出處】

簡子曰：「敢問何謂禮？」對曰：「吉也聞諸先大夫子產曰：『夫禮，天之經也，地之義也，民之行也。』天地之經，而民實則之。則天之明，因地之性，生其六氣，用其五行。氣為五味，發為五色，章為五聲，淫則昏亂，民失其性。是故為禮以奉之。為六畜、五牲、三犧，以奉五味。為九文、六采、五章，以奉五色。為九歌、八風、七音、六律，以奉五聲。為君臣、上下，以則地義。為夫婦、外內，以經二物。為父子、兄弟、姑姊、甥舅、昏媾、姻亞，以象天明。為政事、庸力、行務，以從四時。為刑罰、威獄，使民畏忌，以類其震曜殺戮。為溫慈、惠和，以效天之生殖長育。民有好、惡、喜、怒、哀、樂，生於六氣。是故審則宜類，以制六志。哀有哭泣，樂有歌舞，喜有施捨，怒有戰鬥。喜生於好，怒生於惡。是故審行信令，禍福賞罰，以制死生。生，好物也。死，惡物也。好物，樂也。惡物，哀也。哀樂不失，乃能協於天地之性，是以長久。」簡子曰：「甚哉，禮之大也！」對曰：「禮，上下之紀，天地之經緯也，民之所以生也，是以先王尚之。故人之能自曲直以赴禮者，謂之成人。大，不亦宜乎？」簡子曰：「鞅也請終身守此言也。」（《左傳》〈昭公二十五年〉）

# 委質為臣，無有二心

中行穆子率領軍隊討伐狄人，包圍了鼓國。鼓國有人請求獻城叛降，穆子不肯接受。軍吏說：「不用浴血奮戰而得到城邑，您為什麼不幹呢？」穆子回答說：「這不是侍奉君主的禮節。獻城叛降的人，一定想從我們這裡得到好處。守城而懷有二心，這是最奸猾的。獎賞善良，懲罰奸惡，這是國家的大法。如果允許獻城納降而不予獎賞，就是我們失信；如果給予獎賞，就是獎賞大奸。奸邪的人獲得優厚的利祿，那善良的人又該怎樣呢？狄人中心懷不滿的人以獻城來滿足自己的私欲，晉國難道就沒有這種人嗎？我這樣做，是想以鼓國的例子來告誡我國身處邊疆的人千萬不可懷有二心。侍奉君主，要量力而行，有實力就攻，實力不濟就退，絕不能為了獲得成功而收買懷有二心的叛徒。」於是就命令軍吏向城中呼喊，告誡鼓人晉軍將要進攻，結果還未交戰，鼓人就投降了。攻克鼓國以後，中行穆子將鼓國國君苑支帶回晉國。命令鼓人各歸其所，只有鼓君的侍役可以跟隨。鼓臣中有個夙沙厘，帶領妻子跟隨鼓君，軍吏抓住他，他說：「我侍奉國君，不是侍奉國土。名為君臣，不是土臣。如今國君已不在鼓國了，我還留在這裡幹什麼呢？」穆子召見他說：「鼓國已有新的國君，你一心侍奉新君，我來安排你的俸祿爵位。」夙沙厘回答說：「我是狄族鼓君的臣子，不是晉國鼓君的臣子。我聽說：向君主獻禮稱臣，就不能再有二心。委身成為臣屬，就要效忠到死，這是古代的規矩。君主有顯赫的名聲，臣子無背叛的理由。我怎敢以私利破壞既有的規矩干擾司法呢？」穆子對身邊的人感嘆說：「我應當怎樣修德才能得到

這樣的臣子呢？」於是就讓夙沙釐隨行。穆子獻罷戰功之後，對晉頃公講起夙沙釐的事，於是頃公在黃河以南劃出一塊田地給鼓君，讓夙沙釐輔佐鼓君。

## 【出處】

中行穆子帥師伐狄，圍鼓。鼓人或請以城叛，穆子不受，軍吏曰：「可無勞師而得城，子何不為？」穆子曰：「非事君之禮也。夫以城來者，必將求利於我。夫守而二心，奸之大者也；賞善罰奸，國之憲法也。許而弗予，失吾信也；若其予之，賞大奸也。奸而盈祿，善將若何？且夫狄之憾者以城來盈願，晉豈其無？是我以鼓教吾邊鄙貳也。夫事君者，量力而進，不能則退，不以安賈貳。」令軍吏呼城，儆將攻之，未傅而鼓降。中行伯既克鼓，以鼓子苑支來。令鼓人各復其所，非僚勿從。鼓子之臣曰夙沙釐，以其帑行，軍吏執之，辭曰：「我君是事，非事土也。名曰君臣，豈曰土臣？今君實遷，臣何賴於鼓？」穆子召之，曰：「鼓有君矣，爾心事君，吾定而祿爵。」對曰：「臣委質於狄之鼓，未委質於晉之鼓也。臣聞之：委質為臣，無有二心。委質而策死，古之法也。君有烈名，臣無叛質。敢即私利以煩司寇而亂舊法，其若不虞何！」穆子嘆而謂其左右曰：「吾何德之務而有是臣也？」乃使行。既獻，言於公，與鼓子田於河陰，使夙沙釐相之。（《國語》〈晉語九〉）

# 當桑之時

趙簡子率兵攻打齊國，下令說：「軍中有誰敢於勸諫處以死罪。」一個名叫公盧的披甲武士望著趙簡子大笑。趙簡子問他說：「你笑什麼？」公盧回答說：「我想起自身經歷的一個笑話。」趙簡子說：「若能解釋清楚就算了，否則處死你。」公盧說：「那是採桑季節，我鄰居家的丈夫和妻子一起下田，丈夫看見桑林中有個女子，便去追她，沒有追上，返回家中時，妻子因為生氣離他而去。我是笑那人的荒唐。」趙簡子說：「如今我率兵攻打別國，卻可能丟掉自己的國家，這是我的荒唐。」於是撤軍回國。

## 【出處】

趙簡子舉兵而攻齊，令軍中有敢諫者罪至死。被甲之士名曰公盧，望見簡子大笑。簡子曰：「子何笑？」對曰：「臣乃有宿笑。」簡子曰：「有以解之則可，無以解之則死。」對曰：「當桑之時，臣鄰家夫與妻俱之田，見桑中女，因往追之，不能得，還反，其妻怒而去之。臣笑其曠也。」簡子曰：「今吾伐國失國，是吾曠也。」於是罷師而歸。（《說苑》〈正諫〉）

# 掘君之墓

趙簡子攻打陶邑，有兩名將士搶先登城，不幸殉難。趙簡子派人向陶君討要二人的屍體，陶君不給。承盆疽對陶君說：「趙簡子將會

挖掘您的祖墳，並以此為條件與您的百姓談交易：『翻城越牆來投降的人，將會赦免他；否則就要挖掘他的祖墳，屍骨腐朽的就把骨灰揚掉；沒有腐爛的就分裂屍體。』」陶君十分恐懼，於是請求獻上兩人的屍體達成和議。

## 【出處】

趙簡子攻陶，有二人先登，死於城上。簡子欲得之，陶君不與。承盆疽謂陶君曰：「簡子將掘君之墓以與君之百姓市曰：『逾邑梯城者，將赦之；不者，將掘其墓，朽者揚其灰，未朽者辜其屍。』」陶君懼，謂效二人之屍以為和。（《說苑》〈善說〉）

## 為人數變

趙簡子問成摶說：「羊殖大夫頗有賢名，你覺得他人品怎麼樣？」成摶回答說：「我不太瞭解他，不好評價。」趙簡子說：「我聽說你們關係挺好的，怎麼說不瞭解他呢？」成摶說：「羊殖的為人一直有變化。他十五歲的時候，品行端正而不隱瞞自己的過失；他二十歲的時候，為人仁愛而講義氣；三十歲做了晉國的中軍尉，作戰勇敢而講仁德；五十歲時升任駐邊將領，遠方的人都慕名來附。如今我有五年沒見他了，恐怕他又有變化，所以不敢說瞭解他。」趙簡子說：「羊殖的確是賢能的人，他每次的變化都是越變越好！」

趙簡子問於成摶曰：「吾聞夫羊殖者賢大夫也，是行奚然？」對曰：「臣摶不知也。」簡子曰：「吾聞之，子與友親，子而不知，何也？」摶曰：「其為人也數變。其十五年也，廉以不匿其過；其二十也，仁以喜義；其三十也，為晉中軍尉，勇以喜仁；其年五十也，為邊城將，遠親復來；今臣不見五年矣，恐其變，是以不敢知。」簡子曰：「果賢大夫也，每變益上矣。」（《說苑》〈善說〉）

## 君子重傷其類

趙簡子說：「晉國的澤鳴、犢犨，魯國的孔丘，我殺死這三個人，就可以圖謀天下了。」於是召見澤鳴、犢犨，先委以要職，不久就將二人殺害。隨後派人到魯國聘請孔子。孔子到達黃河岸邊，望著奔騰的河水說：「河水浩浩蕩蕩，真壯觀啊。我不能從此渡河，應該是命運的安排吧。」子路上前問道：「請問先生什麼意思？」孔子說：「澤鳴、犢犨是晉國享有賢名的大夫，趙簡子沒有掌權的時候，與二人志同道合；現在得志，就將二人殺死。我聽說：剖腹取胎燒烤幼崽，麒麟會繞道遠避；抽乾河水捕魚，蛟龍會掉頭而游；搗毀鳥巢砸碎鳥蛋，鳳凰絕不會翱翔而來。我還聽說，君子對同類的不幸倍感悲傷。」孔子在黃河岸邊聞到了死亡的味道，於是轉身離去。

【出處】

趙簡子曰：「晉有澤鳴、犢犨，魯有孔丘，吾殺此三人，則天下

可圖也。」於是乃召澤鳴、犢犨，任之以政而殺之。使人聘孔子於魯。孔子至河，臨水而觀，曰：「美哉水，洋洋乎！丘之不濟於此，命也夫！」子路趨進曰：「敢問奚謂也？」孔子曰：「夫澤鳴、犢犨，晉國之賢大夫也。趙簡子之未得志也，與之同聞見；及其得志也，殺之而後從政。故丘聞之：刳胎焚夭，則麒麟不至；乾澤而漁，則蛟龍不游；覆巢毀卵，則鳳凰不翔。丘聞之，君子重傷其類者也。」（《說苑》〈權謀〉）

# 足以亡國

趙簡子問翟封荼說：「我聽說翟國天降穀雨，一連下了三天，是真的嗎？」回答說：「是真的。」又問：「又聽說曾經天降血雨，也是一連三天，是這樣嗎？」回答說：「是的。」又問：「還聽說出現馬生牛、牛生馬的怪事？」回答說：「有這種事。」趙簡子說：「這些妖異怪事，可都是國家滅亡的徵兆啊！」翟封荼回應說：「天上降下穀子，是大風吹來的。降下血雨，是有鷙鳥在天空搏擊。馬生牛、牛生馬，是因為混雜放牧的緣故。這些並不是翟國的妖禍。」趙簡子說：「那翟國的妖禍是什麼呢？」回答說：「翟國屢次分裂，國君幼弱，官吏競相貪污賄賂，胡作非為，政策朝令夕改，士人奸詐貪鄙還心懷怨憤，這些才是翟國的妖禍。」

## 【出處】

趙簡子問於翟封荼曰：「吾聞翟雨穀三日，信乎？」曰：「信。」

「又聞雨血三日，信乎？」曰：「信。」「又聞馬生牛，牛生馬，信乎？」曰：「信。」簡子曰：「大哉！妖亦足以亡國矣。」對曰：「雨穀三日，虻風之所飄也。雨血三日，鷙鳥擊於上也。馬生牛，牛生馬，雜牧也。此非翟之妖也。」簡子曰：「然則翟之妖奚也？」對曰：「其國數散，其君幼弱，其諸卿貨，其大夫比黨以求祿爵，其百官肆斷而無告，其政令不竟而數化，其士巧貪而有怨。此其妖也。」（《說苑》〈辨物〉）

# 願得良臣

　　趙簡子說：「希望能得到范氏、中行氏手下的良臣。」史黯在一旁說：「用兩人的良臣做什麼？」趙簡子說：「良臣誰不愛呢？」史黯回答說：「我覺得侍奉君主的人，應當經常以史為鑑，勸諫君主的過失，鼓勵君主的善行，規勸他走正道。應該引薦賢才，努力奉獻，不惜以生命來捍衛君主。君主能夠採納，就在朝任事，不能聽從，就辭官退去。現在范氏、中行氏的臣子，不能匡正輔助他們的君主，使君主遭禍遇難；君主出奔國外，又不能使他獲得安定，反而棄君而去，那算什麼良臣呢？倘若他們不拋棄君主，您又怎能得到他們？如果真是范氏、中行氏的良臣，就應當辛勤地為君主謀劃，誓死效忠，使君主在國外東山再起。這樣他們就不可能投奔您。倘若來投，也就算不上是良臣了。」趙簡子說：「你說得對。」

【出處】

趙簡子曰：「吾欲得范、中行氏之良臣。」史黯曰：「安用之？」簡子曰：「良臣，人所願也，又何問焉？」曰：「臣以為無良臣故也。夫事君者，諫過而薦可，章善而替否，獻能而進賢，朝夕誦善敗而納之，聽則進，否則退。今范、中行氏之良臣也，不能匡相其君，使至於難；出在於外，又不能入，亡而棄之，何良之為？若不棄，君安得之？夫良，將營其君，使復其位，死而後止，何曰以來？若未能，乃非良也。」簡子曰：「善。」（《說苑》〈尊賢〉）

## 士無弊者

趙簡子包圍衛國國都的外城，拿著用犀牛皮做的大小盾牌，站在箭和滾石達不到的地方，擊鼓命令士兵奮進，然而士兵卻不響應。簡子扔了鼓槌說：「哎呀！我的戰士這麼快就疲困了。」外交官燭過脫下頭盔回答說：「我聽說：只有君主不會使用戰士的，戰士沒有會疲困的。過去我們的先君晉獻公吞併了十七個國家，迫使三十八個國家順服，打了十二次勝仗，用的就是這些民眾。獻公死了，惠公即位，他荒淫無度，殘暴昏亂，喜歡美女，秦人肆意入侵，離晉都絳城只有十七里，用的也是這些民眾。惠公死後，文公繼承君位，圍攻衛國，得到鄴地；城濮之戰，五次打敗楚軍，稱霸天下，用的還是這些民眾。只有君主不會使用戰士，沒有戰士會疲困的。」簡子於是扔開大小盾牌，站在箭和滾石能到達的地方，擊鼓奮進，戰士聞聲響應，打了個大勝仗。簡子說：「得到一千輛兵車，還不如聽外交官燭過的一

番話。」

## 【出處】

趙簡子圍衛之郛郭，犀楯、犀櫓，立於矢石之所不及，鼓之而士不起。簡子投枹曰：「烏乎！吾之士數弊也。」行人燭過免冑而對曰：「臣聞之，亦有君之不能耳，士無弊者。昔者吾先君獻公併國十七，服國三十八，戰十有二勝，是民之用也。獻公沒，惠公即位，淫衍暴亂，身好玉女，秦人恣侵，去絳十七里，亦是人之用也。惠公沒，文公授之，圍衛，取鄴，城濮之戰，五敗荊人，取尊名於天下，亦此人之用也。亦有君不能耳，士無弊也。」簡子乃去楯、櫓，立矢石之所及，鼓之而士乘之，戰大勝。簡子曰：「與吾得革車千乘，不如聞行人燭過之一言也。」（《韓非子》〈難二〉）

## 其佐多賢

趙簡子準備襲擊衛國，派史黯前去窺探衛國的情況，史黯預計要一到六個月的時間才能返回。趙簡子問他：「為什麼要用那麼長的時間？」史黯說：「想要得到利益卻受到損害，這是因為不明瞭情況。現在蘧伯玉做了衛相，史鰌輔佐衛君，孔子在那裡做賓客，子貢在衛君跟前聽從使喚，衛君對他言聽計從。《易》上說：『渙其群，元吉。』渙的意思就是賢能；群的意思就是人多；元的意思就是吉利的開始。『渙其群，元吉』的意思，講的就是他的輔佐臣子中有很多賢人。」趙簡子於是就按兵不動了。

趙簡子將襲衛，使史黯往視之，期以一月六月而後反。簡子曰：「何其久也？」黯曰：「謀利而得害，由不察也。今蘧伯玉為相，史鰌佐焉，孔子為客，子貢使令於君前，甚聽。《易》曰：『渙其群，元吉。』渙者，賢也；群者，眾也；元者，吉之始也。渙其群，元吉者，其佐多賢矣。」簡子按兵而不動耳。（《說苑》〈奉使〉）

## 以犬待於門

趙簡子到國君的花園內打獵，史黯聽說後，牽了一條狗守候在園門外。趙簡子看見他，問他說：「你這是幹什麼呢？」史黯回答說：「我得到這條狗，想讓它到園囿內一顯身手。」簡子說：「為什麼不稟告我呢？」史黯答說：「君主出行，臣下不跟隨是違禮。但您到國君的花園內打獵，而園囿的主管卻不知道，小臣怎敢麻煩值日官通報您呢？」趙簡子明白史黯的意思，當即轉身回府。

【出處】

趙簡子田於婁，史黯聞之，以犬待於門。簡子見之，曰：「何為？」曰：「有所得犬，欲試之茲囿。」簡子曰：「何為不告？」對曰：「君行臣不從，不順。主將適婁而麓不聞，臣敢煩當日。」簡子乃還。（《國語》〈晉語九〉）

# 問政蹇老

董安于治理晉陽的時候，虛心向蹇老請教。蹇老說：「記住三個字：忠、信、敢。」董安于問：「什麼叫忠呢？」蹇老說：「就是忠於君主。」安于又問：「什麼叫信呢？」蹇老說：「政令要講信用。」安于再問：「那什麼叫敢呢？」蹇老說：「要果敢地將無才無德的人拒之門外。」董安于點頭說：「對，這三個字足夠了。」

## 【出處】

董安于治晉陽，問政於蹇老。蹇老曰：「曰忠，曰信，曰敢。」董安于曰：「安忠乎？」曰：「忠於主。」曰：「安信乎？」曰：「信於令。」曰：「安敢乎？」曰：「敢於不善人。」董安于曰：「此三者足矣。」（《說苑》〈政理〉）

# 兩鞁皆絕

鐵丘戰役結束後，趙簡子說：「鄭國軍隊攻擊我軍時，我伏在弓袋上吐血，但我敲打戰鼓的聲音一直沒停。這場戰事，沒人比我的功勞大吧？」擔任車右的衛莊公[44]不服說：「我在車上九上九下，凡被我打擊的敵人都死了，誰的功勞能超過我呢？」為趙簡子駕戰車的郵無正說：「車上兩匹馬的肚帶將要折斷，我牢牢控制戰車。今天的戰

---

44. 衛莊公：即蒯聵，當時避難在晉。

事，我的功勞大概能排在第二吧。」他駕車軋過一根橫木，兩根馬肚帶立即斷了。

## 【出處】

鐵之戰，趙簡子曰：「鄭人擊我，吾伏弢衉血，鼓音不衰。今日之事，莫我若也。」衛莊公為右，曰：「吾九上九下，擊人盡殪。今日之事，莫我加也。」郵無正御，曰：「吾兩鞁將絕，吾能止之。今日之事，我上之次也。」駕而乘材，兩鞁皆絕。（《國語》〈晉語九〉）

## 一舉而三物俱至

趙簡子派成何、涉他與衛靈公在鄟澤會盟。衛靈公沒有歃血盟誓。成何、涉他就推著衛靈公的手往下按。衛靈公大怒，想要反叛趙氏。王孫商說：「君王要想反趙，不如發動衛國的百姓一同仇恨他。」衛靈公說：「具體該怎麼做呢？」王孫商回答說：「請讓我在國內下令說：『凡家有年輕女子的，每家出一名女子到趙氏做人質。』百姓一定會仇視趙氏，君王便可以乘機反趙了。」衛靈公同意說：「好主意！」王孫商於是假傳命令，要求五日內完成。都城的人家家哭泣。衛靈公召集大夫們商議說：「趙氏的做法太不道德了，乾脆反了他行嗎？」大夫們都說：「行啊！」於是舉國同心，同仇敵愾。趙簡子得知消息，只好將涉他處死，向衛國道歉。成何逃到燕國。子貢評價說：「王孫商可真是詭計多端。憎恨某人就能陷害他，面對禍患可以從容應對，想贏得百姓的支持，百姓就來親附他。一個謀略就達到了

三個目的，稱得上是計謀高手了。」

## 【出處】

趙簡子使成何、涉他與衛靈公盟於鄟澤。靈公未喋血。成何、涉他捊靈公之手而摶之，靈公怒，欲反趙。王孫商曰：「君欲反趙，不如與百姓同惡之。」公曰：「若何？」對曰：「請命臣令於國曰：『有姑姊妹女者家一人，質於趙。』百姓必怨，君因反之矣。」君曰：「善。」乃令之。三日遂徵之，五日而令畢。國人巷哭。君乃召國大夫而謀曰：「趙為無道，反之可乎？」大夫皆曰：「可。」乃出西門，閉東門，趙氏聞之，縛涉他而斬之，以謝於衛。成何走燕。子貢曰：「王孫商可謂善謀矣。憎人而能害之，有患而能處之，欲用民而能附之。一舉而三物俱至，可謂善謀矣。」（《說苑》〈權謀〉）

## 以三德使民

范獻子的三個兒子都在趙氏門下做事。一次，趙簡子騎馬經過園子，發現園內林木蔥蔥，騎乘不便，就問三弟兄說：「有什麼辦法嗎？」老大說：「明智的君主做事會先徵求他人的意見，昏庸的君主只會恣意妄為。」老二說：「主上若愛惜馬足就別愛惜民力，若愛惜民力就別愛惜馬足。」老三說：「我有個辦法，雖然使用民力，卻能讓百姓得到三個實惠。您先下一道命令，上山伐木的人可以獎勵馬匹，然後開放園囿，讓百姓知道這裡就有樹木。園囿近而山路遠，這是第一件好事。不上陡峭的高山而在平地伐木，這是第二件好事。砍

伐完畢，把這些木柴廉價賣給老百姓，這是第三件好事。」簡子聽從他的意見，百姓果然非常高興。老三自覺高明，回家後向母親誇耀。母親嘆息說：「將來滅絕范家的人一定是你。耗費人力，不施仁政。虛假欺詐，豈能長久。」後來范氏果然為智伯所滅。

## 【出處】

晉范氏母者，范獻子之妻也。其三子游於趙氏。趙簡子乘馬園中，園中多株，問三子曰：「奈何？」長者曰：「明君不問不為，亂君不問而為。」中者曰：「愛馬足則無愛民力，愛民力則無愛馬足。」少者曰：「可以三德使民。設令伐株於山，將有馬為也。已而開囿，示之株。夫山遠而囿近，是民一悅矣。去險阻之山而伐平地之株，民二悅矣。既畢而賤賣，民三悅矣。」簡子從之，民果三悅。少子伐其謀，歸以告母。母喟然嘆曰：「終滅范氏者，必是子也。夫伐功施勞，鮮能布仁，乘偽行詐，莫能久長。」其後智伯滅范氏。（《列女傳》〈仁智傳〉）

## 起死回生

扁鵲經過虢國的時候，正逢宮裡為虢太子治喪。扁鵲問喜好醫術的中庶子說：「太子是怎麼死的？」中庶子說：「是突然昏倒而死的。」扁鵲又問：「什麼時候死的？」中庶子回答說：「雞鳴時分。」又問：「收殮了嗎？」回答說：「還沒有，死了還不到半天呢。」扁鵲對中庶子說：「趕快去稟告虢君，就說我是渤海郡的秦越人。聽說

太子死了，我能使他復活。」中庶子說：「人死了怎麼可以復生呢？我只聽說上古神醫俞跗有起死回生的本領，先生就不要用開玩笑的話來哄小孩子了。」扁鵲說：「你進去看看太子是否耳有鳴響、鼻翼翕動，再順著他兩腿摸到陰部，那裡應該還是溫熱的。」中庶子入宮把扁鵲的話告訴虢君，虢君十分驚訝，走出宮門接見扁鵲，兩眼含淚說：「我這個偏遠國家的君王真是太幸運了。」扁鵲安慰虢君說：「太子得的病，就是人們所說的尸蹶。實際上太子並沒有死。」扁鵲讓他的學生子陽磨礪針石，取穴百會下針，過了一會兒，太子就甦醒了。接著讓學生子豹將藥劑加熱後交替在太子兩脅下熨敷，不久太子就坐了起來。接下來進一步調和陰陽，連著服了二十天湯藥，太子的身體就恢復如初。人們奔走相告，稱扁鵲能起死回生，扁鵲卻說：「我並不能使死人復活，我只是幫他恢復健康罷了。」

## 【出處】

　　其後扁鵲過虢。虢太子死，扁鵲至虢宮門下，問中庶子喜方者曰：「太子何病，國中治穰過於眾事？」中庶子曰：「太子病血氣不時，交錯而不得洩，暴發於外，則為中害。精神不能止邪氣，邪氣畜積而不得洩，是以陽緩而陰急，故暴蹶而死。」扁鵲曰：「其死何如時？」曰：「雞鳴至今。」曰：「收乎？」曰：「未也，其死未能半日也。」「言臣齊勃海秦越人也，家在於鄭，未嘗得望精光侍謁於前也。聞太子不幸而死，臣能生之。」……虢君聞之大驚，出見扁鵲於中闕，曰：「竊聞高義之日久矣，然未嘗得拜謁於前也。先生過小國，幸而舉之，偏國寡臣幸甚。有先生則活，無先生則棄捐填溝壑，長終而不得反。」扁鵲曰：「若太子病，所謂『尸蹶』者也。夫以陽入陰

中，動胃纏緣，中經維絡，別下於三焦、膀胱，是以陽脈下遂，陰脈上爭，會氣閉而不通，陰上而陽內行，下內鼓而不起，上外絕而不為使，上有絕陽之絡，下有破陰之紐，破陰絕陽，色廢脈亂，故形靜如死狀。太子未死也。夫以陽入陰支蘭藏者生，以陰入陽支蘭藏者死。凡此數事，皆五藏蹶中之時暴作也。良工取之，拙者疑殆。」扁鵲乃使弟子子陽厲針砥石，以取外三陽五會。有間，太子蘇。乃使子豹為五分之熨，以八減之齊和煮之，以更熨兩脅下。太子起坐。更適陰陽，但服湯二旬而復故。故天下盡以扁鵲為能生死人。扁鵲曰：「越人非能生死人也，此自當生者，越人能使之起耳。」（《史記》〈扁鵲倉公列傳〉）

## 道難不通

知伯將要征伐仇由，但道路艱險難通，於是鑄了一口大鐘贈送給仇由國君。仇由國君非常高興，準備修通道路把大鐘接受下來。赤章曼枝說：「不行。送鐘本該是小國侍奉大國的事情，現在大國反而送鐘給小國，他們的軍隊一定會跟隨其後，大鐘是不能接受的。」仇由國君不聽，接受了大鐘。赤章曼枝就截短了車轂以便趕路，逃到了齊國。七個月後，仇由國就滅亡了。

### 【出處】

知伯將伐仇由而道難不通，乃鑄大鐘遺仇由之君。仇由之君大說，除道將內之。赤章曼枝曰：「不可。此小之所以事大也，而今也

大以來，卒必隨之，不可內也。」仇由之君不聽，遂內之。赤章曼枝因斷轂而驅，至於齊，七月而仇由亡矣。（《韓非子》〈說林下〉）

# 一人三失，怨豈在明

　　智襄子從衛國返回，三卿在藍臺宴會。宴會中，智襄子戲弄了韓康子，又侮辱段規。智伯國知道消息後，勸諫智襄子說：「主人若不警惕，必將災難臨頭。」智襄子說：「有沒有災難首先看我，我不發難，誰敢對我發難？」智伯國說：「事情不是這樣。郤氏慘遭車轅之難，趙氏為孟姬進讒幾乎滅族，欒盈因母親叔祁陷害被迫流亡，范氏、中行氏被殺於巫沽，這些主人都是知道的。《夏書》上說：『一個人屢犯過失，結下的怨仇不在明處。應該在還未顯露時就加以防範。』《周書》上說：『怨恨不在大小。』君子能注意小節，因此沒有大患。如今主人一次宴會上就羞辱人家的君主和國相，且毫不在意，還說他們『不敢發難』，這怎麼行呢？誰都可以讓人高興，誰都可以令人恐懼。連蚋蟲、螞蟻、黃蜂、蠍子都能傷人，更何況君主、國相！」智襄子對智伯國的勸告充耳不聞。五年之後，晉國發生晉陽之難。段規回國後首先策劃發難，在軍中殺死智伯，消滅了智氏。

## 【出處】

　　還自衛，三卿宴於藍臺，智襄子戲韓康子而侮段規。智伯國聞之，諫曰：「主不備，難必至矣。」曰：「難將由我，我不為難，誰敢興之！」對曰：「異於是。夫郤氏有車轅之難，趙有孟姬之讒，欒

有叔祁之怼，范、中行有亟治之難，皆主之所知也。《夏書》有之曰：『一人三失，怨豈在明？不見是圖。』《周書》有之曰：『怨不在大，亦不在小。』夫君子能勤小物，故無大患。今主一宴而恥人之君相，又弗備，曰『不敢興難』，無乃不可乎？夫誰不可喜，而誰不可懼？蚋蟻蜂蠆，皆能害人，況君相乎！」弗聽。自是五年，乃有晉陽之難。段規反，首難，而殺智伯於師，遂滅智氏。（《國語》〈晉語九〉）

## 無喜志而有憂色

　　智伯讓韓、魏兩家的軍隊跟從他攻打趙氏，圍困晉陽城後用水灌城，大水再漲六尺就會淹沒全城。絺疵對智伯說：「韓、魏的君主一定會反叛。」智伯問：「你有什麼根據嗎？」絺疵回答說：「戰勝趙氏就可以三分其地。現在城牆只差六尺就將完全淹沒，城內老百姓的灶臺上鑽出青蛙，人馬互相吞食，城池很快就要攻破了，韓、魏兩家的君主並沒顯出高興的樣子，反而面帶憂色，這不是將要反叛又是什麼呢？」第二天，智伯對韓、魏兩家君主說：「絺疵說你們將要反叛。」韓、魏兩家的君主說：「城池馬上就要攻破，我們兩家雖然愚蠢，但也不會放棄三分其地的利益而背棄盟約，去做不可能實現的事情。絺疵一定是替趙氏來遊說你的。」智伯聽信了韓、魏兩家的挑撥，想要殺死絺疵，絺疵立馬逃走了。韓、魏兩家的君主很快就背叛智伯，與趙氏走到一起。

## 【出處】

智伯從韓魏之兵以攻趙，圍晉陽之城而溉之，城不沒者三板。絺疵謂智伯曰：「韓魏之君必反矣。」智伯曰：「何以知之？」對曰：「夫勝趙而三分其地。今城未沒者三板，臼灶生蛙，人馬相食，城降有日矣，而韓魏之君無喜志而有憂色，是非反何也？」明日，智伯謂韓魏之君曰：「疵言君之反也。」韓魏之君曰：「必勝趙而三分其地，今城將勝矣。夫二家雖愚，不棄美利而背約為難不可成之事，其勢可見也。是疵必為趙說君，且使君疑二主之心，而解於攻趙也。今君聽讒臣之言，而離二主之交，為君惜之。」智伯出，欲殺絺疵，絺疵逃。韓魏之君果反。（《說苑》〈權謀〉）


# 將欲取之，必姑予之


智伯瑤統率趙、韓、魏三大家族討伐范氏和中行氏，並將其滅族。相安數年之後，智伯瑤派人向韓氏要求割讓土地。韓康子不想答應，段規勸他說：「智伯的為人，貪圖利益且傲慢固執。如果不答應，他一定會率兵攻打韓氏的。給了他土地，他會繼續向別人提出要求，如果遭到拒絕，一定會刀兵相加，這樣韓氏就可以躲避禍患靜待事情的變化。」韓康子於是送給智伯一個縣的土地，有一萬戶人家。智伯非常高興，接著開口向魏國要地。魏宣子起初也不想答應。任章說：「智伯無故索地，鄰國都感到害怕。他欲壑難填，大家都會恐懼。給他土地，智伯一定驕傲而輕敵，鄰國一定恐懼而相互親近。用相互親近的軍隊來對付輕敵的國家，智伯就離死不遠了。《周書》上

說：『想要打敗它，必須先縱容它；想要奪取它，必須先給予它。』您不妨把土地給智伯，縱容他的驕傲。況且，您為何放棄用天下的力量來對付智氏，而單獨把我國作為智氏的靶子呢？」魏宣子於是比照韓國，也送給智伯一個縣的土地。智伯從韓氏和魏氏兩家得到好處，接著向趙氏提出要求割讓蔡和皋狼的土地，結果遭到趙襄子的拒絕。智伯大怒，於是聯合韓、魏二氏討伐趙氏。趙襄子逃往晉陽，聯軍包圍晉陽三個月不能攻克。智伯提出決晉陽之水灌城。張孟談得知消息，乘夜色出城，成功策反了韓康子和魏宣子。到了約定的時間，趙襄子派人殺死智伯的守堤官，決水倒灌智伯軍營，韓、魏兩軍聯手趙襄子從三面殺入智伯軍營。智伯被殺，智氏被滅，其土地被一分為三。

## 【出處】

　　昔者智伯瑤率趙、韓、魏而伐范、中行，滅之。反歸，休兵數年，因令人請地於韓。韓康子欲勿與，段規諫曰：「不可不與也。夫知伯之為人也，好利而驁愎。彼來請地而弗與，則移兵於韓必矣。君其與之。與之，彼狃，又將請地他國。他國且有不聽，不聽，則知伯必加之兵。如是，韓可以免於患而待其事之變。」康子曰：「諾。」因令使者致萬家之縣一於知伯，知伯說。（《韓非子》〈十過第十〉）

　　智伯索地於魏宣子，魏宣子弗予，任章曰：「何故不予？」宣子曰：「無故請地，故弗予。」任章曰：「無故索地，鄰國必恐，彼重欲無厭，天下必懼，君予之地，智伯必驕而輕敵，鄰邦必懼而相親，以相親之兵待輕敵之國，則智伯之命不長矣。周書曰：『將欲敗之，

必姑輔之,將欲取之,必姑予之。」君不如予之以驕智伯。且君何釋以天下圖智氏,而獨以吾國為智氏質乎?」君曰:「善。」乃與之戶之邑,智伯大悅。(《韓非子》〈說林上第二十二〉)

知伯又令人之趙請蔡、皋狼之地,趙襄子弗與,知伯因陰約韓、魏將以伐趙。……遂戰,三月弗能拔。因舒軍而圍之,決晉陽之水以灌之,圍晉陽三年。城中巢居而處,懸釜而炊,財食將盡,士大夫羸病。……張孟談見韓、魏之君曰:「臣聞脣亡齒寒。今知伯率二君而伐趙,趙將亡矣。趙亡,則二君為之次。」二君曰:「我知其然也。雖然,知伯之為人也,粗中而少親,我謀而覺,則其禍必至矣,為之奈何?」張孟談曰:「謀出二君之口而入臣之耳,人莫之知也。」二君因與張孟談約三軍之反,與之期日。夜遣孟談入晉陽,以報二君之反。襄子迎孟談而再拜之,且恐且喜。……至於期日之夜,趙氏殺其守堤之吏而決其水灌知伯軍,知伯軍救水而亂,韓、魏翼而擊之,襄子將卒犯其前,大敗知伯之軍而擒知伯。知伯身死軍破,國分為三,為天下笑。故曰:貪愎好利,則滅國殺身之本也。(《韓非子》〈十過〉)

## 更其族為輔氏

韓康子、魏獻子和張孟談商定了三家軍隊聯手反擊智伯的時間後去見智伯,從智伯處出來,在軍營門外碰到智過。智過對兩人反常的臉色感到奇怪,進去後對智伯說:「韓、魏二君舉止反常,恐怕會有變故。」智伯說:「什麼意思?」智過說:「兩人行為傲慢,神采奕

奕，與往常大不一樣，您不如先下手吧。」智伯說：「我們的計劃很周密，打下趙國後三分趙地。軍隊在晉陽已駐紮三年，眼看就要得手了，我對他們如此友好，他們怎麼會有別的打算？你不用多想。」

第二天早上，韓、魏二國君主朝見智伯出來，再次碰見智過。智過進門問智伯說：「您把我的擔憂告訴二位了嗎？」智伯說：「你怎麼知道？」智過說：「剛才二君朝見後出門，見到我神色異常，我覺得這其中定有原因，您不如殺了二人。」智伯說：「這怎麼行呢？」智過說：「那就親近他們。」智伯說：「怎麼親近他們？」智過說：「魏宣子的謀臣叫趙葭，韓康子的謀臣叫段規，這兩人都能左右他們的君主。您不妨和韓、魏二君約好，攻下趙國之後，封趙葭、段規每人一個萬戶人家的縣邑。這樣一來，二君一定能鐵下心來協助智氏一起攻打趙國。」智伯說：「攻下趙國而三分其地，又封這兩個人萬戶人家的縣邑各一個，那我得到的就很少了，絕對不可以。」智過見他的意見不被採納，知道智伯必敗無疑，智氏必招滅族，就帶領著自己的一小部分族人到晉國太史那裡註冊，改智氏為輔氏，表示脫離智氏，另立宗廟，建立輔氏家族。後來智氏慘遭滅族，智過一脈因預判得當而倖存。

## 【出處】

二君以約遣張孟談，因朝知伯，而出遇智過於轅門之外。智過怪其色，因入見知伯曰：「二君貌將有變。」君曰：「何如？」曰：「其行矜而意高，非他時之節也，君不如先之。」君曰：「吾與二主約謹矣，破趙而三分其地，寡人所以親之，必不侵欺。兵之著於晉陽三年，今旦暮將拔之而向其利，何乃將有他心？必不然。子釋勿憂，

勿出於口。」明旦，二主又朝而出，復見智過於轅門。智過入見曰：「君以臣之言告二主乎？」君曰：「何以知之？」曰：「今日二主朝而出，見臣而其色動，而視屬臣，此必有變，君不如殺之。」君曰：「子置勿復言。」智過曰：「不可，必殺之。若不能殺，遂親之。」君曰：「親之奈何？」智過曰：「魏宣子之謀臣曰趙葭，韓康子之謀臣曰段規，此皆能移其君之計，君與其二君約，破趙國因封二子者各萬家之縣一，如是則二主之心可以無變矣。」知伯曰：「破趙而三分其地，又封二子者各萬家之縣一，則吾所得者少，不可。」智過見其言之不聽也，出，因更其族為輔氏。（《韓非子》〈十過〉）

# 智宗必滅

　　智宣子想立兒子智瑤為繼承人，智果勸諫說：「不如立智宵。」宣子說：「智宵剛愎凶狠。」智果回答說：「智宵表面凶狠，智瑤內心凶狠。內心凶狠足以敗國，表面凶狠卻無大礙。智瑤強過別人的地方有五項，只有一項不如別人。鬢髮美觀、身材高大是其一，力氣充沛、能射箭駕車是其二，多才多藝是其三，機敏善辯、巧於文辭是其四，剛毅果斷是其五。唯一的短處是為人不仁。以他的五種強項行不仁之事，去欺凌他人，誰會原諒他呢？如果真要立智瑤為繼承人，智氏家族必然滅亡。」智宣子不聽。智果於是找到太史請求分族，改姓為輔氏。等到智氏滅亡時，只有輔果一支保全下來。

智宣子將以瑤為後，智果曰：「不如宵也。」宣子曰：「宵也很。」對曰：「宵之很在面，瑤之很在心。心很敗國，面很不害。瑤之賢於人者五，其不逮者一也。美鬢長大則賢，射御足力則賢，伎藝畢給則賢，巧文辯惠則賢，強毅果敢則賢。如是而甚不仁。以其五賢陵人，而以不仁行之，其誰能待之？若果立瑤也，智宗必滅。」弗聽。智果別族於太史為輔氏。及智氏之亡也，唯輔果在。（《國語》〈晉語九〉）

## 高山峻原，不生草木

智襄子把房子建造得非常氣派。士茁晚上到襄子家，智伯向他炫耀說：「你覺得房子建得漂亮嗎？」士茁回答說：「的確氣派，但是隱隱的我有點擔憂。」智伯說：「有什麼可擔憂的呢？」士茁回答道：「我以掌管文筆來侍奉您。傳記上有句話說：『高山峻原，不生草木。松柏之地，其土不肥。』房子造得太華麗了，我擔心它給人帶來不安寧啊。」新房建成三年之後，智氏滅亡。

【出處】

智襄子為室美，士茁夕焉。智伯曰：「室美夫！」對曰：「美則美矣，抑臣亦有懼也。」智伯曰：「何懼？」對曰：「臣以秉筆事君。志有之曰：『高山峻原，不生草木。松柏之地，其土不肥。』今土木勝，臣懼其不安人也。」室成，三年而智氏亡。（《國語》〈晉語九〉）

# 仁者無餘愛

　　有位士人叫長兒子魚，曾在知伯瑤門下用事，後來離開了知伯。三年之後，在去越國的路上，他聽到知伯被殺的消息，於是對車伕說：「駕車回頭吧，我要為知伯而死。」車伕說：「先生跟知伯斷絕關係已經三年了，現在回去為他而死，實無必要啊。」長兒子魚說：「話不能這樣說，我聽說仁德的人忠愛不二，忠臣只食用主人的俸祿。聽到他的死訊我很難受。他對我的恩惠，令我終生難忘。我必須為他盡忠。」於是返回為知伯而死。

## 【出處】

　　知伯瑤之時，有士曰長兒子魚，絕知伯而去之。三年，將東之越，而道聞知伯瑤之見殺也，謂御曰：「還車反，吾將死之。」御曰：「夫子絕知伯而去之三年矣，今反死之，是絕屬無別也。」長兒子魚曰：「不然，吾聞仁者無餘愛，忠臣無餘祿。吾聞知伯之死而動吾心，餘祿之加於我者，至今尚存，吾將往依之。」反而死。（《新序》〈義勇第八〉）

# 色不得以常茂

　　虞君[45]對盆成子說：「有專業技能的人時間越久技藝越精湛，人

---

45. 程翔《說苑譯註》載：「此虞君非虞國之君，虞君、盆成子皆人名，生平不詳。」

的容顏卻越老越衰退。因此必須趁年輕力壯多學本領，以防日漸衰老時無所適從。人的姿色將在衰老前褪盡，智謀卻無法在幼年時超凡出眾。令人喜愛的姿色總會消失，到那時，無所歸依的身軀將何以託付？紅顏易老，有本領的人卻不會因年老色衰而銷聲匿跡。」

## 【出處】

虞君問盆成子曰：「今工者久而巧，色者老而衰。今人不及壯之時，益積心技之術，以備將衰之色，色者必盡乎老之前，知謀無以異乎幼之時。可好之色，彬彬乎且盡，洋洋乎安托無能之軀哉！故有技者不累身而未嘗滅，而色不得以常茂。」（《說苑》〈建本〉）

# 韓國卷

　　自韓、趙、魏三家分晉以後，韓國成為戰國七雄之一。西周初已有韓國，始封君為周武王之子、周成王之弟，疆域在今陝西韓城市和山西河津市東北一帶。據《竹書紀年》記載，周平王十四年（西元前757年），韓國被晉國所滅。韓萬為曲沃桓叔庶子，因在「曲沃代翼」過程中立功，被武公封於韓原。曾為趙盾家臣的韓厥在趙氏復出、屠岸氏滅亡的過程中發揮重要作用，擢升為晉國六卿之一，奠定了韓氏崛起的基礎。西元前四○三年，韓景侯韓虔得到周威烈王承認，韓氏正式建國。西元前三七五年，韓哀侯滅鄭，將國都遷於新鄭。韓國地處中原，疆域在七雄中最小，包括今山西省東南部和河南省中部。從韓虔建國到西元前二三○年被秦所滅，歷十一位君主，共一百七十三年。韓國在韓昭侯時期以申不害為相變法，贏得十多年難得的興盛。

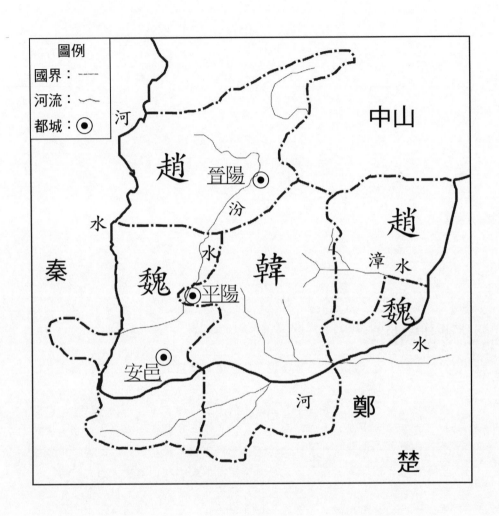

# 韓奕受封

據《詩經》記載，韓侯鎮守北方重鎮韓城，受封入覲的時候，周宣王親自為其授勳，並安排上卿顯父在杜陵設宴為韓侯餞行，清酒百壺，酒餚是燉鱉蒸魚，蔬菜有鮮嫩的竹筍和清香的蒲菜。佳餚擺滿宴席，賓主們笑語喧嘩。宣王贈送給韓侯一輛高車、四匹好馬，並將外甥女韓姞許配給韓侯。離開鎬京後，韓侯的百輛迎親車隊，途經屠邑抵達蹶里，串串鑾鈴響徹里巷。婚禮十分顯耀排場，陪嫁的姑娘猶如天上雲霞般美麗漂亮。女兒能找到這樣的好婆家，蹶父十分高興。韓地川澤遍布，水源充足，鯿魚鰱魚又肥又大。山林裡有熊有羆，還有山貓與猛虎。山坡上鹿馬成群，韓姞心裡好生喜歡。韓侯從燕國徵調役夫，築牆挖溝，把韓城擴建得又高又大。韓侯依循先祖管轄所有的蠻夷人，宣王又追賜韓侯為統率北方諸侯的方伯，管轄北方各國。

## 【出處】

奕奕梁山，維禹甸之，有倬其道。韓侯受命，王親命之：「纘戎祖考，無廢朕命。夙夜匪解，虔共爾位。朕命不易，榦不庭方，以佐戎辟。」四牡奕奕，孔修且張。韓侯入覲，以其介圭，入覲於王。王錫韓侯，淑旂綏章，簟茀錯衡，玄袞赤舄，鉤膺鏤錫，鞹鞃淺幭，鞗革金厄。韓侯出祖，出宿於屠。顯父餞之，清酒百壺。其殽維何？炰鱉鮮魚。其蔌維何？維筍及蒲。其贈維何？乘馬路車。籩豆有且。侯氏燕胥。韓侯取妻，汾王之甥，蹶父之子。韓侯迎止，於蹶之里。百兩彭彭，八鸞鏘鏘，不顯其光。諸娣從之，祁祁如雲。韓侯顧之，爛

其盈門。蹶父孔武，靡國不到。為韓姞相攸，莫如韓樂。孔樂韓土，川澤訏訏，魴鱮甫甫，麀鹿噳噳，有熊有羆，有貓有虎。慶既令居，韓姞燕譽。溥彼韓城，燕師所完。以先祖受命，因時百蠻。王錫韓侯，其追其貊。奄受北國，因以其伯。實墉實壑，實畝實籍。獻其貔皮，赤豹黃羆。（《詩經》〈大雅‧韓奕〉）

# 韓萬立國

　　韓國的祖先和周天子同姓，姓姬氏。西周初年，周武王把自己的小兒子封為韓侯，將韓城劃為他的封地，稱為韓國。周平王十四年（西元前757年），韓城納入晉國版圖。魯桓公三年（西元前709年）春，曲沃武公進攻翼城，韓萬為武公駕車，在汾水邊俘獲了晉哀侯和欒共叔。魯莊公十五年（西元前679年），曲沃武公即位為晉侯，將韓萬封在韓原，稱韓武子。武子之後三世有韓厥。武子的後代侍奉晉君，隨封地的名稱以韓為氏。

## 【出處】

　　韓之先與周同姓，姓姬氏。其後苗裔事晉，得封於韓原，曰韓武子。武子後三世有韓厥，從封姓為韓氏。（《史記》〈韓世家〉）

# 事君者比而不黨

　　趙宣子（趙盾）把韓獻子推薦給晉靈公，任命他為司馬。河曲之戰時，趙宣子讓人用他乘坐的戰車去干擾軍隊的行列，韓獻子把駕車的人抓起來殺了。大家都說：「韓厥一定沒有好下場。主人早晨才提拔他，他晚上就殺了主人的車伕，他這個官位還怎麼保得住呢？」趙宣子召見韓厥，非常有禮貌地對他說：「我聽說侍奉國君的人不結黨營私。出於忠信為國家推舉賢才，這是以義相結；舉薦人才而徇以私情，這是結黨營私。軍法是不能違犯的，犯了軍法而不包庇，這就是義。我把你推薦給國君，擔心你不能勝任。推舉的人不能勝任，這就是典型的結黨營私啊！侍奉君主卻結黨營私，我執政還有什麼威信呢？我是想借這件事情來觀察你。你做得很對。假如能堅持這麼做，將來掌管晉國的，除了你還有誰呢？」趙宣子遍告大夫們說：「諸位可以祝賀我了！我推薦的韓厥足以勝任他的職位，我再也不用擔心自己犯結黨營私之罪了。」

## 【出處】

　　趙宣子言韓獻子於靈公，以為司馬。河曲之役，趙孟使人以其乘車干行，獻子執而戮之。眾咸曰：「韓厥必不沒矣。其主朝升之，而暮戮其車，其誰安之！」宣子召而禮之，曰：「吾聞事君者比而不黨。夫周以舉義，比也；舉以其私，黨也。夫軍事無犯，犯而不隱，義也。吾言女於君，懼女不能也。舉而不能，黨孰大焉！事君而黨，吾何以從政？吾故以是觀女。女勉之。苟從是行也，臨長晉國者，非

女其誰？」皆告諸大夫曰：「二三子可以賀我矣！吾舉厥也而中，吾乃今知免於罪矣。」（《國語》〈晉語五〉）

# 且辟左右

　　韓厥夢見他父親子輿（韓輿）對他說：「明天你不要站在戰車左右兩側。」因此韓厥就在中間駕戰車追趕齊頃公。邴夏說：「射那位駕車人，他是君子。」齊頃公說：「認為他是君子卻射他，這不合於禮。」於是射車左，車左倒在車下。射車右，車右死在車中。綦毋張丟失了戰車，跟上韓厥說：「請允許我搭乘您的戰車。」他準備站在左邊或右邊，韓厥用肘推他，使他站在身後。韓厥彎下身子，放穩車右的屍體。逢丑父和齊頃公乘機互換位置。將要到達華泉，駿馬被樹木絆住了，被韓厥追上。逢丑父要鄭周父駕副車，宛茷作為車右，帶著齊頃公到華泉去取水而免於被俘。韓厥獻上逢丑父，郤克要殺死逢丑父。逢丑父喊叫說：「從今以後再沒有代替國君受難的人了！」郤克說：「不惜身死而使國君免於禍患，殺了他不吉利。赦免了他，可以勉勵侍奉國君的人。」於是就赦免了逢丑父。

## 【出處】

　　韓厥夢子輿謂己曰：「且辟左右。」故中御而從齊侯。邴夏曰：「射其御者，君子也。」公曰：「謂之君子而射之，非禮也。」射其左，越於車下。射其右，斃於車中，綦毋張喪車，從韓厥，曰：「請寓乘。」從左右，皆肘之，使立於後。韓厥俯，定其右。逢丑父與公

易位。將及華泉，驂絓於木而止。丑父寢於轏中，蛇出於其下，以肱擊之，傷而匿之，故不能推車而及。韓厥執縶馬前，再拜稽首，奉觴加璧以進，曰：「寡君使群臣為魯、衛請，曰：『無令輿師陷入君地。』下臣不幸，屬當戎行，無所逃隱。且懼奔辟而忝兩君。臣辱戎士，敢告不敏，攝官承乏。」丑父使公下，如華泉取飲。鄭周父御佐車，宛茷為右，載齊侯以免。韓厥獻丑父，郤獻子將戮之。呼曰：「自今無有代其君任患者，有一於此，將為戮乎！」郤子曰：「人不難以死免其君，我戮之不祥，赦之以勸事君者。」乃免之。（《左傳》〈成公二年〉）

# 敢不分謗

靡笄戰役中，韓獻子將要按軍法斬人。郤獻子駕車前往，想要營救被斬之人。等他趕到時，那人已被斬首。郤獻子隨即吩咐將被斬首者陳屍示眾，他的僕從說：「您原先不是想營救他嗎？」郤獻子說：「事已至此，我豈能不分擔一些針對韓將軍的謗言呢？」

## 【出處】

靡笄之役，韓獻子將斬人。郤獻子聞之，駕往救之。比至，則已斬之矣。郤子因曰：「胡不以徇？」其僕曰：「曩不將救之乎？」郤子曰：「吾敢不分謗乎？」（《韓非子》〈難一第三十六〉）

# 殺老牛莫之敢尸

　　欒武子、中行獻子把晉厲公困在匠麗氏家裡，然後請韓獻子來決定對厲公的處罰。韓獻子拒絕說：「以殺害國君來耍威風，我是不會幹這種事的。對國君施威是不仁，辦事不成是不明智。雖然得到好處，但也落下惡名，這不是我的願望。從前我在趙氏家裡養大，孟姬進讒言陷害趙氏，我也曾頂住不出兵。俗話說：『即便殺死一頭老牛，尚且沒人願意主持。』更何況要殺的人是國君呢？你們幾位既然不願意侍奉國君，又何必求助於我韓厥呢？」中行偃想討伐韓獻子，欒書說：「不行。韓厥辦事果斷，說話佔理。說話佔理辦事沒有行不通的，行事果斷沒有達不到目的的。理虧本來就不吉利，再去討伐果斷的人，那不是自討沒趣嗎？」於是他們放棄討伐韓獻子。

## 【出處】

　　欒武子、中行獻子圍公於匠麗氏，乃召韓獻子，獻子辭曰：「弒君以求威，非吾所能為也。威行為不仁，事廢為不智，享一利亦得一惡，非所務也。昔者吾蓄於趙氏，趙孟姬之讒，吾能違兵。人有言曰：『殺老牛莫之敢尸。』而況君乎？二三子不能事君，安用厥也！」中行偃欲伐之，欒書曰：「不可。其身果而辭順。順無不行，果無不徹，犯順不祥，伐果不克，夫以果戾順行，民不犯也，吾雖欲攻之，其能乎！」乃止。（《國語》〈晉語六〉）

# 稱疾不出

晉景公三年（西元前597年），晉國司寇屠岸賈作亂，追究當年誅殺靈公時趙盾的責任。趙盾已死，於是拿趙盾的兒子趙朔問罪。韓厥阻止屠岸賈，屠岸賈不聽。韓厥就去告訴趙朔，讓他逃走。趙朔說：「千萬不能使我們趙氏滅族，這樣我死後也就沒有遺恨了。」韓厥答應了趙朔。等到屠岸賈誅滅趙氏的時候，韓厥稱病不出家門。程嬰、公孫杵臼把趙氏孤兒趙武隱藏起來，韓厥也是知情者。

## 【出處】

晉景公三年，晉司寇屠岸賈將作亂，誅靈公之賊趙盾。趙盾已死矣，欲誅其子趙朔。韓厥止賈，賈不聽。厥告趙朔令亡。朔曰：「子必能不絕趙祀，死不恨矣。」韓厥許之。及賈誅趙氏，厥稱疾不出。程嬰、公孫杵臼之藏趙孤趙武也，厥知之。（《史記》〈韓世家〉）

# 馬猶不肥

韓宣子說：「撥給馬廄的豆穀那麼多，馬卻很瘦，這是為什麼呢？」周市回答說：「有充足的飼料去餵馬，馬不可能不肥。嘴上說給馬吃得很多，實際上給馬吃得很少，馬不可能不瘦。君王不去考察實情，探看究竟，卻坐在這裡發愁，馬照樣不會肥的啊。」

【出處】

韓宣子曰：「吾馬，菽粟多矣，甚臞，何也？寡人患之。」周市對曰：「使騶盡粟以食，雖無肥，不可得也。名為多與之，其實少，雖無臞，亦不可得也。主不審其情實，坐而患之，馬猶不肥也。」（《韓非子》〈外儲說左下〉）

# 韓必取鄭

韓、魏、趙三家消滅智伯之後，商量瓜分他的土地。段規勸韓王說：「分地時一定要得到成皋。」韓王說：「成皋亂石成堆，寡人要它有什麼用啊？」段規說：「並非如此，臣下聽說一里大小的地方，能牽動得失千里的決定，是因為地勢重要。萬人之眾能攻破三軍，是因為出其不意。大王採用臣下的意見，將來韓國一定能得到鄭國的地盤。」韓王說：「好。」於是他如願得到成皋。韓國後來攻取鄭國，就是以成皋為跳板的。

【出處】

三晉已破智氏，將分其地。段規謂韓王曰：「分地必取成皋。」韓王曰：「成皋，石溜之地也，寡人無所用之。」段規曰：「不然。臣聞一里之厚，而動千里之權者，地利也。萬人之眾而破三軍者，不意也。王用臣言，則韓必取鄭矣。」王曰：「善。」果取成皋。至韓之取鄭也，果從成皋始。（《戰國策》〈韓策一〉）

# 封人子高

　　韓國修築新城的城牆，規定十五天之內完工，司空段喬主管此事。有一個縣拖延了兩天才完成，段喬將這個縣的主管官員囚禁了起來。官員的兒子跑去懇求封人子高說：「只有您能救我父親，拜託您了。」封人子高說：「好吧。」隨後他去拜見段喬。子高扶著城牆登上城牆頂，左右張望說：「城牆修得真漂亮啊！算得上一件大功，您一定能得到重賞。從古至今，功勞這樣大又沒處罰殺戮一個人，真是前所未有。」封人子高離開以後，段喬就派人在夜裡解開被囚禁官員的繩索，釋放了他。封人子高說服別人，讓人看不出是有意為之；段喬採納別人的意見，並不當場表態。說服別人的做法如此精妙，封人子高真可謂是善於說服人的高手。

## 【出處】

　　韓氏城新城，期十五日而成。段喬為司空，有一縣後二日，段喬執其吏而囚之。囚者之子走告封人子高曰：「唯先生能活臣父之死，願委之先生。」封人子高曰：「諾。」乃見段喬，自扶而上城。封人子高左右望曰：「美哉城乎！一大功矣。子必有厚賞矣。自古及今，功若此其大也，而能無有罪戮者，未嘗有也。」封人子高出，段喬使人夜解其吏之束縛也而出之。故曰封人子高為之言也，而匿己之為而為也；段喬聽而行之也，匿己之行而行也。說之行若此其精也，封人子高可謂善說矣。（《呂氏春秋》〈開春論第一〉）

# 行賊於韓傀

嚴遂和周君不和，周君很憂慮這件事。馮沮說：「嚴遂想成為宰相，韓傀卻受到韓國君主的器重。不如派人暗殺韓傀，韓君一定會以為是嚴遂幹的。」

## 【出處】

嚴遂不善周君，患之。馮沮曰：「嚴遂相，而韓傀貴於君。不如行賊於韓傀，則君必以為嚴氏也。」（《韓非子》〈說林上〉）

# 士為知己者死

濮陽嚴仲子侍奉韓哀侯，與國相俠累結下仇怨。嚴仲子逃亡後四處遊歷，尋訪能替他報仇的人。後來在齊國結識了刺客聶政，引為知己，以黃金百鎰為他母親祝壽。聶政得知嚴仲子有大仇要報，推辭不受說：「我所以隱瞞身分在市場上做個屠夫，是希望奉養老母不受打擾；老母在世，我不敢對人以身相許。」等到母親過世，服喪期滿，聶政才來到濮陽，對嚴仲子說：「以前我沒有答應您的邀請，是因為老母在世，如今老母已享盡天年。仲子要報復的仇人是誰呢？就讓我來辦這件事吧。」嚴仲子告訴他說：「我的仇人是韓國宰相俠累，俠累是韓國國君的叔父，宗族強大，人丁興旺，居處防範嚴密，我幾次派人行刺未能得手。承蒙您不嫌棄，我該增派多少車騎壯士作為助手呢？」聶政說：「韓國與衛國相距不遠，刺殺的人是宰相，宰相又是

國君的親戚，這種情況下人多容易走漏消息，事情沒辦就敗露了。」於是他辭別嚴仲子，隻身前往韓都。聶政潛入相府，成功殺死了俠累。當時俠累身邊持刀荷戟的護衛很多，被聶政擊殺的有數十人。聶政毀壞自己的面容，挖出眼睛，剖開肚皮，流出腸子，而後自殺了。韓國將聶政的屍體陳列在街市上，出賞金查問兇手來歷，賞金一直增加到千金，仍然沒有線索。聶政的姐姐聶榮得知消息，含淚抽泣說：「那大概是我弟弟吧？」於是趕往韓國都城，來到街市，認出死者正是聶政，聶榮趴在屍體上痛哭，哀傷至極。街上有路過的好心人對她說：「此人殺害國相，君王懸賞千金調查他的來歷，夫人沒聽說嗎？怎麼敢來認屍啊？」聶榮回答說：「我聽說了。聶政所以忍受羞辱混在屠豬販肉的市場上，是因為老母健在，我還沒有出嫁。如今老母去世，我已嫁人，他感念嚴仲子的恩澤，又怎麼能夠推託？天下的勇士以為知己者死為己任。為了我的緣故，弟弟才自毀容貌軀體，讓人無法辨認，我又怎麼能畏懼殺身之禍，埋沒弟弟的名聲呢？」於是聶榮高聲喊叫說：「這是我弟弟，軹邑深井里的聶政啊！」說完在聶政的屍體旁自殺而死。街市上圍觀的人都大為震驚。消息在列國傳開，人們都感嘆說：「不單是聶政令人敬佩，就是他姐姐也是天下少有的烈女子。假使聶政知道自己毀容傷身仍不能避免姐弟同死於街市，他未必肯對嚴仲子以身相許。」

## 【出處】

濮陽嚴仲子事韓哀侯，與韓相俠累有郤。嚴仲子恐誅，亡去，游求人可以報俠累者。至齊，齊人或言聶政勇敢士也，避仇隱於屠者之間。嚴仲子至門請，數反，然後具酒自暢聶政母前。酒酣，嚴仲子

奉黃金百鎰，前為聶政母壽。聶政驚怪其厚，固謝嚴仲子。嚴仲子固進，而聶政謝曰：「臣幸有老母，家貧，客游以為狗屠，可以且夕得甘毳以養親。親供養備，不敢當仲子之賜。」嚴仲子辟人，因為聶政言曰：「臣有仇，而行游諸侯眾矣；然至齊，竊聞足下義甚高，故進百金者，將用為大人粗糲之費，得以交足下之歡，豈敢以有求望邪！」聶政曰：「臣所以降志辱身居市井屠者，徒幸以養老母；老母在，政身未敢以許人也。」嚴仲子固讓，聶政竟不肯受也。然嚴仲子卒備賓主之禮而去。久之，聶政母死。既已葬，除服，聶政曰：「嗟乎！政乃市井之人，鼓刀以屠；而嚴仲子乃諸侯之卿相也，不遠千里，枉車騎而交臣。臣之所以待之，至淺鮮矣，未有大功可以稱者，而嚴仲子奉百金為親壽，我雖不受，然是者徒深知政也。夫賢者以感忿睚眥之意而親信窮僻之人，而政獨安得嘿然而已乎！且前日要政，政徒以老母；老母今以天年終，政將為知己者用。」乃遂西至濮陽，見嚴仲子曰：「前日所以不許仲子者，徒以親在，今不幸而母以天年終。仲子所欲報仇者為誰？請得從事焉！」嚴仲子具告曰：「臣之仇韓相俠累，俠累又韓君之季父也，宗族盛多，居處兵衛甚設，臣欲使人刺之，終莫能就。今足下幸而不棄，請益其車騎壯士可為足下輔翼者。」聶政曰：「韓之與衛，相去中間不甚遠，今殺人之相，相又國君之親，此其勢不可以多人，多人不能無生得失，生得失則語洩，語洩是韓舉國而與仲子為仇，豈不殆哉！」遂謝車騎人徒，聶政乃辭獨行。杖劍至韓，韓相俠累方坐府上，持兵戟而衛侍者甚衆。聶政直入，上階刺殺俠累，左右大亂。聶政大呼，所擊殺者數十人，因自皮面決眼，自屠出腸，遂以死。韓取聶政屍暴於市，購問莫知誰子。於是韓縣之，有能言殺相俠累者予千金。久之莫知也。政姊榮聞人

有刺殺韓相者，賊不得，國不知其名姓，暴其屍而縣之千金，乃於邑曰：「其是吾弟與？嗟乎，嚴仲子知吾弟！」立起，如韓，之市，而死者果政也，伏屍哭極哀，曰：「是軹深井里所謂聶政者也。」市行者諸眾人皆曰：「此人暴虐吾國相，王縣購其名姓千金，夫人不聞與？何敢來識之也？」榮應之曰：「聞之。然政所以蒙污辱自棄於市販之間者，為老母幸無恙，妾未嫁也。親既以天年下世，妾已嫁夫，嚴仲子乃察舉吾弟困污之中而交之，澤厚矣，可奈何！士固為知己者死，今乃以妾尚在之故，重自刑以絕從，妾其奈何畏歿身之誅，終滅賢弟之名！」大驚韓市人。乃大呼天者三，卒於邑悲哀而死政之旁。晉、楚、齊、衛聞之，皆曰：「非獨政能也，乃其姊亦烈女也。鄉使政誠知其姊無濡忍之志，不重暴骸之難，必絕險千里以列其名，姊弟俱僇於韓市者，亦未必敢以身許嚴仲子也。嚴仲子亦可謂知人能得士矣！」（《史記》〈刺客列傳〉）

# 走君而抱之

　　韓傀擔任韓哀侯國相的時候，嚴遂為韓君器重。韓傀和嚴遂相互仇恨，情形非常嚴重。嚴遂後來派人在朝廷上刺殺韓傀，韓傀跑到哀侯身邊抱住哀侯，刺客刺殺韓傀，連哀侯也一起刺死了。

## 【出處】

　　韓傀相韓哀侯，嚴遂重於君，二人甚相害也。嚴遂乃令人刺韓傀於朝，韓傀走君而抱之，遂刺韓傀而兼哀侯。（《韓非子》〈內儲說下〉）

走君而抱之

# 佯亡一爪

韓昭侯用手包住指甲，假裝掉了一隻指甲，非常著急地尋找，於是近侍就剪了自己的指甲呈獻給他。昭侯通過此事來考察近侍忠誠與否。

## 【出處】

韓昭侯握爪，而佯亡一爪，求之甚急，左右因割其爪而效之。昭侯以此察左右之誠不。（《韓非子》〈內儲說上七術〉）

# 南門之外黃犢

韓昭侯派人騎馬到縣裡巡視。使者回報，昭侯問道：「見到了什麼？」使者回答說：「沒見到什麼。」昭侯說：「雖說如此，到底看見了什麼呢？」使者說：「南門外有小黃牛在大路左邊吃禾苗。」昭侯對使者說：「不准洩露我問你的話。」於是昭侯下命令說：「正值禾苗生長時，本來就有命令禁止牛馬進入農田裡邊，但官吏們卻不把這當回事，有很多牛馬進入農田裡邊了。立即把闖入農田的牛馬的數目報上來；有漏掉的，將加重他的罪責。」於是東、西、北三面的數目報了上來。昭侯說：「還沒有報全。」官吏再去細查，才發現南門外的小黃牛。官吏認為昭侯能明察，都惶恐小心地謹守職責，再不敢為非作歹了。

【出處】

韓昭侯使騎於縣。使者報，昭侯問曰：「何見也？」對曰：「無所見也。」昭侯曰：「雖然，何見？」曰：「南門之外，有黃犢食苗道左者。」昭侯謂使者：「毋敢洩吾所問於女。」乃下令曰：「當苗時，禁牛馬入人田中固有令，而吏不以為事，牛馬甚多入人田中。亟舉其數上之；不得，將重其罪。」於是三鄉舉而上之。昭侯曰：「未盡也。」復往審之，乃得南門之外黃犢。吏以昭侯為明察，皆悚懼其所而不敢為非。（《韓非子》〈內儲說上七術〉）

## 令人覆廩

韓昭侯的時候，黍種的價格一度很高。昭侯派人檢查糧倉，果然發現官吏盜竊黍種並且賣掉了很多。

【出處】

韓昭侯之時，黍種嘗貴甚。昭侯令人覆廩，吏果竊黍種而糶之甚多。（《韓非子》〈內儲說下六微〉）

## 置礫湯中

昭僖侯的時候，廚師上飯，肉汁中卻有生肝。昭侯召見廚師的助手，責問他說：「你為什麼把生肝放到我的肉汁中？」廚師的助手

叩頭承認死罪說：「我私下想除掉主管大王膳食的人。」另一種說法是：韓昭侯洗澡，熱水中有小石子。昭侯問：「主管洗澡的官吏如果免職，那麼有代替繼任的人嗎？」左右近侍回答說：「有。」昭侯說：「叫他來。」隨後昭侯怒責這個人說：「為什麼在熱水裡放小石子？」他回答說：「主管洗澡的官吏如果免職，我就能代替他，因此在熱水中放了小石子。」

## 【出處】

　　昭僖侯之時，宰人上食而羹中有生肝焉，昭侯召宰人之次而誚之曰：「若何為置生肝寡人羹中？」宰人頓首服死罪，曰：「竊欲去尚宰人也。」一曰：僖侯浴，湯中有礫。僖侯曰：「尚浴免，則有當代者乎？」左右對曰：「有。」僖侯曰：「召而來。」誚之曰：「何為置礫湯中？」對曰：「尚浴免，則臣得代之，是以置礫湯中。」（《韓非子》〈內儲說下六微〉）

## 精微知善

　　韓昭侯說：「吹竽的人眾多，我無法瞭解其中誰吹得好。」田嚴回答說：「不妨逐個聽他們演奏。」

## 【出處】

　　韓昭侯曰：「吹竽者眾，吾無以知其善者。」田嚴對曰：「一一而聽之。」（《韓非子》〈內儲說上七術〉）

# 寡人不攫

　　韓、魏兩國互相侵佔土地。子華子拜見韓昭釐侯，見他面有憂色，就對他說：「如果天下人在您面前書寫銘文，這樣說：『左手抓取這篇銘文就砍去右手，右手抓取這篇銘文就砍去左手，然而抓取了就會佔有天下。』您抓不抓取呢？」昭釐侯說：「我不會抓取的。」子華子說：「您說得很好。由此看來，兩臂比天下重要，身體比兩臂重要。韓國則比天下次要得多，現在您爭奪的土地，又比韓國次要得多。丟掉一隻手臂佔有天下的事尚且不願去做，又有什麼必要費心勞神去為土地爭執擔憂呢？」昭釐侯說：「說得太好了。開導我的人夠多了，但我從來沒聽到過你這種說法。」

## 【出處】

　　韓、魏相與爭侵地。子華子見昭釐侯，昭釐侯有憂色。子華子曰：「今使天下書銘於君之前，書之曰：『左手攫之則右手廢，右手攫之則左手廢，然而攫之必有天下。』君將攫之乎？亡其不與？」昭釐侯曰：「寡人不攫也。」子華子曰：「甚善。自是觀之，兩臂重於天下也，身又重於兩臂。韓之輕於天下遠，今之所爭者，其輕於韓又遠，君固愁身傷生以憂之臧不得也？」昭釐侯曰：「善。教寡人者眾矣，未嘗得聞此言也。」子華子可謂知輕重矣。知輕重，故論不過。（《呂氏春秋》〈開春論第一〉）

# 一顰一笑

韓昭侯的褲子破了，於是讓侍從收藏起來。侍從不解，說：「您也太吝嗇了吧，一條破褲子，不順手賜給左右，還要我們給收藏起來。」韓昭侯說：「你當然不理解。我知道賢君明主珍惜自己的一舉一動，一次皺眉，一個笑臉，都是有感而發。現在這條褲子，當然也不能隨便賞賜給人，必須等到有人立功才能賜給。」

## 【出處】

韓昭侯使人藏弊袴，侍者曰：「君亦不仁矣，弊袴不以賜左右而藏之。」昭侯曰：「非子之所知也。吾聞明主之愛一顰一笑，顰有為顰，而笑有為笑。今夫袴，豈特顰笑哉？袴之與顰笑相去遠矣。吾必待有功者，故收藏之未有予也。」（《韓非子》〈內儲說上七術〉）

# 帝王之具

有人問：申不害和商鞅，這兩家的學說哪一家是治理國家更急需的？韓非說：這是不能比較的。人不吃飯，十天就會餓死；在極寒冷的天氣下，不穿衣服也會凍死。若問衣服和食物哪一種對人更重要，則是缺一不可的，都是維持生命所必須的東西。現在申不害提倡運用術而商鞅主張實行法。所謂術，就是依據才能授予官職，按照名位責求實際功效，掌握生殺大權，考核群臣的能力。這是君主應該掌握的。所謂法，就是由官府明文公佈法令，使賞罰制度深入民心，對於

謹慎守法的人給予獎賞，對於觸犯法令的人予以懲罰。這是臣下應該遵循的。君主沒有術，就會在上面受矇蔽；臣下沒有法，就會在下面鬧亂子。所以術和法缺一不可，都是稱霸天下必須具備的。

## 【出處】

問者曰：「申不害、公孫鞅，此二家之言，孰急於國？」應之曰：「是不可程也。人不食，十日則死；大寒之隆，不衣亦死。謂之衣食孰急於人，則是不可一無也，皆養生之具也。今申不害言術而公孫鞅為法。術者，因任而授官，循名而責實，操殺生之柄，課群臣之能者也。此人主之所執也。法者，憲令著於官府，刑罰必於民心，賞存乎慎法，而罰加乎奸令者也。此臣之所師也。君無術則弊於上，臣無法則亂於下，此不可一無，皆帝王之具也。」（《韓非子》〈定法〉）

# 大國惡有天子

魏惠王舉行了臼里的諸侯會盟，準備重新恢復天子的權威。彭喜對君主說：「沒必要聽他的，大國厭惡天子的存在，小國卻認為天子的存在對自己有利。如果您和其他大國不理睬魏國，魏國怎麼可能與一些小國復立天子的權威呢？」

## 【出處】

魏惠王為臼里之盟，將復立於天子。彭喜謂鄭君曰：「君勿聽。大國惡有天子，小國利之。若君與大不聽，魏焉能與小立之？」（《韓非子》〈說林上〉）

# 吾以其耳

　　韓昭釐侯察看用來祭祀宗廟的犧牲，發現豬小，就讓官員換一頭大點的。官員轉了個圈，送上來的仍然是原來那頭豬。昭釐侯說：「這不是剛才那頭豬嗎？」官員無言以對。昭釐侯命令治他的罪。昭釐侯的侍從說：「君王怎麼看出來的？」昭釐侯說：「我是根據豬的耳朵識別出來的。」

## 【出處】

　　韓昭釐侯視所以祠廟之牲，其豕小，昭釐侯令官更之。官以是豕來也，昭釐侯曰：「是非向者之豕邪？」官無以對。命吏罪之。從者曰：「君王何以知之？」君曰：「吾以其耳也。」（《呂氏春秋》〈審分覽第五〉）

# 賢主不由

　　韓昭釐侯外出打獵，馬車一側的皮帶鬆了。昭釐侯在車上對車伕說：「是不是一側的皮帶鬆了？」車伕說：「是的。」到了獵場，昭釐侯去打獵，車右將鬆了的皮帶重新拴緊，使其長短適宜。昭釐侯打獵結束，乘車回宮。昭釐侯問車伕說：「之前皮帶有一側鬆了，現在長短適宜，怎麼回事？」車右從身後回答說：「是我把它調整了一下。」昭釐侯回到朝中，就此事責問車令。車右也受到處罰。有些時候，即便自作主張的結果是好的，也不會得到賢主的讚賞。

　　韓昭釐侯出弋，靮偏緩。昭釐侯居車上。謂其僕：「靮不偏緩乎？」其僕曰：「然。」至，舍，昭釐侯射鳥，其右攝其一靮，適之。昭釐侯已射，駕而歸。上車，選間，曰：「鄉者靮偏緩，今適，何也？」其右從後對曰：「今者臣適之。」昭釐侯至，詰車令。各避舍。故擅為妄意之道，雖當，賢主不由也。（《呂氏春秋》〈似順論第五〉）

## 越官則死

　　韓昭侯喝多了酒倒床就睡，掌管君主帽子的侍從怕君主受寒，就拿衣服給君主蓋上。韓昭侯睡醒後很高興，問身邊的侍從說：「誰幫我蓋的衣服？」侍從回答說：「是掌管帽子的侍從。」韓昭侯於是同時懲處了掌管衣服的侍從和掌管帽子的侍從。懲處掌管衣服的侍從，是因為他沒有盡到職責；懲處掌管帽子的侍從，是認為他有越職行為。韓昭侯並不是不怕著涼，而是認為越權的危害比著涼更厲害。所以明智的君主教育臣下，臣下不得越權立功，不可以光說不做。越權行為和言行不一都要治罪。忠於職守，言行如一，那麼群臣就不會結黨營私、狼狽為奸了。

　　昔者韓昭侯醉而寢，典冠者見君之寒也，故加衣於君之上。覺寢而說，問左右曰：「誰加衣者？」左右對曰：「典冠。」君因兼罪典衣與典冠。其罪典衣，以為失其事也；其罪典冠，以為越其職也。非不惡寒也，以為侵官之害甚於寒。故明主之畜臣，臣不得越官而有功，不得陳言而不當。越官則死，不當則罪。守業其官，所言者貞也，則群臣不得朋黨相為矣。（《韓非子》〈二柄〉）

# 仁智之行

　　堂谿公對韓非子說：「我聽說遵循周禮、講究謙讓，是保全自己的方法；修養品行、隱藏才智，是達到順心如意的途徑。現在您立法術，設規章，我私下認為這會給您帶來生命危險。何以證明呢？聽先生說過：『楚國不用吳起的主張，而國力削弱，社會混亂；秦國實行商鞅的主張而國家富足，國力強大。吳起、商鞅的主張是正確的，然而吳起被肢解，商鞅被車裂，是因為沒碰上好世道和遇到好君主而產生的禍患。』吉凶未卜，禍患不能排除。不顧一切去幹冒險的事，我認為是不可取的。」韓非子說：「我明白您的意思了。整治天下的權柄，統一民眾的法度，是很不容易施行的。之所以要廢除先王的禮治，實行我的法治主張，是由於我抱定了這樣的主張。我之所以無懼昏君亂主帶來的禍患，堅決主張用法度來統一民眾的利益，是因為這是仁愛明智的行為。害怕昏君亂主帶來的禍患、逃避死亡的危險、只知道明哲保身而忽視民眾的利益，那是貪生卑鄙的行為，是我不屑而

為的。先生有愛護臣下的心意，實際上卻傷害了臣下。」

## 【出處】

堂谿公謂韓子曰：「臣聞服禮辭讓，全之術也；修行退智，遂之道也。今先生立法術，設度數，臣竊以為危於身而殆於軀。何以效之？所聞先生術曰：『楚不用吳起而削亂，秦行商君而富強。二子之言已當矣，然而吳起肢解而商君車裂者，不逢世遇主之患也。』逢遇不可必也，患禍不可斥也。夫舍乎全遂之道而肆乎危殆之行，竊為先生無取焉。」韓子曰：「臣明先生之言矣。夫治天下之柄，齊民萌之度，甚未易處也。然所以廢先王之教，而行賤臣之所取者，竊以為立法術，設度數，所以利民萌便眾庶之道也。故不憚亂主暗上之患禍，而必思以齊民萌之資利者，仁智之行也。憚亂主暗上之患禍，而避乎死亡之害，知明而不見民萌之資利者，貪鄙之為也。臣不忍向貪鄙之為，不敢傷仁智之行。先王有幸臣之意，然有大傷臣之實。」（《韓非子》〈問田〉）

## 至貴而無當

堂谿公對韓昭侯說：「假如有個價值千金的玉杯，下面沒底，可以盛水嗎？」昭侯說：「那怎麼行。」堂谿公又問：「那有陶器不漏水，可以用來盛酒嗎？」昭侯說：「可以。」堂谿公接著說：「陶器是最不值錢的，如果不漏，就可以用來盛酒。玉杯雖然價值千金，沒有底就不能盛水，那還有誰會往裡面倒酒呢？現在您貴為人君，卻經

常洩露群臣的言論，這就好像沒有底的玉杯一樣。臣下雖然有極高的智慧，也不會向您毫無保留地獻策，因為怕被您洩露啊。」昭侯說：「你批評得對。」聽了堂谿公的話，從此之後，每當有重大決策或採取大的行動時，昭侯就會非常謹慎，晚上單獨就寢，唯恐說夢話走漏消息。

## 【出處】

堂谿公謂昭候曰：「今有千金之玉卮，通而無當，可以盛水乎？」昭候曰：「不可。」「有瓦器而不漏，可以盛酒乎？」昭候曰：「可。」對曰：「夫瓦器，至賤也，不漏，可以盛酒。雖有乎千金之玉卮，至貴而無當，漏，不可盛水，則人孰注漿哉？今為人之主而漏其群臣之語，是猶無當之玉卮也。雖有聖智，莫盡其術，為其漏也。」昭候曰：「然。」昭候聞堂谿公之言，自此之後，欲發天下之大事，未嘗不獨寢，恐夢言而使人知其謀也。（《韓非子》〈外儲說右上〉）

## 執珪於魏

韓國與魏國勢均力敵，國力相當，申不害卻與昭釐侯拿著珪玉去見魏王。申不害分析事態發展說：「我們手執珪玉朝見魏王，魏王一定會志得意滿，蔑視天下諸侯，加緊對外擴張。等到魏國被諸侯耗盡國力，就會走向衰敗。諸侯一旦厭惡魏國，就會轉而結交我國。我們雖然屈居於一人之下，卻能夠高居於萬人之上。想削弱魏國的兵力，增強韓國的實力，再沒有比朝見魏王更為有效了。」昭釐侯採納了申

不害的意見，與他一起手持珪玉去朝見魏王。人們並不認為他們是喜好卑賤厭惡尊貴，或考慮不周計議失當，反而評價昭釐侯是一代明君，申不害是一代賢臣。

## 【出處】

韓與魏敵侔之國也，申不害與昭釐侯執珪而見梁君，非好卑而惡尊也，非慮過而議失也。申不害之計事，曰：「我執珪於魏，魏君必得志於韓，必外靡於天下矣，是魏弊矣。諸侯惡魏必事韓，是我免於一人之下，而信於萬人之上也。夫弱魏之兵，而重韓之權，莫如朝魏。」昭釐侯聽而行之，明君也；申不害慮事而言之，忠臣也。（《戰國策》〈韓策三〉）

## 子有兩韓

大成午從趙國來到韓國，對申不害說：「您讓韓王在趙王面前推崇我，我則讓趙王在韓王面前推舉您，這樣相當於您掌握兩個韓國的權力，而我也如同掌握了兩個趙國的大權。」

## 【出處】

大成午從趙來，謂申不害於韓曰：「子以韓重我於趙，請以趙重子於韓，是子有兩韓，而我有兩趙也。」（《戰國策》〈韓策一〉）

# 言可必用

魏國包圍了趙國的邯鄲，申不害想與韓王的意見保持一致，但又不知道韓王的想法，唯恐自己的意見不合韓王的心意。韓王問申不害說：「我們應該站在哪一邊？」申不害回答說：「這是關係社稷安危的大事，容臣再認真考慮一下。」於是暗中對趙卓、韓晁說：「你們都是國家的辯才，做臣子的，不要考慮自己的觀點是否能被採用，中肯地說出自己的建議就可以了。」於是兩人各自向韓王表達了自己的意見，申不害暗中觀察韓王的傾向，再順從韓王提出自己的主張，韓王見申不害與自己觀點一致，非常高興。

## 【出處】

魏之圍邯鄲也，申不害始合於韓王，然未知王之所欲也，恐言而未必中於王也。王問申子曰：「吾誰與而可？」對曰：「此安危之要，國家之大事也，臣請深惟而苦思之。」乃微謂趙卓、韓晁曰：「子皆國之辯士也，夫為人臣者，言可必用，盡忠而已矣。」二人各進議於王以事，申子微視王之所說以言於王，王大說之。（《戰國策》〈韓策一〉）

# 君真其人

申不害想為堂兄謀求官職，韓昭侯沒有同意。申不害面有怨色。韓昭侯說：「我這不是向你學來的治國之策嗎？你是讓我遵從你的請

求拋棄你的學說呢？還是遵從你的學問拒絕你的請求呢？你過去教導我按功勞大小來安排官位等級，如今你卻為你堂兄申請例外，我該聽從你哪一種建議呢？」申不害於是離開正寢、移居他室以請罪，感嘆說：「君王真是適合推行治術的人啊！」

## 【出處】

申子請仕其從兄官，昭侯不許也，申子有怨色。昭侯曰：「非所學於子者也。聽子之謁而廢子之道乎？又亡其行子之術而廢子之謁乎？子嘗教寡人，循功勞，視次第，今有所求，此我將奚聽乎？」申子乃辟舍請罪曰：「君真其人也！」（《戰國策》〈韓策一〉）

## 惟無為可以規之

申不害說：「君主的明察顯露出來，人們就會防備他；君主的糊塗顯露出來，人們就會迷惑他。君主的智慧顯現出來，人們就會奉承他；君主的愚昧顯現出來，人們就會矇蔽他。君主沒有欲望顯露出來，人們就會探察他；君主有欲望顯露出來，人們就會引誘他。所以說：君主沒有辦法去瞭解臣下，只有無為可以窺測臣下。」另一種說法是，申不害告訴君主說：「言行謹慎了，人們就會探察你；行動謹慎了，人們就會跟從你；智慧顯露出來了，人們將會躲開你；愚昧顯露出來了，人們將會算計你。有智慧，人們就會躲避你；沒有智慧，人們就會對付你。因此只有無為可以窺測臣下。」

申子曰:「上明見,人備之;其不明見,人惑之。其知見,人飾之;不知見,人匿之。其無欲見,人司之;其有欲見,人餌之。故曰:吾無從知之,惟無為可以規之。」一曰,申子曰:「慎而言也,人且知女;慎而行也,人且隨女。而有知見也,人且匿女;而無知見也,人且意女。女有知也,人且臧女;女無知也,人且行女。故曰:惟無為可以規之。」(《韓非子》〈外儲說右上〉)

## 寧為雞口,無為牛後

蘇秦為楚國合縱遊說韓王說:「憑著韓國的強大和大王的賢明,竟然要向秦國拱手稱臣,使整個國家蒙羞,被天下人恥笑。如果屈服於秦國,秦國一定會向韓國索取宜陽、成皋。今年把土地獻給它,明年就會得寸進尺,要求更多的土地。大王的土地有限,而秦國的貪欲卻沒有止境。拿有限的土地去迎合無止境的貪欲,這不等於去購買怨恨和災禍嗎?我聽俗語說:『寧肯當雞頭,也不做牛屁股。』現在大王向秦國俯首稱臣,這跟做牛屁股有什麼區別呢?我為大王感到羞愧。」

【出處】

蘇秦為楚合從說韓王曰:「……大王事秦,秦必求宜陽、成皋。今茲效之,明年又益求割地。與之,即無地以給之;不與,則棄前功而後更受其禍。且夫大王之地有盡,而秦之求無已。夫以有盡之地而

逆無已之求，此所謂市怨而買禍者也，不戰而地已削矣。臣聞鄙語曰：『寧為雞口，無為牛後。』今大王西面交臂而臣事秦，何以異於牛後乎？夫以大王之賢，挾強韓之兵，而有牛後之名，臣竊為大王羞之。」（《戰國策》〈韓策一〉）

# 時絀舉贏

韓昭侯二十五年（西元前338年），韓國發生旱災，昭侯卻興師動眾修建高大的城門。屈宜臼因此評價說：「昭侯走不出這座城門了。為什麼呢？因為不合時宜。我所說的時，不是指時間，人本來就有順利或不順利的時候。昭侯順利的時候並沒有修建高門；去年秦國攻下韓國的宜陽，今年又發生旱災，昭侯此時不考慮體恤和安撫民眾，反而更加奢侈，這叫作『時絀舉贏』，意思是衰敗的時候卻做過於奢侈的事情。」韓昭侯二十六年（西元前337年），高門修成了，昭侯也去世了，果然沒能走出這座城門。

## 【出處】

二十五年，旱，作高門。屈宜臼曰：「昭侯不出此門。何也？不時。吾所謂時者，非時日也，人固有利不利時。昭侯嘗利矣，不作高門。往年秦拔宜陽，今年旱，昭侯不以此時恤民之急，而顧益奢，此謂『時絀舉贏』。」二十六年，高門成，昭侯卒，果不出此門。（《史記》〈韓世家〉）

# 吾欲兩用

韓宣王問摎留說：「我想以公仲、公叔共同執掌國政，是否可以？」摎留回答說：「不可以。晉國任用六卿導致國家分裂，齊簡公並用田成、監止而被殺，魏國任用公孫衍、張儀失去了西河之外的大片土地。現在大王想用兩人共同執政，勢力強的一方就會在國內培植黨羽，勢力弱的一方則會轉向國外尋求支持。群臣中若有在國內樹立黨羽專橫擅權的、結交外國出賣國家利益的，大王的國家就非常危險了。」

## 【出處】

宣王謂摎留曰：「吾欲兩用公仲、公叔，其可乎？」對曰：「不可。晉用六卿而國分，簡公用田成、監止而簡公弒，魏兩用犀首、張儀而西河之外亡。今王兩用之，其多力者內樹其黨，其寡力者籍外權。群臣或內樹其黨以擅其主，或外為交以裂其地，則王之國必危矣。」（《戰國策》〈韓策一〉）

# 陳軫之謀

韓宣惠王十六年（西元前317年），秦國在修魚打敗韓國，跟著又挺進濁澤，俘虜了韓國將領鯁和申差。韓王內心焦急，相國公仲說：「盟國是靠不住的。秦國一直想征伐楚國，大王不如通過張儀向秦國求和，送給秦國一座名城，然後聯手秦軍一起南征楚國，這是以

吾欲兩用

一失換二得的計策。」韓王說：「好。」於是派使者西行與秦國講和。楚王聽說後非常驚恐。陳軫獻策說：「大王可以發兵聲稱援救韓國，讓戰車佈滿道路，然後派使臣攜帶厚禮前往韓國遊說，讓韓國相信大王將出兵救援他們。即使韓王不相信我們的誠意，也一定會感激大王的恩德，不會主動出兵攻楚；如果韓國相信我們會出兵救援，就會停止向秦國求和。秦國必定大怒，因而對韓國的怨恨加深。這就是利用秦韓之間的矛盾來免除楚國的禍患。」楚王說：「很好！」於是在全國調動軍隊，聲言出兵救援韓國，讓戰車佈滿道路，然後派使臣攜厚禮前往韓國遊說。楚使對韓王說：「敝國雖小，已經調集全部軍隊準備為韓國死戰。」韓王非常高興，於是下令中止向秦國議和。公仲說：「不能這樣，以實力侵犯我們的是秦國，以虛名救援我們的是楚國。大王如果想依託楚國的虛名與強秦絕交，必定會被天下人嘲笑。楚韓並非兄弟之國，事先又沒有共同伐秦的盟約。是看到我們已有聯秦攻楚的跡象，才聲言發兵救援我們的。這一定是陳軫的計謀。況且大王已經派人把我們的打算通報秦國了，現在又決定不去，這是欺騙秦國。大王一定會後悔的。」韓王不聽勸告，放棄與秦國講和。秦國大怒，增加兵力進攻韓國，而楚國的救兵卻沒有來。韓宣惠王十九年（西元前314年），秦軍大敗韓軍於岸門，懊悔的韓王只好派太子倉去秦國做人質求和。

## 【出處】

十六年，秦敗我修魚，虜得韓將鯁、申差於濁澤。韓氏急，公仲謂韓王曰：「與國非可恃也。今秦之欲伐楚久矣，王不如因張儀為和於秦，賂以一名都，具甲，與之南伐楚，此以一易二之計也。」韓王

曰：「善。」乃警公仲之行，將西購於秦。楚王聞之大恐，召陳軫告之。陳軫曰：「秦之欲伐楚久矣，今又得韓之名都一而具甲，秦韓並兵而伐楚，此秦所禱祀而求也。今已得之矣，楚國必伐矣。王聽臣為之警四境之內，起師言救韓，命戰車滿道路，發信臣，多其車，重其幣，使信王之救己也。縱韓不能聽我，韓必德王也，必不為雁行以來，是秦韓不和也，兵雖至，楚不大病也。為能聽我絕和於秦，秦必大怒，以厚怨韓。韓之南交楚，必輕秦；輕秦，其應秦必不敬：是因秦、韓之兵而免楚國之患也。」楚王曰：「善。」乃警四境之內，興師言救韓。命戰車滿道路，發信臣，多其車，重其幣。謂韓王曰：「不穀國雖小，已悉發之矣。願大國遂肆志於秦，不穀將以楚殉韓。」韓王聞之大說，乃止公仲之行。公仲曰：「不可。夫以實伐我者秦也，以虛名救我者楚也。王恃楚之虛名，而輕絕強秦之敵，王必為天下大笑。且楚韓非兄弟之國也，又非素約而謀伐秦也。已有伐形，因發兵言救韓，此必陳軫之謀也。且王已使人報於秦矣，今不行，是欺秦也。夫輕欺強秦而信楚之謀臣，恐王必悔之。」韓王不聽，遂絕於秦。秦因大怒，益甲伐韓，大戰，楚救不至韓。十九年，大破我岸門。太子倉質於秦以和。（《史記》〈韓世家〉）

## 遽起而見

顏率拜見公仲，公仲不肯接見。顏率讓侍衛告訴公仲說：「公仲一定認為我華而不實，所以不見我吧。公仲好色，而我卻說自己好士；公仲吝嗇錢財，而我卻說自己樂善好施；公仲缺乏德行，而我卻

說自己好仁好義。從今以後，我將直言不諱地評價他的行為。」公仲聽到顏率的話，趕忙出來迎接他。

## 【出處】

　　顏率見公仲，公仲不見。顏率謂公仲之謁者曰：「公仲必以率為陽也，故不見率。公仲好內，率曰好士；仲嗇於財，率曰散施；公仲無行，率曰好義。自今以來，率且正言之而已矣。」公仲之謁者以告公仲，公仲遽起而見之。（《戰國策》〈韓策一〉）

## 不成亦為福者

　　有人對韓國的公仲說：「孿生子女長得相似，只有母親才能分辨；利與害有時候很難區分，只有明智的人能正確判斷。現在您的國家利害相似，就如同雙胞胎長得相似一樣，處理得當則君主尊貴，您位置安穩；處理失當則君主卑賤，您身處險境。現在秦、魏兩國訂立和約，如果不是您促成的，韓國就會遭到兩國的算計；如果韓國跟隨魏國去討好秦國，韓國就成了魏國的附庸，韓國君主的地位就降低了。如果秦國和韓國友好，秦國一定會安插親信在韓國掌權，這樣您的位置就危險了。所以最好由您和安成君來撮合秦、魏和好，成功固然是福，不成功也不是壞事。促成兩國和好的話，韓國就成了兩國往來的門戶，韓國的地位就得到提高，韓國君主也得到尊重。安成君在東面受到魏國的重視，西面得到秦國的尊崇，就可以替您向兩國的君主索取好處，將來分封土地，成為諸侯，這是您頭等的功業。即便終

身為相國也不算差，都能使國君尊貴，您自身安穩。再說秦、魏兩國不可能長期友好，秦國惱怒得不到魏國，必然會親近韓國以遏制魏國，魏國也不會永遠聽從秦國，一定設法和韓國修好來防備秦國，這樣您就可以像選擇布匹隨意剪裁一樣輕鬆應付。如果秦、魏兩國和好，兩國會感激您；如果關係破裂，兩國會爭著討好您。這就是我說的成功了是福氣，不成功也不是壞事的意思，希望您不要再猶豫了。」

## 【出處】

　　或謂韓公仲曰：「夫孿子之相似者，唯其母知之而已；利害之相似者，唯智者知之而已。今公國，其利害之相似，正如孿子之相似也。得以其道為之，則主尊而身安；不得其道，則主卑而身危。今秦、魏之和成，而非公適束之，則韓必謀矣。若韓隨魏以善秦，是為魏從也，則韓輕矣，主卑矣。秦已善韓，必將置其所愛信者，令用事於韓以完之，是公危矣。今公與安成君為秦、魏之和，成固為福，不成亦為福。秦、魏之和成，而公適束之，是韓為秦、魏之門戶也，是韓重而主尊矣。安成君東重於魏，而西貴於秦，操右契而為公責德於秦、魏之王，裂地而為諸侯，公之事也。若夫安韓、魏而終身相，公之下服，此主尊而身安矣。秦、魏不終相聽者也。齊怒於不得魏，必欲善韓以塞魏，魏不聽秦，必務善韓以備秦，是公擇布而割也。秦、魏和，則兩國德公；不和，則兩國爭事公，所謂成為福，不成亦為福者也，願公之無疑也。」（《戰國策》〈韓策三〉）

# 先合於秦

　　有人對公仲說：「現在有一種做法，既能效忠國君、有益於國家，也有利於自身，希望您抓緊去辦。假如天下諸侯分散去服侍秦國，則韓國是最受輕視的；假如天下諸侯聯合起來背離秦國，則韓國是最弱小的；如果天下諸侯與秦國的關係時好時壞，則韓國受到的損害最大。最好的辦法是韓國率先與秦國結盟，如果天下諸侯跟從韓國，這是韓國帶領大家侍奉秦國，秦國一定會感激韓國；韓國同天下諸侯一樣朝拜秦國，卻獨自領受秦國的感激；如果天下諸侯不與秦國結盟，秦國發布命令無人聽從，秦國必然會興兵討伐不服的諸侯。秦國長期與天下諸侯結仇交戰，韓國就可以趁機休養生息，等待轉機。從前周佼讓西周與秦國親近，受封於梗陽；周啟讓東周同秦國聯合，受封於平原。如今您讓韓國親近秦國，韓國的重要性相比兩周而言不可同日而語，秦國爭著與韓國結交的願望，更甚於當年同兩周結交的願望。如果你讓韓國先於天下諸侯同秦國結盟，秦國一定會推舉您為諸侯以昭示天下。這是於君、於國、於自己都有利的事，趕快加緊實施吧。」

## 【出處】

　　或謂公仲曰：「今有一舉而可以忠於主，便於國，利於身，願公之行之也。今天下散而事秦，則韓最輕矣；天下合而離秦，則韓最弱矣；合離之相續，則韓最先危矣，此君國長民之大患也。今公以韓先合於秦，天下隨之，是韓以天下事秦，秦之德韓也厚矣。韓與天下朝

秦，而獨厚取德焉，公行之計，是其於主也至忠矣。天下不合秦，秦令而不聽，秦必起兵以誅不服。秦久與天下結怨構難，而兵不決，韓息士民以待其釁，公行之計，是其於國也，大便也。昔者，周佼以西周善於秦，而封於梗陽；周啟以東周善於秦，而封於平原。今公以韓善秦，韓之重於兩周也無計，而秦之爭機也，萬於周之時。今公以韓為天下先合於秦，秦必以公為諸侯，以明示天下，公行之計，是其於身大利也，願公之加務也。」（《戰國策》〈韓策三〉）

## 公仲不攻

張丑聯合齊、楚兩國同魏國講和，對韓國公仲說：「現在您猛攻魏國的鄲邑，魏國情況危急，就一定會割讓土地與齊、楚兩國求和，所以您不如不攻打魏國。魏國形勢得到緩和，一定會同齊、楚兩國交戰，如果魏國打勝了，你們趁魏兵疲憊之時攻取鄲邑就容易了。如果魏國打敗了，魏國就會把鄲邑送給韓國。」公仲說：「好吧。」張丑於是對齊、楚兩國說：「韓國已經同魏國聯合了，你們看看公仲是否還在攻打鄲邑。」公仲沒有攻打鄲邑，齊、楚兩國非常恐慌，於是同魏國講和，並且沒有告訴韓國。

## 【出處】

張丑之合齊、楚講於魏也，謂韓公仲曰：「今公疾攻魏之鄲，魏急，則必以地和於齊、楚，故公不如勿攻也。魏緩則必戰，戰勝，攻鄲而取之，易矣。戰不勝，則魏且內之。」公仲曰：「諾。」張丑因

謂齊、楚曰：「韓已與魏矣，以為不然，則盍觀公仲之攻也。」公仲不攻，齊、楚恐，因講於魏而不告韓。（《戰國策》〈韓策三〉）

# 尾生之時

公仲屢次失信於諸侯，各國都表態不再相信他的承諾。他向南將國事委託給楚國，楚王不聽信他。蘇代為他向楚王說：「不如聽信他而防備他的反覆。公仲反覆無常，經常倚仗趙國而背叛楚國，倚仗齊國而背叛秦國。如今四國都不聽信他的話，沒有空子可鑽，他也很憂慮，這正是他效仿尾生的時候。」

## 【出處】

公仲數不信於諸侯，諸侯錮之。南委國於楚，楚王弗聽。蘇代為謂楚王曰：「不若聽而備於其反也。明之反也，常仗趙而畔楚，仗齊而畔秦。今四國錮之，而無所入矣，亦甚患之，此其為尾生之時也。」（《戰國策》〈韓策一〉）

# 不取三川

錡宣教韓王如何爭取秦國的支持，說：「替公叔準備一百輛車，聲言去楚國，要拿三川與楚國交換，而後再讓公仲對秦王說：『三川一帶流傳說，秦王一定要奪取三川。韓王心裡很糾結。大王何不嘗試讓襄子到韓國做人質，使韓王知道大王並不想奪取三川。』這樣秦國

就會派襄子來韓國做人質，韓國就可以乘機交好秦太子。」

## 【出處】

　　錡宣之教韓王取秦，曰：「為公叔具車百乘，言之楚，易三川。因令公仲謂秦王曰：『三川之言曰，秦王必取我。韓王之心不可解矣。王何不試以襄子為質於韓，令韓王知王之不取三川也。』因以出襄子而德太子。」（《戰國策》〈韓策二〉）

## 召韓侈而仕之

　　韓國相國公仲珉派韓侈出使秦國，請求秦國進攻魏國，秦王很高興。韓侈在唐地時，傳來公仲的死訊。韓侈對秦王說：「魏國的使者對繼任的相國韓辰說：『您一定要替魏國處罰韓侈。』韓辰說：『不能這麼做。秦王讓他做官，又跟他有約定。』使者說：『秦國讓韓侈做官，是因為重視公仲。現在公仲死了，韓侈去秦國，秦國一定不會讓他入境。即便讓他入境，又怎麼會為保護他而惹惱魏王呢？』韓辰很擔憂，準備答應魏國使者的要求。如果今天大王不召見我，我就要躲到山裡去了。」秦王說：「寡人豈是反覆無常之人！現在您在哪兒隱居呢？」於是秦王安排韓侈做了秦國的客卿。

## 【出處】

　　韓相公仲珉使韓侈之秦，請攻魏，秦王說之。韓侈在唐，公仲珉死。韓侈謂秦王曰：「魏之使者謂後相韓辰曰：『公必為魏罪韓侈。』

韓辰曰：『不可。秦王仕之，又與約事。』使者曰：『秦之仕韓侈也，以重公仲也。今公仲死，韓侈之秦，秦必弗入。入，又奚為挾之以恨魏王乎？』韓辰患之，將聽之矣。今王不召韓侈，韓侈且伏於山中矣。」秦王曰：「何意寡人如是之權也！今安伏？」召韓侈而仕之。（《戰國策》〈韓策三〉）

## 不若順之

　　公仲為韓、魏兩國交換土地，公叔竭力諫諍而公仲不聽，公叔將要出走。史惕對公叔說：「您如果出走，交換土地的事必然成功。您將沒有任何藉口回來，並且讓天下人輕視您。您不如順其自然。韓國的土地換給魏國就會損害趙國，魏國的土地換給韓國也會損害楚國。您不如把這件事告訴楚國和趙國，兩國厭惡這種做法，趙國就會起兵逼近羊腸；楚國也會兵臨方城，公仲交換土地的事自然會失敗。」

## 【出處】

　　公仲為韓、魏易地，公叔爭之而不聽，且亡。史惕謂公叔曰：「公亡，則易必可成矣。公無辭以復反，且示天下輕公，公不若順之。夫韓地易於上，則害於趙；魏地易於下，則害於楚。公不如告楚、趙，楚、趙惡之。趙聞之，起兵臨羊腸；楚聞之，發兵臨方城，而易必敗矣。」（《戰國策》〈韓策二〉）

# 馮君廣王

　　公叔派馮君到秦國去，擔心馮君會被扣留，讓陽向去勸諫秦王說：「扣留馮君來結交韓辰，這不是明智的做法。您不如善待馮君，以秦國的財物資助他。這樣馮君就會宣揚大王的賢明而不聽公叔的擺佈，您就可以依靠馮君幫助幾瑟，與太子咎爭權，那樣大王的恩澤就會傳佈天下，同時能損害韓國的利益。」

## 【出處】

　　公叔使馮君於秦，恐留，教陽向說秦王曰：「留馮君以善韓辰，非上知也。主君不如善馮君而資之以秦。馮君廣王而不聽公叔，以與太子爭，則王澤布而害於韓矣。」（《戰國策》〈韓策二〉）

# 令人恐楚王

　　有人對公叔說：「您想從秦國要回武遂，而不怕楚國騷擾河外之地，不如先派人去警告楚王說：『公叔已經派出重要使者去秦國為韓國索要武遂，秦王聽從，說明萬乘之主肯給韓國面子。韓國要回武遂就可以限制秦國，沒有了秦國的禍患，也會感激楚國。這樣韓國就如同楚國的一個縣。秦國如果不答應，秦、韓兩國的怨仇就會加深，也會爭著來同楚國結交。』」

【出處】

謂公叔曰：「公欲得武遂於秦，而不患楚之能傷河外也。公不如令人恐楚王，而令人為公求武遂於秦。謂楚王曰：『發重使為韓求武遂於秦，秦王聽，是令行於萬乘之主也。韓得武遂以限秦，毋秦患而得楚。韓，楚之縣而已。秦不聽，是秦、韓之怨深而交楚也。』」（《戰國策》〈韓策二〉）

# 陽侯之波[1]

有人對公叔說：「乘船，船漏了卻不去堵塞，船就會沉掉；如果只堵塞漏洞而輕視大風大浪，船就會傾覆。現在您自認為能力超過薛公而不把秦國放在眼裡，這好比堵塞漏洞卻輕視像陽侯之波那樣的大風大浪，希望您能詳察。」

【出處】

謂公叔曰：「乘舟，舟漏而弗塞，則舟沉矣。塞漏舟而輕陽侯之波，則舟覆。今公自以辯於薛公而輕秦，是塞漏舟而輕陽侯之波也，願公之察也。」（《戰國策》〈韓策二〉）

---

1. 陽侯之波：意為軒然大波。陽侯，傳說中的水神，能興風作浪，造成水患。

# 以劫其君

公孫伯嬰擔任韓相，又想方設法和齊國交好。因為公仲朋很受韓王器重，公叔伯嬰擔心韓宣惠王讓公仲朋擔任韓相，就讓齊、韓相約攻打魏國。公孫伯嬰乘機把齊軍引入韓國國都，以此要挾君主，鞏固他的相位，並重申兩國的協約。

## 【出處】

公叔相韓而有攻齊，公仲甚重於王，公叔恐王之相公仲也，使齊、韓約而攻魏。公叔因內齊軍於鄭，以劫其君，以固其位，而信兩國之約。（《韓非子》〈內儲說下六微〉）

# 張翠稱病

楚軍包圍雍氏長達五個月。韓國派往秦國求助的車輛絡繹不絕、冠蓋相望於道，殺山的出口還是望不見秦軍的影子。秦宣太后召見韓國使者尚靳，說秦國出兵可以，但必須得到實惠。韓襄王心急如焚，再派張翠出使秦國。張翠假稱自己有病，行進緩慢。張翠到達秦國後，甘茂說：「韓國已經很危急了，先生還抱著病軀，慢吞吞前來。」張翠說：「韓國還沒到危急的時刻，只是快要危急而已。」甘茂說：「韓國是否危急，秦國上下皆知，先生卻說韓國並不危急，真是豈有此理。」張翠說：「韓國一旦危急就歸順楚國了，我怎麼還會再來秦國呢？」甘茂說：「先生不要再說了。」甘茂進宮對秦昭王說：「秦

軍如果不出兵援救韓國，韓國就會倒向楚國。楚國和韓國結為一體，魏國就不敢不從楚國了。這樣一來，三國共同進攻秦國的形勢就形成了。是坐等別人來進攻有利呢？還是主動進攻別人有利，請大王決斷吧。」秦昭王說：「我明白了。」秦軍終於兵出殽山，楚國很快從韓國撤軍了。

## 【出處】

楚圍雍氏五月。韓令使者求救於秦，冠蓋相望也，秦師不下殽。……韓王遣張翠，張翠稱病，日行一縣。張翠至，甘茂曰：「韓急矣，先生病而來。」張翠曰：「韓未急也，且急矣。」甘茂曰：「秦重國知王也，韓之急緩莫不知。今先生言不急，可乎？」張翠曰：「韓急，則折而入於楚矣，臣安敢來？」甘茂曰：「先生毋復言也。」甘茂入言秦王曰：「公仲柄得秦師，故敢捍楚。今雍氏圍而秦師不下殽，是無韓也。公仲且抑首而不朝，公叔且以國南合於楚。楚、韓為一，魏氏不敢不聽，是楚以三國謀秦也。如此則伐秦之形成矣。不識坐而待伐，孰與伐人之利？」秦王曰：「善。」果下師於殽以救韓。（《戰國策》〈韓策二〉）

## 公叔為楚

鄭強攜帶八百金進入秦國，請求秦國討伐韓國。冷向對鄭強說：「您用八百金請求秦國討伐它的盟國，秦國一定不會聽從。您不如讓秦王懷疑公叔。」鄭強說：「要怎麼做呢？」冷向說：「公叔進攻楚

國，是因為幾瑟在楚國，所以他主張先進攻楚國。如今公叔已經讓楚王用一百輛車子把幾瑟送回陽翟，又讓昭獻到陽翟與幾瑟住在一起，已經十多天了，相處頗為融洽，公叔已經有所察覺。幾瑟是公叔的仇人，昭獻則是公叔的朋友。秦王聽說這件事，一定會懷疑公叔幫助楚國的。」

## 【出處】

鄭強載八百金入秦，請以伐韓。冷向謂鄭強曰：「公以八百金請伐人之與國，秦必不聽公。公不如令秦王疑公叔。」鄭強曰：「何如？」曰：「公叔之攻楚也，以幾瑟之存焉，故言先楚也。今已令楚王奉幾瑟以車百乘居陽翟，令昭獻轉而與之處，旬有餘，彼已覺。而幾瑟，公叔之仇也；而昭獻，公叔之人也。秦王聞之，必疑公叔為楚也。」（《戰國策》〈韓策一〉）

# 走張儀於秦

鄭強是這樣從秦國攆走張儀的：首先揚言張儀一定會派使者到楚國去，然後對楚國的太宰說：「您留住張儀的使者，我再到秦國去算計張儀。」鄭強到秦國求見秦王說：「張儀派人把上庸之地還給了楚國，楚王派我來拜謝大王。」秦武王大怒，張儀只好逃跑了。

## 【出處】

鄭強之走張儀於秦，曰儀之使者，必之楚矣。故謂大宰曰：「公

留儀之使者，強請西圖儀於秦。」故因西請秦王曰：「張儀使人致上庸之地，故使使臣再拜謁王。」秦王怒，張儀走。（《戰國策》〈韓策一〉）

## 昭獻相韓

楚國的昭獻在韓國做相國。秦國準備進攻韓國，韓國罷免了昭獻。昭獻派人對韓國的公叔說：「不如尊顯昭獻的地位來加強同楚國的聯盟，秦王一定會以為楚、韓兩國已經結成同盟。」

### 【出處】

楚昭獻相韓。秦且攻韓，韓廢昭獻。昭獻令人謂公叔曰：「不如貴昭獻以固楚，秦必曰楚、韓合矣。」（《戰國策》〈韓策一〉）

## 欲內之甚

太子嬰去世後，公子咎和公子蟣蝨爭立太子。當時蟣蝨在楚國做人質。蘇代對韓咎說：「蟣蝨流亡楚國，楚王特別想送他回國。眼下十幾萬楚軍駐紮在方城之外。您何不建議楚國在雍氏旁邊修建一座萬戶的城邑？這樣一來，韓王必定派兵去救助雍氏，您一定會做統帥。這樣您就可以利用韓、楚兩國的軍隊擁戴蟣蝨，把他接回韓國。將來蟣蝨繼位後一定會信賴您。」韓咎於是依計而行。

　　十二年，太子嬰死。公子咎、公子蟣蝨爭為太子。時蟣蝨質於楚。蘇代謂韓咎曰：「蟣蝨亡在楚，楚王欲內之甚。今楚兵十餘萬在方城之外，公何不令楚王築萬室之都雍氏之旁。韓必起兵以救之，公必將矣。公因以韓、楚之兵奉蟣蝨而內之，其聽公必矣，必以楚、韓封公也。」韓咎從其計。（《史記》〈韓世家〉）

# 挾秦楚之重

　　蘇代對秦宣太后的弟弟羋戎說：「公叔伯嬰唯恐秦國把蟣蝨送回韓國，您為什麼不為韓國到楚國去請求放回質子蟣蝨呢？楚國如果不答應您，那麼公叔伯嬰就知道秦楚兩國並不重視蟣蝨，一定會使韓國與秦楚聯合。秦楚就能依靠韓國而壓迫魏國，魏國不敢同齊國聯合，齊國就孤立了。然後您再替秦國請求楚國把質子蟣蝨送到秦國，楚國不答應，就會同韓國結怨。韓國就會憑藉齊國和魏國的力量去圍困楚國，楚國就會尊重您。您依靠秦國和楚國的尊重向韓國施以恩德，公叔伯嬰就會拿整個國家來侍奉您。」於是蟣蝨終於未能回到韓國。韓國立公子咎為太子。齊王和魏王來到韓國。

【出處】

　　蘇代又謂秦太后弟羋戎曰：「公叔伯嬰恐秦楚之內蟣蝨也，公何不為韓求質子於楚？楚王聽入質子於韓，則公叔伯嬰知秦楚之不以蟣蝨為事，必以韓合於秦楚。秦楚挾韓以窘魏，魏氏不敢合於齊，是齊

孤也。公又為秦求質子於楚，楚不聽，怨結於韓。韓挾齊魏以圍楚，楚必重公。公挾秦楚之重以積德於韓，公叔伯嬰必以國待公。」於是蟣蝨竟不得歸韓。韓立咎為太子。齊、魏王來。(《史記》〈韓世家〉)

# 安敢言地

　　韓公叔幫助公子咎與幾瑟爭奪國權。鄭強替楚王出使韓國，假傳楚王之命，把楚國的新城、陽人劃給了幾瑟，以此來幫助幾瑟與公叔爭權。楚王很生氣，要處罰鄭強。鄭強說：「臣假傳王命，是為了楚國的利益。臣的意思是，幾瑟得新城、陽人同公叔爭權，如果真能成功，魏國一定會猛攻韓國；韓國危急，必定會把命運寄託於楚國，又怎麼敢索要新城、陽人呢？如果爭不過公子咎，僥倖不被殺死，恐怕還會逃到楚國來，又怎麼敢談到要土地呢？」楚王認為鄭強說得有理，於是沒有處罰鄭強。

## 【出處】

　　韓公叔與幾瑟爭國。鄭強為楚王使於韓，矯以新城、陽人合世子，以與公叔爭國。楚怒，將罪之。鄭強曰：「臣之矯與之，以為國也。臣曰，世子得新城、陽人以與公叔爭國，而得全，魏必急韓氏；韓氏急，必縣命於楚，又何新城、陽人敢索？若戰而不勝，幸而不死，今且以至，又安敢言地？」楚王曰：「善。」乃弗罪。(《戰國策》〈韓策二〉)

# 太子出走

韓公叔幫助公子咎與幾瑟爭奪國權。中庶子鄭強對太子說：「不如趁齊國軍隊還沒有打進來，趕快除掉公叔。」太子說：「不行。在國內打內戰，國家必然分裂。」中庶子回答說：「這件事不成功，您自身就會遭到危險，還談什麼國家的完整呢？」太子不聽，齊國軍隊果然侵入韓國，太子被迫逃亡。

## 【出處】

韓公叔與幾瑟爭國。中庶子強謂太子曰：「不若及齊師未入，急擊公叔。」太子曰：「不可。戰之於國中必分。」對曰：「事不成，身必危，尚何足以圖國之全為？」太子甫聽，齊師果入，太子出走。（《戰國策》〈韓策二〉）

# 王抱虛質

胡衍在幾瑟到楚國之後，教公仲對魏王說：「太子幾瑟在楚國，韓國不敢背離楚國。您為什麼不試著扶持公子咎，為他請求太子的地位？然後再派人對楚王說，『韓國已經立公子咎為太子，這樣幾瑟就成了無用的人質。大王不如趕快讓幾瑟回國，幾瑟回國後，一定會憑藉韓國的權勢向魏國報仇，並且會感激大王的恩德。』」

【出處】

胡衍之出幾瑟於楚也，教公仲謂魏王曰：「太子在楚，韓不敢離楚也。公何不試奉公子咎，而為之請太子。因令人謂楚王曰：『韓立公子咎而棄幾瑟，是王抱虛質也。王不如亟歸幾瑟。幾瑟入，必以韓權報仇於魏而德王矣。』」（《戰國策》〈韓策二〉）

# 幾瑟亡之楚

幾瑟逃亡到楚國，楚國準備聯合秦國重新擁立他。有人對芈戎說：「毀掉公叔的計謀而輔助幾瑟的是楚國。如今幾瑟逃到楚國，楚國又聯合秦國重新擁立他，幾瑟回到韓國那天，韓國就如同楚國的一個縣了。您不如讓秦王去祝賀伯嬰被立為太子。韓國如果斷絕同楚國的邦交，他們一定會急忙來侍奉秦國的。秦國挾持韓國親近魏國，齊、楚兩國就會先亡，這是稱霸天下的謀略。」

【出處】

幾瑟亡之楚，楚將收秦而復之。謂芈戎曰：「廢公叔而相幾瑟者，楚也。今幾瑟亡之楚，楚又收秦而復之，幾瑟入鄭之日，韓，楚之縣邑。公不如令秦王賀伯嬰之立也。韓絕於楚，其事秦必疾，秦挾韓親魏，齊、楚後至者先亡，此王業也。」（《戰國策》〈韓策二〉）

# 不以幾瑟為事

　　有人對新城君羋戎說：「公叔、伯嬰擔心秦、楚兩國收留幾瑟，您為什麼不替韓國向楚國要回人質幾瑟呢？楚王把人質送回韓國，那麼公叔、伯嬰就會知道秦、楚兩國不把幾瑟當回事，韓國就會同秦、楚兩國結盟。秦、楚二國令韓國逼迫魏國，魏國不敢向東聯合齊國，這樣齊國就孤立了。您還可以讓秦國向楚國索要韓國人質，如果楚國不肯，那麼楚國就同韓國結下仇怨，韓國倚仗齊國、魏國而仇視楚國，楚王一定會重用您。您倚仗秦、楚兩國的勢力，對韓國厚施恩德，那麼公叔、伯嬰必定會用韓國來侍奉您。」

## 【出處】

　　謂新城君曰：「公叔、伯嬰恐秦、楚之內幾瑟也，公何不為韓求質子於楚？楚王聽而入質子於韓，則公叔、伯嬰必知秦、楚之不以幾瑟為事也，必以韓合於秦、楚矣。秦、楚挾韓以窘魏，魏氏不敢東，是齊孤也。公又令秦求質子於楚，楚不聽，則怨結於韓，韓挾齊、魏以眄楚，楚王必重公矣。公挾秦、楚之重以積德於韓，則公叔、伯嬰必以國事公矣。」（《戰國策》〈韓策二〉）

# 太子無患

　　公叔準備殺掉幾瑟，宋赫替幾瑟對公叔說：「幾瑟能發動叛亂，是因為他在國內得到大王和公仲的支持，在國外得到了秦、楚兩國的

援助。現在如果您殺了他，太子沒有了後患，一定會輕視您。韓國的大臣們看到韓王年老，太子已定，就會在暗中討好太子。秦、楚兩國如果沒能依靠幾瑟得到韓國，肯定會暗中再去支持伯嬰爭立太子。這樣伯嬰又成為第二個幾瑟。您不如不殺幾瑟。伯嬰受到威脅，必定會請求您的保護。韓國的大臣們不敢肯定幾瑟是否會返回韓國，因此不敢幫助伯嬰發動叛亂，秦、楚兩國也會幫助幾瑟堵塞伯嬰爭權的道路。這樣，伯嬰既得不到秦、楚兩國的外援，又得不到韓國大臣們的內應，肯定不能作亂。這對您十分有利。」

## 【出處】

　　公叔且殺幾瑟也，宋赫為謂公叔曰：「幾瑟之能為亂也，內得父兄，而外得秦、楚也。今公殺之，太子無患，必輕公。韓大夫知王之老而太子定，必陰事之。秦、楚若無韓，必陰事伯嬰。伯嬰亦幾瑟也。公不如勿殺，伯嬰恐，必保於公。韓大夫不能必其不入也，必不敢輔伯嬰以為亂。秦、楚挾幾瑟以塞伯嬰。伯嬰外無秦、楚之權，內無父兄之眾，必不能為亂矣。此便於公。」（《戰國策》〈韓策二〉）

### 齊逐幾瑟

　　齊明對公叔說：「齊國驅逐了幾瑟，楚國卻善待他。現在楚國很想同齊國和好，您何不讓齊王對楚王說：『請大王替我驅逐幾瑟，使他走投無路。』楚王如果聽從，這樣齊國、楚國就會結盟，幾瑟只好逃亡；楚王如果不聽，這樣對韓國暗中也有所幫助。」

齊明謂公叔曰：「齊逐幾瑟，楚善之。今楚欲善齊甚，公何不令齊王謂楚王：『王為我逐幾瑟以窮之。』楚聽，是齊、楚合而幾瑟走也；楚王不聽，是有陰於韓也。」（《戰國策》〈韓策二〉）

## 犬猛不可叱

齊國派周最出使韓國，脅迫韓國任命韓擾為相國，罷免公叔。周最為此很苦惱，他說：「公叔和周君的關係很好，派我出使韓國，使韓國廢掉公叔而立韓擾為相。俗話說：『人在家裡生氣，怒容一定會在大庭廣眾之下表露出來。』如果公叔怨恨齊國，那是沒有辦法的事，可是他一定會和周君絕交從而痛恨我呀。」史舍勸道：「您就去吧，我會讓公叔尊重您的。」周最來到了韓國，公叔非常憤慨。史舍面見公叔說：「周最本來不想出使韓國，是我私下裡強迫他來的。周最不想來，是為了您好；我強迫他來，也是為了您好。」公叔說：「請您說說您的理由。」史舍回答道：「齊國一個大夫養了一條很凶猛的狗，不能呵斥，呵斥它就要咬人。有一位客人想試試，先小心地盯住它，輕輕地呵斥，狗沒有動，又大聲呵斥它，狗竟沒有了咬人的意思。周最以前有幸能夠侍奉您，這次不得已才出使韓國。他將按照禮節慢慢地陳述齊國的要求，韓王一定以為齊王並不急於這樣做，一定不會答應這個要求。如果周最不來，齊王也會派別人來的。來的人和您沒什麼交情，又想討好韓擾，肯定很快出使，說話的口氣一定很急切，那麼韓王一定會答應他。」公叔說：「好。」於是他很敬重周最。

韓王果然沒有讓韓擾取代公叔為相。

## 【出處】

　　齊令周最使鄭，立韓擾而廢公叔。周最患之曰：「公叔之與周
君交也，令我使鄭，立韓擾而廢公叔。語曰：『怒於室者色於市。』
今公叔怨齊，無奈何也，必絕周君而深怨我矣。」史舍曰：「公行
矣，請令公叔必重公。」周最行至鄭，公叔大怒。史舍入見曰：「周
最固不欲來使，臣竊強之。周最不欲來，以為公也；臣之強之也，亦
以為公也。」公叔曰：「請聞其說。」對曰：「齊大夫諸子有犬，犬猛
不可叱，叱之必囓人。客有請叱之者，疾視而徐叱之，犬不動，復叱
之，犬遂無囓人之心。今周最固得事足下，而以不得已之故來使，彼
將禮陳其辭而緩其言，鄭王必以齊王為不急，必不許也。今周最不
來，他人必來。來使者無交於公，而欲德於韓擾，其使之必疾，言之
必急，則鄭王必許之矣。」公叔曰：「善。」遂重周最。王果不許韓
擾。（《戰國策》〈韓策二〉）

# 太子入秦

　　楚國派景鯉到了韓國，韓國準備送伯嬰到秦國去，景鯉很擔憂
這件事。冷向對伯嬰說：「太子一旦進入秦國，秦國必定會扣留太子
而同楚國串通，共同恢復幾瑟的地位，這樣太子反而會丟失太子之
位。」

楚令景鯉入韓，韓且內伯嬰於秦，景鯉患之。冷向謂伯嬰曰：
「太子入秦，秦必留太子而合楚，以復幾瑟也，是太子反棄之。」
（《戰國策》〈韓策二〉）

## 相堅如一

有人對韓王說：「秦王想出兵攻打魏國的絳地和安邑，不知韓國
準備怎樣應對？秦國想攻打韓國，主要是為了圖謀東方的周室，這是
秦人夢寐以求的。如今韓國不察事實，就貿然想和秦國結為同盟，必
然給山東諸侯帶來災禍。秦國攻打魏國，主要是為了經由魏國兵臨韓
國，唯恐魏國不聽號令，所以才決定給魏國以沉重打擊，藉以鞏固
秦、魏之間的關係。君王不明白事實真相，竟妄想保持中立，魏國必
然憤恨韓國不跟它站在一起。一旦它順從秦國驅使，韓國就將走投無
路。所以君王不如趕緊與趙、魏兩國結為兄弟，使山東諸侯派精兵鎮
守韓、魏西境，否則山東諸侯將無法救亡圖存。秦國想吞併天下而稱
王，其野心非同凡響。即便如兒子侍奉父親一樣侍奉秦國，他還是要
把我幹掉。行為雖然如伯夷讓位叔齊一樣，最後兩兄弟卻都餓死在首
陽山下。即便如夏桀和殷紂一樣暴戾，也一樣會被商湯和周武王取
代。就是說，無論你怎樣小心翼翼，都是徒勞無益的，不但不能勉強
生存，反而會加速國家的滅亡。山東諸侯如果不能結成親密的合縱陣
線，團結如一，必將滅亡。」

　　或謂韓王曰：「秦王欲出事於梁，而欲攻絳、安邑，韓計將安出矣？秦之欲伐韓以東窺周室甚，唯寐忘之。今韓不察，因欲與秦，必為山東大禍矣。秦之欲攻梁也，欲得梁以臨韓，恐梁之不聽也，故欲病之以固交也。王不察，因欲中立，梁必怒於韓之不與己，必折為秦用，韓必舉矣。願王熟慮之也。不如急發重使之趙、梁，約復為兄弟，使山東皆以銳師戍韓、梁之西邊，非為此也，山東無以救亡，此萬世之計也。秦之欲並天下而王之也，不與古同。事之雖如子之事父，猶將亡之也。行雖如伯夷，猶將亡之也。行雖如桀、紂，猶將亡之也。雖善事之無益也，不可以為存，適足以自令亟亡也。然則山東非能從親，合而相堅如一者，必皆亡矣。」（《戰國策》〈韓策三〉）

# 以百金從之

　　韓國公子咎爭立君位但結果還沒有確定下來，他的弟弟在周地，周君想用一百輛車隆重地送他回國，又擔心進入韓國後公子咎沒被立為太子。綦毋恢說：「不如給他帶去一百金，如果公子咎被立為太子，就說這一百金是送來做軍餉的；沒有被立為太子，就說是來獻反賊的。」

　　韓咎立為君而未定也，其弟在周，周欲以車百乘重而送之，恐韓咎入韓之不立也。綦毋恢曰：「不如以百金從之，韓咎立，因也以為

戒；不立，則曰來效賊也。」（《戰國策》〈韓策二〉）

# 聖人之計

　　有人對韓釐王說：「……現在的韓國比韓昭釐侯時更加弱小，而秦國卻遠比當年的秦國強大。既然秦王如今野心勃勃，今天的韓國為什麼不能遵從強秦以求安定呢？……東孟會盟的時候，聶政、陽堅刺殺韓相與哀侯。許異故意用腳踢哀侯，讓他裝死。韓哀侯繼位做國君後，韓國沒有人不聽從命令的，那是因為許異做了表率。因此韓哀侯讓許異終身做他的相國。韓國人尊重許異，如同他們尊重哀侯一樣。今天做不成韓王了，即便終生為相也好啊，然而我們卻不願意去做，難道不是謀劃失誤嗎？從前齊桓公九合諸侯，未嘗不是打著周襄王的旗號。雖然尊重周天子，齊桓公還是確立了霸主地位。參加會盟的諸侯，尊重齊桓公，就如同尊重周天子一樣。如今不能做天子，卻連『桓公』也不願去做，這難道不是計謀失誤，不懂得怎樣才能尊貴嗎？韓國民眾數十萬，都擁戴哀侯為國君，只有許異得到了相國的位置；諸侯各國的君主都遵從周王朝，也只有齊桓公取得了霸主地位。如今強大的秦國已顯出帝王之相，韓國不妨先行一步，這本是齊桓公、許異之類的好事，難道還稱不上好的謀劃嗎？先向強大的秦國稱臣，強國能稱王，我們就能稱霸；強國不能稱王，我們也可以避開它的討伐。而一旦強秦獲得成功，我們就可以擁立帝王雄霸一方；如果不能成就帝業，秦國依然會給予厚報。今天投靠強大的秦國，秦國成功後就有福報，不成功也不會有禍患。所以搶先結交強國，是聖人的計謀。」

## 【出處】

謂鄭王曰：「……今之韓弱於始之韓，而今之秦強於始之秦。今秦有梁君之心矣，而王與諸臣不事為尊秦以定韓者，臣竊以為王之明為不如昭釐侯，而王之諸臣忠莫如申不害也。……東孟之會，聶政、陽堅刺相兼君。許異蹴哀侯而殪之，立以為鄭君。韓氏之眾無不聽令者，則許異為之先也。是故哀侯為君，而許異終身相焉。而韓氏之尊許異也，猶其尊哀侯也。今日鄭君不可得而為也，雖終身相之焉，然而吾弗為云者，豈不為過謀哉？昔齊桓公九合諸侯，未嘗不以周襄王之命。然則雖尊襄王，桓公亦定霸矣。九合之尊桓公也，猶其尊襄王也。今日天子不可得而為也，雖為桓公吾弗為云者，豈不為過謀而不知尊哉？韓氏之士數十萬，皆戴哀侯以為君，而許異獨取相焉者，無他；諸侯之君無不任事於周室也，而桓公獨取霸者，亦無他也。今強國將有帝王之壐，而以國先者，此桓公、許異之類也，豈可不謂善謀哉？夫先與強國之利，強國能王，則我必為之霸；強國不能王，則可以辟其兵，使之無伐我。然則強國事成，則我立帝而霸；強國之事不成，猶之厚德我也。今與強國，強國之事成則有福，不成則無患，然則先與強國者，聖人之計也。」（《戰國策》〈韓策三〉）

# 勿攻市丘

趙、楚、魏、燕、韓五國結盟進攻秦國，楚考烈王為盟主，但是

沒能擊破秦國，五國聯軍於是停戰，駐紮在成皋。魏順對市丘的長官說：「五國收兵之後必然會攻打市丘以補償軍費。您如果資助我，我願意替您出面阻止諸侯進攻市丘。」市丘的長官於是派遣他前往楚國。魏順拜見楚考烈王說：「大王邀集五國軍隊討伐秦國，沒能戰勝秦國，天下人將因此看輕大王而尊重秦國，大王何不檢驗一下諸侯對您的態度呢？」楚王說：「怎麼檢驗？」魏順說：「五國罷兵後，肯定會攻打市丘以補償軍費。大王何不下令阻止進攻市丘？五國如果尊重您，就會聽從命令；如果不尊重您，就會違背大王的命令而進攻市丘。大王的權威如何，一言可知。」楚王據此檢驗五國的態度，市丘因而保住了。

## 【出處】

五國約而攻秦，楚王為從長，不能傷秦，兵罷而留於成皋。魏順謂市丘君曰：「五國罷，必攻市丘以償其費。君資臣，臣請為君止天下之攻市丘。」市丘君曰：「善。」因遣之。魏順南見楚王曰：「王約五國而西伐秦，不能傷秦，天下且以是輕王而重秦，故王胡不卜交乎？」楚王曰：「奈何？」魏順曰：「天下罷，必攻市丘以償兵費。王令之勿攻市丘。五國重王，且聽王之言而不攻市丘；不重王，且反王之言而攻市丘。然則王之輕重必明矣。」故楚王卜交而市丘存。（《戰國策》〈韓策一〉）

# 為有癰腫

有人對韓國相國說：「人們之所以親近扁鵲，是因為有癰疽之類的病痛；如果沒有病痛，人們自然不會去親近扁鵲；如今您之所以對平原君好，是因為您被秦國憎恨；但親近平原君才是您被秦國憎恨的原因，希望您仔細考慮這件事。」

## 【出處】

或謂韓相國曰：「人之所以善扁鵲者，為有癰腫也；使善扁鵲而無癰腫也，則人莫之為之也。今君以所以善平原君者，為惡於秦也；而善平原君乃所以惡於秦也，願君之熟計之也。」（《戰國策》〈韓策三〉）

# 共貴公子

韓陽領兵在三川作戰，想要回國，足強為他遊說韓王說：「三川已經屈服了，大王也知道這事了吧？服兵役的將士們都想擁立韓陽等人為君呢。」韓王於是召集在三川服役的公子們回國。

## 【出處】

韓陽役於三川而欲歸，足強為之說韓王曰：「三川服矣，王亦知之乎？役且共貴公子。」王於是召諸公子役於三川者而歸之。（《戰國策》〈韓策三〉）

# 塵飯塗羹

　　小孩們在一起做遊戲時，以塵土當飯食，用稀泥巴為湯汁，用木頭當肉塊。他們到了晚上肯定會回家吃飯，因為塵土泥巴做的飯菜可以玩耍，卻不能充饑。上古傳頌的神話，動聽卻不真實；先王的仁德為人稱道，卻不能有效治國，這就跟小孩子做遊戲一樣，是不能當真的。因追求仁義而使國家陷入衰弱混亂的，三晉就是例子；不講仁治而使國家強盛的，秦國就是例子。秦國之所以至今沒有稱帝，只是因為治理的方法還不完善。

## 【出處】

　　夫嬰兒相與戲也，以塵為飯，以塗為羹，以木為胾，然至日晚必歸餉者，塵飯塗羹可以戲而不可食也。夫稱上古之傳頌，辯而不愨，道先王仁義而不能正國者，此亦可以戲而不可以為治也。夫慕仁義而弱亂者，三晉也；不慕而治強者，秦也。然而未帝者，治未畢也。（《韓非子》〈外儲說左上〉）

# 以上黨歸趙

　　秦昭襄王四十五年（西元前262年），白起發兵進攻韓國的野王，野王投降，使韓國的上黨郡同韓國的聯繫被切斷。上黨郡守馮亭便同百姓們謀劃說：「通往都城鄭的道路被切斷，韓國肯定不管我們了。秦國軍隊一天天逼近，韓國不能救援，不如以上黨歸附趙國。趙國如

塵飯塗羹

果接受我們，秦國惱怒，必定攻打趙國。趙國遭到武力攻擊，必定親近韓國。韓、趙兩國聯合起來，就可以抵擋秦國。」於是便派人通報趙國。趙孝成王和平陽君、平原君一起研究這件事，平陽君說：「不如不接受。接受它，帶來的殃禍要比得到的好處大得多。」平原君表示異議說：「平白無故得到一郡，接受它有利。」結果趙王接受上黨，封馮亭為華陽君。

## 【出處】

四十五年，伐韓之野王。野王降秦，上黨道絕。其守馮亭與民謀曰：「鄭道已絕，韓必不可得為民。秦兵日進，韓不能應，不如以上黨歸趙。趙若受我，秦怒，必攻趙。趙被兵，必親韓。韓趙為一，則可以當秦。」因使人報趙。趙孝成王與平陽君、平原君計之。平陽君曰：「不如勿受。受之，禍大於所得。」平原君曰：「無故得一郡，受之便。」趙受之，因封馮亭為華陽君。（《史記》〈白起王翦列傳〉）

## 三川之守

張登對費緤說：「請您讓公子年對韓王說：『費緤，西周仇視他，東周重視他，此人家有萬金，大王何不以他為三川郡守，這樣費緤就會謹守三川，與西周保持戒備，以萬金家產來侍奉大王。西周憎恨他，一定會獻上先王時的寶器來阻止大王任用他。』韓王肯定會聽公子年的。西周聽說後，一定會撤銷您的罪名，不讓您去做三川郡守。」

【出處】

張登請費緤曰：「請令公子年謂韓王曰：『費緤，西周仇之，東周寶之，此其家萬金，王何不召之以為三川之守，是緤以三川與西周戒也，必盡其家以事王。西周惡之，必效先王之器以止王。』韓王必為之。西周聞之，必解子之罪，以止子之事。」（《戰國策》〈韓策三〉）

# 韓甚疏秦

秦是大國，而韓是小國。韓國很疏遠秦國，表面上又不能不裝得很親近秦國。考慮到非用錢財不可，不得已出售韓國美女。美女價錢昂貴，諸侯都買不起，結果還是秦王花三千金買下了美女。韓國用這三千金來討好秦國，這樣秦國不僅得到美女，也收回了三千金。更可悲的是韓國美女還對秦王抱怨說：「韓國對秦國很疏遠。」韓國不但失去了美女和錢財，而且它疏遠秦國的態度也暴露無遺。有人勸說韓王說：「不如杜絕奢華的生活，積攢錢財侍奉秦國吧。送黃金總不至於洩露國家機密，而美女是瞭解國家機密的。因此善於謀劃的人，不會讓國家的內情外洩。」

【出處】

秦，大國也。韓，小國也。韓甚疏秦。然而見親秦，計之，非金無以也，故賣美人。美人之賣貴，諸侯不能買，故秦買之三千金，韓因以其金事秦，秦反得其金與韓之美人。韓之美人因言於秦曰：「韓甚

疏秦。」從是觀之，韓亡美人與金，其疏秦乃始益明。故客有說韓者曰：「不如止淫用。以是為金以事秦，是金必行，而韓之疏秦不明。美人知內行者也，故善為計者，不見內行。」（《戰國策》〈韓策三〉）

# 為之先言

　　韓國把向晉驅逐回周國，周國的成恢替向晉對魏王說：「周國一定會寬恕向晉，再把他送回韓國。大王何不趕在周國之前提出把向晉送回韓國呢？這樣，大王一句好話就能得到向晉這樣的心腹在周國為己所用。」魏王說：「好。」成恢又為此事對韓王說：「驅逐向晉的是韓國，想讓向晉返回韓國的是魏國，這樣做還不如由韓國自己把向晉招回。否則，向晉在周國就會為魏國效力，而韓國卻坐失良機。」韓王說：「對啊。」於是就恢復了向晉在韓國的地位。

## 【出處】

　　韓氏逐向晉於周，周成恢為之謂魏王曰：「周必寬而反之，王何不為之先言，是王有向晉於周也。」魏王曰：「諾。」成恢因為謂韓王曰：「逐向晉者韓也，而還之者魏也，豈如道韓反之哉！是魏有向晉於周，而韓王失之也。」韓王曰：「善。」亦因請復之。（《戰國策》〈韓策三〉）

# 鬼神且不回

　　韓褐子到河邊渡口過河，船伕告訴他說：「人們從這裡過渡沒有不舉行祭祀活動的，你不舉行祭祀活動嗎？」韓褐子說：「天子祭天下的神靈，諸侯祭封地內的神靈，大夫祭父母親族，士人祭祖先。我不能祭河神。」船伕搖槳，船到河中旋轉起來。船伕說：「剛才我本來已經告訴你了，你不聽我的話。現在船到河中間就旋轉起來，很是危險。你整理行裝衣物下水游泳吧？」韓褐子說：「我不會因為有人恨我就改變我的志向，不會因為我快要死亡就改變我的原則。」話未說完，船就安穩地前行了。韓褐子說：「《詩經》上說：『茂盛的葛藤，蔓延到樹幹枝條。和樂平易的君子，求福也不邪僻。』鬼神都不喜歡邪僻，何況人呢？」

## 【出處】

　　韓褐子濟於河，津人告曰：「夫人過於此者，未有不快用者也，而子不用乎？」韓褐子曰：「天子祭海內之神，諸侯祭封域之內，大夫祭其親，士祭其祖禰。褐也未得事河伯也。」津人申楫，舟中水而運。津人曰：「向也役人固已告矣，夫子不聽役人之言也。今舟中水而運，甚殆。治裝衣而下游乎？」韓子曰：「吾不為人之惡我而改吾志，不為我將死而改吾義。」言未已，舟泆然行。韓褐子曰：「《詩》云：『莫莫葛藟，施於條枚；愷悌君子，求福不回。』[2]鬼神且不回，

---

2. 「莫莫葛藟，施於條枚；愷悌君子，求福不回」，出自《詩經》〈大雅・旱麓〉。

況於人乎？」（《說苑》〈修文〉）

## 重法而畏上

張譴擔任韓相，病危的時候，公乘無正攜三十金去探望。一月之後，韓君問張譴說：「如果您死了，讓誰來代替您的職務呢？」張譴回答說：「公乘無正重視法治並敬畏君主，雖說這樣，但他比不上公子食我更得民心。」張譴死後，韓君就讓公乘無正做了國相。

### 【出處】

張譴相韓，病將死。公乘無正懷三十金而問其疾。居一月，自問張譴，曰：「若子死，將誰使代子？」答曰：「無正重法而畏上，雖然，不如公子食我之得民也。」張譴死，因相公乘無正。（《韓非子》〈說林上第二十二〉）

## 皆為賁諸

有一種叫翩翩的鳥，頭大尾禿，如果要到河邊飲水，一定會栽到河裡，需要另一隻鳥銜著它的羽毛才能飲水。人們有了欲望，條件還不成熟的話，就不能不尋求幫手。黃鱔像蛇，蠶像毛蟲。人們看見蛇就會驚恐害怕，看見毛蟲汗毛就會豎起。但漁夫捕捉黃鱔，婦女拾蠶餵養，因利益所在，都能像孟賁、專諸一樣勇敢。

【出處】

鳥有翢翢者，重首而屈尾，將欲飲於河，則必顛，乃銜其羽而飲之，人之所有飲不足者，不可不索其羽也。鱓似蛇，蠶似蠋。人見蛇則驚駭，見蠋則毛起。漁者持鱓，婦人拾蠶，利之所在，皆為賁、諸。（《韓非子》〈說林下〉）

## 雕刻之道

桓赫說：「雕刻的原則是，鼻子不如先刻大一些，眼睛不如先刻小一些。鼻子大了可以修小，小了就不能修大；眼睛小了可以修大，大了就不能修小。」辦事也是這樣，做那種日後還能補救的事，就很少會失敗。

【出處】

桓赫曰：「刻削之道，鼻莫如大，目莫如小。鼻大可小，小不可大也；目小可大，大不可小也。」舉事亦然。為其後可復者也，則事寡敗矣。（《韓非子》〈說林下〉）

## 見利不喜

許由、續牙、晉伯陽、秦顛頡、衛僑如、狐不稽、重明、董不識、卞隨、務光、伯夷、叔齊，這十二個人，都是見利不動心、臨危

不懼的。有的送給他天下也不接受，如果遇到勞累屈辱，他們寧可選擇不要官府的俸祿。見利不動心的人，即使君主厚賞，也不能勉勵他；臨危不懼的人，即使君主重罰，也不能鎮服他：這叫作不聽使喚的人。這十二個人，有的隱居死在山洞裡，有的枯槁死在荒野上，有的在深山裡餓死，有的投水自盡。這樣的人，即便上古的聖王也不能讓他們為臣，現今的時代，又怎能任用他們？

## 【出處】

若夫許由、續牙、晉伯陽、秦顛頡、衛僑如、狐不稽、重明、董不識、卞隨、務光、伯夷、叔齊，此十二人者，皆上見利不喜，下臨難不恐；或與之天下而不取；有萃辱之名，則不樂食穀之利。夫見利不喜，上雖厚賞，無以勸之；臨難不恐，上雖嚴刑，無以威之：此之謂不令之民也。此十二人者，或伏死於窟穴，或槁死於草木，或饑餓於山谷，或沉溺於水泉。有民如此，先古聖王皆不能臣，當今之世，將安用之？（《韓非子》〈說疑〉）

## 疾爭強諫

夏桀時的關龍逄、商紂時的比干、隨國的季梁、陳國的洩治、楚國的申胥、吳國的伍子胥，這六個人，都憑激烈爭辯或強行勸諫來壓服君主。如果君主採用他們的主張處理政事，就會出現如同師徒之間的關係；君主對他們的話有一句不聽從，一件事情不照辦，他們就用強硬的措辭來侮辱君主；豁出命來等待君主的處理，即使家破人亡、

腰斬兩段、手腳異處也不畏懼。像這樣的臣子，古代的聖王都不能容忍，現今的時代，又怎能任用他們？

## 【出處】

　　若夫關龍逢、王子比干、隨季梁、陳洩冶、楚申胥、吳子胥，此六人者，皆疾爭強諫以勝其君。言聽事行，則如師徒之勢；一言而不聽，一事而不行，則陵其主以語，待之以其身，雖身死家破，要領不屬，手足異處，不難為也。如此臣者，先古聖王皆不能忍也，當今之時，將安用之？（《韓非子》〈說疑〉）

## 心無二用

　　子綽說：「沒有人能夠同時用左手畫方、用右手畫圓。用肉去趕螞蟻，螞蟻會越來越多；用魚去趕蒼蠅，蒼蠅會越聚越密。」

## 【出處】

　　子綽曰：「人莫能左畫方而右畫圓也。以肉去蟻，蟻愈多，以魚驅蠅，蠅愈至。」（《韓非子》〈外儲說左下〉）

## 朋黨比周

　　齊國的田常、宋國的子罕、魯國的季孫如意、晉國的叔孫僑如、衛國的子南勁、鄭國的太宰欣、楚國的白公勝、周國的單荼、燕國的

子之，這九個人為臣子，都是靠結黨營私、狼狽為奸來侍奉君主，不走正道而搞歪門邪道，對上威逼君主，對下破壞國家安定，勾結外國勢力來擾亂國內政事，拉攏下屬來對付君主，做來毫無忌憚。像這樣的臣子，只有聖王明主才能予以控制，至於昏君亂主，哪裡看得出來？

## 【出處】

若夫齊田恆、宋子罕、魯季孫意如、晉僑如、衛子南勁、鄭太宰欣、楚白公、周單荼、燕子之，此九人者之為其臣也，皆朋黨比周以事其君，隱正道而行私曲，上逼君，下亂治，援外以撓內，親下以謀上，不難為也。如此臣者，唯聖王智主能禁之，若夫昏亂之君，能見之乎？（《韓非子》〈說疑〉）

## 殺身以安主

后稷、皋陶、伊尹、周公旦、太公望、管仲、隰朋、百里奚、蹇叔、舅犯、趙衰、范蠡、文種、逢同、華登，這十五個人作為臣子，都是早起晚睡，自謙自卑，內心恭敬；他們執法嚴明、兢兢業業侍奉自己的君主，進獻好的建議、精通法術而不敢自我誇耀，成就功業也不敢炫耀勞苦；為了國家利益不惜傾家蕩產，為了君主安全不惜獻出生命；把君主看得和上天、泰山一樣尊貴，把自身看成谷底、河床一樣低下；君主在全國享有廣泛的美譽，而自己安於接受低下的地位。像這樣的臣子，即使遇到昏君亂主仍可建立功業，何況遇到賢明君主

呢？這就叫作霸主的助手啊。

## 【出處】

　　若夫后稷、皋陶、伊尹、周公旦、太公望、管仲、隰朋、百里奚、蹇叔、舅犯、趙衰、范蠡、大夫種、逢同、華登，此十五人者為其臣也，皆夙興夜寐，單身賤體，竦心白意；明刑辟、治官職以事其君，進善言、通道法而不敢矜其善，有成功立事而不敢伐其勞；不難破家以便國，殺身以安主，以其主為高天、泰山之尊，而以其身為壑谷、鬴洧之卑；主有明名廣譽於國，而身不難受壑谷鬴洧之卑。如此臣者，雖當昏亂之主尚可致功，況於顯明之主乎？此謂霸王之佐也。（《韓非子》〈說疑〉）

## 陰暗其主

　　西周的滑之、鄭國的公孫申、陳國的公孫寧、儀行父、楚國的芋尹申亥、隨國的少師、越國的種干、吳國的王孫雒、晉國的陽成洩、齊國的豎刁、易牙等，這十二個人作為臣子，都是見小利而忘法紀，獲得任用就埋沒賢良以矇蔽君主，被廢黜則擾亂百官而興禍作亂；他們都輔佐自己的君主，迎合君主的欲望。假如能博得君主的一點歡心，即使敗壞國家、殘殺民眾，也樂於下手。像這樣的臣子，即使是聖明君王也怕被奪權，何況昏君亂主，能不失去權柄嗎？有這些臣子的君主，都身死國亡，被天下人恥笑。所以周威王被殺，國家分成兩半；鄭君子陽被殺，國家一分為三。陳靈公死於夏徵舒之手，楚靈王

死於乾谿邊上，隨國被楚國所滅，吳國被越國吞併，智伯被滅於晉陽城下，桓公死後多日不得收殮。所以說：阿諛奉承的臣子，只有聖明君主才能識別；昏君亂主去親近他們，必然落到身死國亡的地步。

## 【出處】

　　若夫周滑之、鄭王孫申、陳公孫寧、儀行父、荊芋尹申亥、隨少師、越種干、吳王孫雒、晉陽成洩、齊豎刁、易牙，此十二人者之為其臣也，皆思小利而忘法義，進則掩蔽賢良以陰暗其主，退則撓亂百官而為禍難；皆輔其君，共其欲，苟得一說於主，雖破國殺眾，不難為也。有臣如此，雖當聖王尚恐奪之，而況昏亂之君，其能無失乎？有臣如此者，皆身死國亡，為天下笑。故周威公身殺，國分為二；鄭子陽身殺，國分為三；陳靈身死於夏徵舒氏；荊靈王死於乾谿之上；隨亡於荊；吳並於越；知伯滅於晉陽之下；桓公身死七日不收。故曰：諂諛之臣，唯聖王知之；而亂主近之，故至身死國亡。（《韓非子》〈說疑〉）

## 惡貫滿盈

　　有人和蠻橫的人做鄰居，想賣掉住宅躲避他。有人勸他說：「這人將惡貫滿盈了，你姑且等待一下。」想賣住宅的人說：「我倒害怕他會用我來填滿罪惡哩。」於是還是離開了。所以說：「事情到了發生變動的節點，就應該果斷做決定。」

## 【出處】

　　有與悍者鄰，欲賣宅而避之。人曰：「是其貫將滿矣，子姑待之。」答曰：「吾恐其以我滿貫也。」遂去之。故曰：「物之幾者，非所靡也。」（《韓非子》〈說林下〉）

# 附 曹國卷

　　曹國是西周初分封的諸侯國，伯爵，始封君為周文王第六子曹叔振鐸，建都陶丘（今山東菏澤市定陶區），治所大致為今菏澤市定陶區、牡丹區、曹縣一帶。西周時為一方大國，與魯國共守王朝東土，東周時因內亂國勢趨弱。西元前四八七年宋景公伐曹，晉國不救，曹國滅亡。

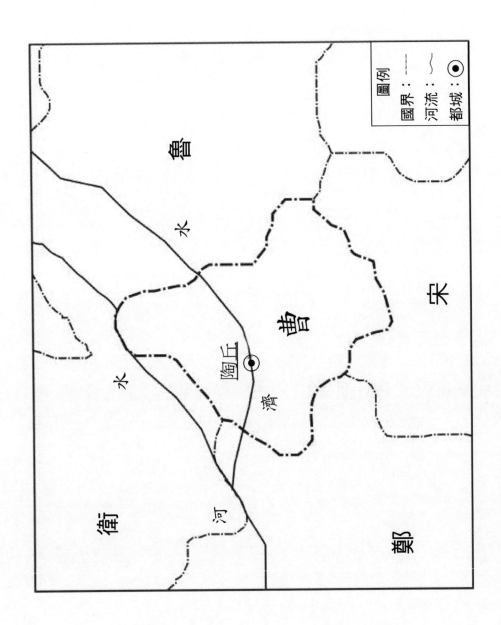

# 負羈之妻

　　僖負羈的妻子對負羈說：「我看晉公子的隨從人員，個個都是棟梁之材，足以輔助國家。有他們的輔佐，晉公子一定能返回晉國做國君，將來也肯定會在諸侯中稱霸。稱霸後要懲罰對他無禮的國家，曹國就是第一個。如果曹國有難，你也免不了遭殃。你何不早點為自己打算呢？我聽人說，不知兒子如何，只需看他父親；不知君王如何，只需看輔佐他的人。晉公子的隨從都是卿相，他們的君主一定會成就霸王之業的。你若對他禮遇，將來必定報答你；你若得罪他，將來必然追究你的過失。」僖負羈於是向晉公子贈送了一份食品，裡邊藏著玉璧。公子接受食品，退回了玉璧。後來重耳回國繼位後，果然興兵討伐曹國，但對僖負羈的住所巷道特別標明，命令士兵不可擅入，於是曹國的士民扶老攜幼都到負羈的閭里來，門外一時成了鬧市。君子稱讚僖氏之妻富有遠見。《詩經》說：「既明事理又聰慧，善於應付保自身。」就是這個意思。

## 【出處】

　　負羈之妻言於夫曰：「吾觀晉公子，其從者三人，皆國相也。以此三人者，皆善毀力以輔人，必得晉國。若得反國，必霸諸侯，而討無禮，曹必為首。若曹有難，子必不免。子胡不早自貳焉？且吾聞之：『不知其子者，視其父；不知其君者，視其所使。』今其從者皆卿相之僕也，則其君必霸王之主也。若加禮焉，必能報施矣。若有罪焉，必能討過。子不早圖，禍至不久矣。」負羈乃遺之壺餐，加璧其

上。公子受餐反璧。及公子反國，伐曹，乃表負羈之閭，令兵士無敢入，士民之扶老攜弱而赴其閭者，門外成市。君子謂僖氏之妻能遠識。《詩》云：「既明且哲，以保其身。」[1]此之謂也。（《列女傳》〈仁智傳〉）

# 讓國之賢

曹公子喜時是曹宣公的兒子。曹宣公參與諸侯討伐秦國，死於軍中。曹國派子臧迎回宣公的靈柩，讓公子負芻和太子留守，負芻殺死太子自立為君，這就是曹成公。子臧埋葬父君以後，想遠走他鄉，全國的百姓都追隨他。成公看到這種情況，非常恐慌，就承認罪過，請求子臧留在曹國，於是子臧回國。後來晉厲公在諸侯會盟時逮捕了曹成公，送到東周的王都洛邑，準備把子臧推薦給周天子，立他為曹國君主。子臧說：「古書上說，『聖人進退合於節義，次一等的人保守節義，下等人喪失節義。』當國君不合我的節義，雖然我達不到聖人的高度，又怎敢失去操守呢？」於是逃往宋國。曹國人多次請求晉厲公，晉厲公對子臧說：「你回國吧，我送還你們的國君。」於是子臧回到曹國，曹成公也如願回到曹國。成公繼續為國君，因為子臧不走，曹國才歸於安寧。

## 【出處】

曹公子喜時，字子臧，曹宣公子也。宣公與諸侯伐秦，卒於

---

1. 「既明且哲，以保其身」，出自《詩經》〈大雅・烝民〉。

師，曹人使子臧迎喪，使公子負芻與太子留守，負芻殺太子而自立。子臧見負芻之當主也，宣公既葬，子臧將亡，國人皆從之。負芻立，是為曹成公。成公懼，告罪，且請子臧，子臧乃返，成公遂為君。其後晉侯會諸侯，執曹成公，歸之京師，將見子臧於周天子而立之。子臧曰：「前記有之，聖達節，次守節，下失節，為君非吾節也，雖不能聖，敢失守乎？」遂亡奔宋，曹人數請，晉侯謂子臧：「返國，吾歸爾君。」於是子臧返國，晉乃言天子，歸成公於曹。子臧遂以國致成公，成公為君，子臧不出，曹國乃安。子臧讓千乘之國，可謂賢矣，故《春秋》賢而褒其後。（《新序》〈節士第七〉）

## 請待公孫強

曹伯陽三年（西元前499年），曹國都城裡有人做夢，夢見許多君子站在社宮那裡商議滅掉曹國；曹叔振鐸制止他們，讓他們等待公孫強，眾君子答應了曹叔振鐸的要求。做夢的人天亮後找遍曹國，也沒有打聽到公孫強這個人。做夢的人就告誡兒子說：「我死以後，如果聽到公孫強執掌政事，一定要離開曹國，免遭禍事。」伯陽喜好射獵。繼位的第六年，曹國有個農夫公孫強也喜好射獵，獵得白雁獻給伯陽，兩人大談射獵之道，進而談論政事。伯陽高興之極，非常寵幸公孫強，任命他為司城來處理政務。做夢者的兒子聽說後，便逃離了曹國。公孫強向伯陽陳說稱霸諸侯的主張。曹伯陽十四年（西元前488年），曹伯聽從公孫強的主意，背叛晉國，進犯宋國。宋景公攻曹，晉國不救。曹伯陽十五年（西元前487年），宋滅曹，將曹伯陽

和公孫強帶回宋國斬首，曹國因此滅亡。

## 【出處】

伯陽三年，國人有夢眾君子立於社宮，謀欲亡曹；曹叔振鐸止之，請待公孫強，許之。旦，求之曹，無此人。夢者戒其子曰：「我亡，爾聞公孫強為政，必去曹，無離曹禍。」及伯陽即位，好田弋之事。六年，曹野人公孫強亦好田弋，獲白雁而獻之，且言田弋之說，因訪政事。伯陽大說之，有寵，使為司城以聽政。夢者之子乃亡去。公孫強言霸說於曹伯。十四年，曹伯從之，乃背晉干宋。宋景公伐之，晉人不救。十五年，宋滅曹，執曹伯陽及公孫強以歸而殺之。曹遂絕其祀。(《史記》〈管蔡世家〉)

# 為之莽莽

有個戎人第一次看見曬布，問曬布的人說：「用什麼東西能織得這樣長、這麼大呢？」曬布的人指著地上堆著的麻說：「是用這個。」戎人生氣地說：「這麼亂紛紛的東西，怎麼可能呢！」所以滅亡的國家不是沒有聰明之士，也不是沒有賢德之人，而是因為亡國的君主智力不及，與世隔絕無法接觸外部世界的緣故啊。無法接觸外部世界所帶來的禍患是自以為聰明，這樣智力勢必達不到。如果智力達不到卻又自以為聰明，這就是糊塗。

## 【出處】

　　戎人見暴布者而問之曰：「何以為之莽莽也？」指麻而示之。怒曰：「孰之壤壤也，可以為之莽莽也！」故亡國非無智士也，非無賢者也，其主無由接故也。無由接之患，自以為智，智必不接。今不接而自以為智，悖。（《呂氏春秋》〈先識覽・知接〉）

昌明文庫・悅讀國學 A0602019

# 國學經典故事：晉國　韓國卷

主　　編　萬安培
版權策畫　李煥芹

發 行 人　林慶彰
總 經 理　梁錦興
總 編 輯　張晏瑞
編 輯 所　萬卷樓圖書股份有限公司
排　　版　菩薩蠻數位文化有限公司
印　　刷　百通科技股份有限公司
封面設計　菩薩蠻數位文化有限公司

出　　版　昌明文化有限公司
桃園市龜山區中原街 32 號
電話 (02)23216565
發　　行　萬卷樓圖書股份有限公司
臺北市羅斯福路二段 41 號 6 樓之 3
電話 (02)23216565
傳真 (02)23218698
電郵 SERVICE@WANJUAN.COM.TW
大陸經銷　廈門外圖臺灣書店有限公司
　電郵 JKB188@188.COM

ISBN 978-986-496-553-3
2020 年 2 月初版
定價：新臺幣 560 元

如何購買本書：

1. 轉帳購書，請透過以下帳戶
　合作金庫銀行　古亭分行
　戶名：萬卷樓圖書股份有限公司
　帳號：0877717092596

2. 網路購書，請透過萬卷樓網站
　網址 WWW.WANJUAN.COM.TW

大量購書，請直接聯繫我們，將有專人為您
服務。客服：(02)23216565 分機 610

如有缺頁、破損或裝訂錯誤，請寄回更換
版權所有・翻印必究
Copyright©2020 by WanJuanLou Books CO., Ltd.
All Right Reserved　　　　Printed in Taiwan

國家圖書館出版品預行編目資料

國學經典故事：晉國 韓國卷 / 萬安培主編.
-- 初版. -- 桃園市：昌明文化出版；臺北
市：萬卷樓發行, 2020.02
　面；　公分. -- (昌明文庫；A0602019)
ISBN 978-986-496-553-3(平裝)

1.漢學 2.通俗作品

　　　　030　　　　　　　　109002907

本著作物經廈門墨客知識產權代理有限公司代理，由湖北人民出版社有限公司授權萬卷樓圖
書股份有限公司（臺灣）出版、發行中文繁體字版版權。